EURODÉLICES

VIANDES, VOLAILLES & GIBIERS

Eurodélices

Viandes, Volailles & Gibiers

À LA TABLE DES GRANDS CHEFS

KÖNEMANN

Remerciements

Nous remercions toutes les personnes, restaurants et entreprises cités ci-dessous pour leur précieuse collaboration à la réalisation de ce livre :

Ancienne manufacture royale, Aixe-sur-Vienne ; Baccarat, Paris ; Chomette Favor, Grigny ; Christofle, Paris ; Cristalleries de Saint-Louis, Paris ; Grand Marnier, Paris ; Groupe Cidelcem, Marne-la-Vallée ; Haviland, Limoges ; Jean-Louis Coquet, Paris ; José Houel, Paris ; Lalique, Paris ; Les maisons de Cartier, Paris ; Maîtres cuisiniers de France, Paris ; Philippe Deshoulières, Paris ; Porcelaines Bernardaud, Paris ; Porcelaine Lafarge, Paris ; Puiforcat Orfèvre, Paris ; Robert Haviland et C. Parlon, Limoges ; Société Caviar Petrossian, Paris ; Villeroy & Boch, Garges-lès-Gonesse ; Wedgwood Dexam-International, Coye-la-Forêt.

Notre remerciement tout particulier à : Lucien Barcon, Georges Laffon, Clément Lausecker, Michel Pasquet, Jean Pibourdin, Pierre Roche, Jacques Sylvestre et Pierre Fonteyne.

Degré de difficulté des recettes :

*	facile
**	assez facile
***	difficile

Réalisation : Studio Pastre, Toulouse
Révision : Rémy Juston et Marie-Laurence Sarret
Lecture : Muriel Philibert dit Jaime
Fabrication : Ursula Schümer
Impression et reliure : Neue Stalling, Oldenbourg
Imprimé en Allemagne

ISBN 3-8290-5273-1

10 9 8 7 6 5 4 3 2 1

Sommaire

Avant-propos

Eurodélices apportera à votre cuisine les plaisirs d'une gastronomie de tout premier ordre. Une centaine de chefs de restaurants renommés – originaires de 17 pays et la plupart moult fois primés – ont participé à la réalisation de cette collection de livres de cuisine. Ceux qui ont déjà eu le privilège d'apprécier l'hospitalité de certains d'entre eux pourront se réjouir d'en retrouver le raffinement; les autres découvriront une nouvelle passion.

Ils n'ont pas seulement créé pour chaque gourmand une collection indispensable en 6 tomes et plus de 1 900 pages, mais aussi un document culinaire unique de la culture européenne, au-delà des modes éphémères. Dans ce volume, nos chefs vous offrent leurs meilleures recettes de viandes, de volailles et de gibiers.

Avec une approche captivante, cette collection reflète les racines communes de l'art culinaire européen dans sa fantastique variété.

Car manger est bien plus que la simple satisfaction d'un besoin naturel. À chaque occasion, cuisiner devient un art, surtout s'il s'agit d'une fête, ou d'un événement particulier de la vie privée ou publique. Sous le regard attentif des cuisiniers, des couples d'amoureux se mettent à table pour construire l'avenir. De la même manière, on se réunit autour d'une table pour conclure une affaire, signer un contrat ou tout simplement fêter une réconciliation.

Souvent, on apprend à connaître la culture de nos voisins à travers leur cuisine. Ainsi des gourmandises culinaires peuvent-elles aider à être plus tolérant. Qui peut mieux transmettre cela que des chefs cuisiniers de premier rang venus d'horizons divers ?

Des saveurs provenant des quatre coins de l'Europe montrent que l'amour pour les plaisirs de la table reste immuable sur ce vieux continent, berceau de la gastronomie. Cette collection unique de 750 recettes soigneusement sélectionnées éveille en nous le désir de faire de plus en plus de découvertes. Elle ouvre la voie des plaisirs classiques hérités de nos ancêtres qui ont forgé les traditions culinaires durant des siècles pour donner naissance à la cuisine contemporaine. On y découvre également des nouveautés surprenantes : ici des ingrédients sont employés de manière inédite, là des saveurs délicates sont créées à partir d'éléments originaires de régions lointaines dont nous faisons parfois connaissance pour la première fois.

La gastronomie ne connaît pas de frontières. Elle parle une langue authentique qu'apprécient les amateurs de saveurs originales. Cette langue se transmet à travers nos sens et nous fait apprécier la qualité et le raffinement de préparations provenant des méridiens les plus différents. Enfin, elle nous entraîne dans l'empire infini des saveurs et des couleurs opulentes.

Cette collection contient tout cela, de l'élément le plus infime mais unique aux luxueux plats festifs. Vous trouverez ici des recettes pour chaque occasion, de la délicate collation facile à réaliser au menu exquis à plusieurs plats. Environ 5 000 photos en couleurs ainsi que des descriptions pas à pas garantissent une parfaite réussite. Ces recettes n'invitent pas seulement à l'imitation, elles renforcent aussi la créativité, car, tout comme les auteurs de cette collection, les gourmands de tous les continents se consacrent à la culture de la cuisine et de la dégustation.

Ainsi réunis autour de spécialités raffinées, les us et les coutumes, les plaisirs et les secrets de tout un continent nous permettent de donner libre cours à notre imagination et d'apprécier les bonheurs simples de la vie.

Cuisses de cailles

Préparation *1 heure*
Cuisson *10 minutes*
Difficulté ★

Pour 4 personnes

20 cuisses de cailles
10 petites asperges
24 petites pommes de terre
32 petites gousses d'ail
100 g de farine
200 ml d'huile de tournesol

huile d'olive
sel, poivre
1 cuil. à soupe de sauce de soja
4 bouquets de salades variées
quelques gouttes de vinaigre de xérès
8 rondelles de gingembre
brins de ciboulette

Sauce :
3 cuil. à soupe de jus de viande
2 cuil. à soupe de sauce soja
25 g de beurre

La saison de chasse donne aux Catalans de multiples occasions d'exercer leur dextérité, car le gibier à poils et à plumes ne manquent pas dans l'arrière-pays. La caille, qui fait déjà l'objet de nombreuses recettes, permet à Fernando Adría de montrer tout l'intérêt qu'il porte à remettre au goût du jour des préparations traditionnelles. Il existe d'ailleurs des cailles d'élevage que l'on peut consommer toute l'année et dont le goût, moins prononcé que celui du gibier, fait bonne figure.

Le cri de la caille (qui margote ou cancaille) n'est guère ordinaire et fait l'objet de diverses interprétations. Son arôme est très fin, presque imperceptible, et l'on doit prendre garde à ne pas le masquer avec des ingrédients trop corsés. Il faut d'abord désosser les cuisses avec précaution, car le pilon doit toujours adhérer à la chair. Cette opération est d'autant plus longue qu'il faut prévoir au moins cinq cuisses par convive.

Ensuite, il faut préparer un accompagnement d'une finesse et d'une qualité comparables à celles des oiseaux. La sauce soja, d'origine chinoise, contient des haricots de soja que l'on sale et fait fermenter pendant 24 mois (les Japonais se contentent de 6 mois). La recette n'a pas évolué depuis plus de 2000 ans et notre chef, conscient pourtant d'enfreindre des consignes sacrées, vous recommande d'ajouter du jus de viande ou de volaille pour obtenir une meilleure consistance et donc un nappage de qualité. Ail, pommes de terre et salades panachées rendront plus digeste ce plat très original.

1. Parer les cuisses de cailles en gardant l'os du pilon attaché à la chair. Gratter les asperges et ne conserver que les pointes. Éplucher les pommes de terre et les découper en rondelles. Enlever la première peau des gousses d'ail.

2. Poêler les cuisses farinées dans l'huile de tournesol à 160 °C. Lorsqu'elles sont croustillantes, les égoutter sur un papier absorbant. Cuire sur le gril les asperges et l'ail. Faire sauter les pommes de terre dans l'huile d'olive à feu doux, puis saler et poivrer. Trente secondes avant la fin de la cuisson, ajouter 1 cuil. à soupe sauce soja.

au soja

3. Pour la sauce, incorporer le jus de viande à la sauce soja. Laisser réduire à feu doux, puis monter la sauce au beurre. Faire baigner les cuisses de cailles dans la sauce. Assaisonner les salades de vinaigre de xérès, d'huile d'olive, de sel et de poivre.

4. Disposer sur chaque assiette huit bouquets d'ail et des asperges coupées en deux et entrelacées. Déposer une cuisse sur chaque bouquet. Placer au centre une pyramide de pommes de terre sautées et deux rondelles de gingembre. Napper légèrement de sauce. Décorer de brins de ciboulette et servir les salades à part.

Bécasse

Préparation *10 minutes*
Cuisson *5 minutes*
Difficulté ☆☆

Pour 4 personnes

4 bécasses
sel, poivre
huile
beurre
3 carottes
250 g de navets

250 g de champignons
1 oignon
2 gousses d'ail

Sauce :
carcasses des bécasses
150 ml de vin blanc
100 ml de cognac

Long bec et courtes pattes : la bécasse est un gibier facilement reconnaissable où qu'elle se trouve : dans un bois, en prairie ou au bord de l'eau. Ce n'est pas sans cruauté que l'on taxe ce volatile de stupidité, au point que l'on a converti son nom en une insulte plaisante. Mais la ressemblance entre la bécasse et l'homme ne s'arrête pas là, puisque l'on désigne du même terme de « paseo » les allées et venues de la bécasse entre prés et forêts, et les déambulations vespérales chères aux Espagnols.

La bécasse est protégée, si bien que l'on ne peut la préparer que pendant la courte période de la chasse. Tout d'abord, il faut « l'apprivoiser », c'est-à-dire lui faire subir une rapide torsion du cou pour la brider dans les règles (*voir* photo 1). Ensuite, il faut faire dorer l'animal sur toutes ses faces afin de lui donner au final un croustillant fort apprécié. Il ne faut cependant pas que le feu soit trop vif, car une cuisson inégale pourrait nuire à l'uniformité du résultat.

Le volatile cuit au four et désossé s'accompagne très bien de légumes rustiques, tels le navet, les carottes et les oignons. Pour accentuer encore la saveur sauvage de la bécasse, il faudra enfin poêler une belle poignée de ces champignons qui foisonnent dans les Pyrénées.

Cette recette pourrait convenir à la perdrix, à de petites cailles d'élevage ou même à la délicate palombe, que l'on attrape dans les collines basques au moyen de grands filets tendus. Ces techniques ancestrales sont toujours au cœur de longues conversations, généreusement arrosées d'irouléguy.

1. Après avoir plumé et flambé les bécasses, enlever les gésiers. Pour les brider, enfoncer le bec dans la cuisse et le faire ressortir sous l'autre cuisse, en traversant l'oiseau. Saler et poivrer.

2. Faire chauffer l'huile dans une sauteuse, faire dorer les bécasses sur toutes les faces, puis enfourner 5 minutes. À la sortie du four, désosser les bécasses.

rôtie

3. Pour la sauce, concasser les carcasses et les remettre dans la sauteuse. Ajouter le vin et le cognac, faire réduire la sauce, puis passer au chinois. Placer les bécasses quelques minutes dans une cocotte avec une noix de beurre pour les réchauffer.

4. Faire cuire dans une sauteuse les carottes, les navets, les champignons, l'oignon et l'ail avec un filet d'eau et deux noix de beurre. Disposer une bécasse sur chaque assiette avec la garniture de légumes et napper.

Poularde rôtie en

Préparation *1 heure*
Cuisson *2 heures 30 minutes*
Difficulté ☆☆☆

Pour 4 personnes

1 poularde fermière de 1,5 kg
6 tomates bien mûres
sel, poivre
huile d'olive
200 g de piments doux (ou poivrons verts)
2 tranches épaisses de jambon de Bayonne

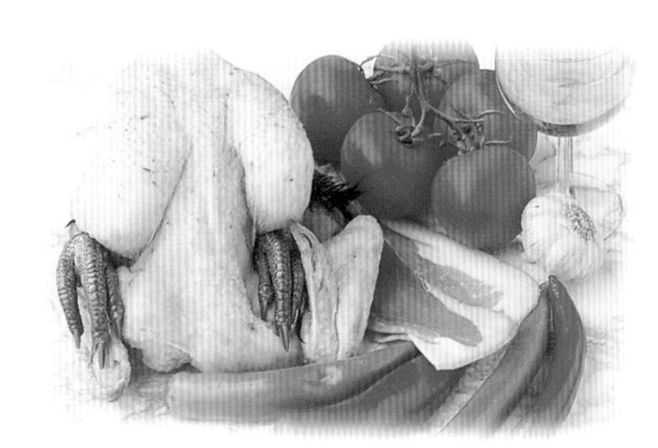

3 gousses d'ail
1 verre d'irouléguy blanc
beurre

Il s'agit d'une version savante et personnelle du fameux poulet basquaise, qui met en scène une volaille bien saisie et dorée, accompagnée des ingrédients traditionnels : tomates, piments, ail et jambon de Bayonne.

Vous choisirez la poularde parmi de jeunes poules fermières du Pays basque, à défaut du Gers ou des Landes. Élevées au grand air et nourries au maïs, ces volailles fermes et dodues sont pourvues d'une carcasse résistante. Leur désossement s'effectue avec méthode et minutie : il est nécessaire à la présentation en ballottine qui préserve le goût fragile de la poularde tout en laissant la chair s'imprégner délicatement de la saveur des autres ingrédients. Pour une cuisson parfaite, vous devrez confectionner des ballottines régulières et veiller à les couvrir entièrement de peau, sans interstices, avant de les ficeler.

Vous aurez soin de laisser dorer les ballottines au four pour rendre la peau plus craquante et moins grasse. Toutefois, une trop forte cuisson pourrait dessécher la chair : il suffit d'une douzaine de minutes à 200 °C pour que la poularde soit à point. Une ballottine bien cuite doit résister à une légère pression du doigt.

Au moment du déglaçage des sucs de cuisson, ne manquons pas de saluer l'irouléguy, un vin basque dont la renommée et la qualité n'ont cessé de croître durant les dernières décennies.

Firmin Arrambide vous conseille de remplacer si nécessaire la poularde par une pintade ou une canette de Barbarie, et le jambon de Bayonne par de fines tranches de poitrine salée ou de ventrèche.

1. Parer, flamber et vider la volaille. Réserver le foie et le cœur. La désosser entièrement de façon à obtenir deux demi-volailles. Peler les tomates, les épépiner, saler et poivrer. Faire confire les tomates arrosées d'huile d'olive pendant 2 heures à four doux (60 °C).

2. Poêler rapidement les piments et les tranches de jambon. Réserver. Peler et couper l'ail en lamelles, puis le faire dorer à la poêle avec le cœur et le foie. Répartir à l'intérieur de chaque demi-volaille le jambon, les piments, l'ail, le foie et le cœur.

ballottine à la basquaise

3. Rouler chaque demi-volaille en ballottine et bien ficeler à la manière d'un rôti. Assaisonner et faire dorer dans une sauteuse avec les os concassés répartis tout autour.

4. Mettre à four chaud 12 minutes, puis réserver. Dégraisser la sauteuse et déglacer avec l'irouléguy. Laisser réduire avec un demi-verre d'eau et une noix de beurre. Passer au chinois, goûter et réserver. Disposer les ballottines, coupées en tranches épaisses, sur l'assiette. Répartir le jus et les tomates confites.

Salade de cervelle d'agneau

Préparation *40 minutes*
Cuisson *20 minutes*
Difficulté ★

Pour 4 personnes

6 cervelles d'agneau
1 botte d'épinards
1 salade frisée
1 branche de thym frais
12 feuilles de pâte filo
100 g de fromage affiné de brebis

Court-bouillon :
1 l d'eau
sel, poivre
jus d'1/2 citron
1 branche de thym

Vinaigrette :
1 échalote
moutarde
huile d'olive
vinaigre balsamique
jus d'1 citron
sel, poivre

N'était-il pas tout naturel d'accompagner la cervelle d'agneau de fromage de brebis ?

Cet abat doit être d'une fraîcheur parfaite et provenir d'un très jeune agneau de lait, de préférence des Pyrénées. L'agneau de lait est très apprécié pour la finesse de sa chair fondante, sa peau craquante et la délicate membrane graisseuse qui enveloppe ses muscles. Notre chef cite par exemple l'axuria, élevé sous la mère au cœur des montagnes basques et que l'on abat lorsqu'il est âgé également de 45 jours maximum. Une agnelle de Nîmes ou de Perpignan conviendra fort bien pour cette recette.

La cervelle sera d'abord limonée, c'est-à-dire débarrassée de sa pellicule, puis plongée dans l'eau froide une heure durant pour lui faire dégorger le sang qui l'encombre. Vous pouvez la faire pocher dans un court-bouillon frémissant ou poêler des tranches d'une épaisseur moyenne dans un beurre noisette. Il est recommandé de la faire frire dans trois épaisseurs de pâte filo, juste au moment de servir afin d'éviter tout ramollissement.

Un fromage de brebis très affiné fera l'accompagnement mais les pâtes persillées sont à proscrire, même un roquefort d'un excellent cru. Firmin Arrambide se procure des fromages fermiers au mois de mai et les affine lui-même dans ses caves pendant environ six mois. C'est d'ailleurs grâce à l'abattage des agneaux de lait qu'il est possible de réserver le lait des brebis pour en faire du fromage.

Bien qu'elle ait un goût moins subtil, la cervelle de porc peut être employée comme « roue de secours ».

1. Faire dégorger les cervelles dans l'eau froide après les avoir limonées. Préparer le court-bouillon, y pocher les cervelles pendant 10 minutes, puis les retirer.

2. Laver les épinards, les blanchir et réserver au frais. Parer et laver la salade. Pour la vinaigrette, mélanger l'échalote, la moutarde, l'huile d'olive, le vinaigre, le jus de citron, le sel et le poivre. Lorsque les cervelles sont froides, les couper en deux, parsemer de thym et envelopper chaque moitié dans deux feuilles d'épinards.

au fromage de brebis

3. Étaler la pâte filo en prenant soin de la plier à trois fois, puis en envelopper chaque moitié de cervelle. Tailler le fromage de brebis en fins bâtonnets.

4. Au moment de servir, poêler les cervelles pour qu'elles soient bien dorées et croustillantes. Assaisonner la salade. Disposer dans chaque assiette un bouquet de frisée surmonté de fromage de brebis et placer autour trois croustillants de cervelle. Verser un cordon de vinaigrette.

Épaule et râble de lapin

Préparation *45 minutes*
Cuisson *40 minutes*
Difficulté ☆☆

Pour 4 personnes

1 râble de lapin
rognons de lapin
sel, poivre
1 coffre de lapin
200 ml d'huile d'olive
1 mirepoix de carotte, oignon et céleri
100 ml de vin blanc sec
500 ml de fond de volaille
1 bouquet garni

4 épaules de lapins
200 g de graisse de canard
200 ml de fond de lapin
sauge
sarriette
ciboulette

Brunoise :
100 g de courgettes
100 g de champignons de Paris
sel, poivre

Garniture :
1 kg de navets ronds en botte
sucre
sel
beurre
fond de volaille

Le lapin est une viande très énergétique qui convient parfaitement aux repas d'été. Il s'agit en effet d'un aliment riche en protéines et d'une faible teneur en graisse.

Les lapins que l'on trouve généralement chez les bouchers sont des lapins d'élevage au goût moins prononcé que les lapins de garenne, disponible en période de chasse (d'octobre à février) et de loin les plus appréciés. On peut trouver en commerce de délicieux petits lapins sauvages, vendus à la pièce. Tous ces animaux sont la plupart du temps présentés entiers, avec la tête et le foie.

Si vous souhaitez préparer vous-même le fond de lapin, notre chef vous conseille de le désosser la veille et d'utiliser les os à cette fin. Le jour même, vous surveillerez la cuisson, surtout s'il s'agit d'un lapin d'élevage à chair dense, susceptible de se dessécher rapidement. Le râble, dont la viande doit rester rosée, mérite en particulier la plus grande attention.

Le lapin s'accompagne à merveille de légumes primeurs, notamment des navets bien fermes. La saison des légumes nouveaux offre une large palette de goûts et de couleurs dans laquelle vous pourrez piocher selon vos préférences. Préservez la fraîcheur de ces légumes en les préparant le jour même, pendant que vous procédez à la cuisson du lapin.

La même recette peut convenir à une volaille blanche, pourvu que vous preniez les mêmes précautions pour la cuisson.

1. Désosser le râble et le farcir avec les rognons hachés, ainsi que la brunoise de courgette et de champignons revenus à cru. Assaisonner légèrement le râble, l'enrouler, puis le ficeler.

2. Parer les manches du coffre du lapin. Concasser les os et les faire revenir à l'huile avec la mirepoix de légumes. Déglacer avec le vin blanc, laisser réduire et mouiller avec le fond de volaille. Ajouter le bouquet garni, laisser cuire 30 minutes et passer au chinois.

confits, sauge et sarriette

3. Parer les navets que vous choisirez de grosseur égale, puis les assaisonner de sucre et de sel. Les faire dorer dans du beurre mousseux, mouiller avec le fond de volaille, puis laisser étuver à couvert et à feu doux.

4. Poêler les morceaux de lapin dans la graisse de canard, puis déglacer avec un peu de vin blanc. Braiser avec le fond de lapin, puis ajouter la sauge et la sarriette. Terminer la cuisson au four 10 minutes à 200 °C. Servir sur une assiette avec les navets étuvés et parsemer de ciboulette hachée. Décorer d'une feuille de sauge. Monter le jus de cuisson à l'huile d'olive jusqu'à ce qu'il devienne crémeux, puis verser un peu de ce jus sur les morceaux de lapin.

Tournedos de bœuf poêlé et

Préparation *10 minutes*
Cuisson *10 minutes*
Difficulté ★

Pour 4 personnes

12 radis blancs de Munich
beurre
fond blanc de volaille
jus de veau
raifort
sel, poivre

1 bouquet de ciboulette de Chine
1 botte de radis roses
huile d'arachide
1 morceau de filet de bœuf de 800 g
300 g de barde de lard

Quels que soient les aléas de la consommation de viande, le bœuf reste une référence en la matière. Apprécié depuis la préhistoire, il est demeuré au cours des siècles la base des plats les plus nobles.

Parmi les nombreuses variétés de bœufs disponibles sur nos marchés, la race écossaise présente une exceptionnelle qualité. C'est également le cas de la race limousine, reconnaissable à sa robe uniformément rousse, dont la viande fondante et persillée s'est vue attribuer un label rouge. Vous reconnaîtrez la fraîcheur du bœuf à sa belle couleur rouge vif, et à sa consistance élastique et ferme. Une chair jeune sera plus claire, tandis que des teintes trop sombres trahissent un âge avancé.

Le tournedos, d'environ cm d'épaisseur, est découpé d'un seul tenant dans le filet et doit être particulièrement fondant. On présente aussi, sous l'appellation «façon tournedos», des morceaux composites de même allure, mais qui ne proviennent pas du filet. Pour qu'il ne perde rien de sa qualité, il faut le saisir rapidement dans le beurre et le servir bleu ou saignant, selon le goût de chaque convive.

L'accompagnement de jus de veau sera tenu au chaud, prêt à servir; vous n'y incorporerez le raifort râpé et la ciboulette de Chine qu'au dernier moment sans la fouetter afin d'éviter qu'elle ne noircisse et ne cuise dans le jus (ce qui lui enlèverait toute saveur).

Élégamment relevé par le piquant du raifort, cet appétissant tournedos pourrait s'accommoder de navets à défaut de radis.

1. Éplucher les radis de Munich, les découper en fines lamelles, puis les faire revenir dans le beurre chaud. Laisser colorer légèrement de chaque côté, ajouter le fond blanc et laisser étuver 4 à 5 minutes à feu doux.

2. Porter le jus de veau à consistance, puis ajouter le raifort râpé. Rectifier l'assaisonnement et incorporer la ciboulette de Chine ciselée.

radis blancs de Munich

3. Couper les radis restants en fine julienne, puis les faire frire dans une huile chaude. Égoutter sur un papier absorbant et réserver.

4. Tailler dans le filet des tournedos de 200 g environ, puis les barder. Faire revenir 5 minutes de chaque côté dans une noix de beurre, saler et poivrer. Confectionner une rosace de lamelles de radis de Munich et déposer le tournedos au milieu. Décorer avec la julienne de radis et napper d'un cordon de sauce.

Filet d'agneau rôti

Préparation *2 heures*
Cuisson *1 heure 30 minutes*
Difficulté ★★★

Pour 4 personnes

1 selle d'agneau d'1,2 kg
150 g de crépine
300 g d'épinards

Sauce :
os d'agneau
1 bouquet garni
estragon
beurre

Farce :
2 cuil. à soupe de fines herbes fraîches
(estragon, cerfeuil, ciboulette)
2 œufs
70 ml de crème fraîche
sel, poivre

Garniture :
2 pommes de terre
200 g de duxelle
100 g de beurre clarifié
4 gros oignons nouveaux
1 poivron vert,
1 poivron rouge
1 oignon moyen, 1 gousse d'ail

Il faudrait aux gourmets bien trop de patience pour réserver au jour de Pâques la dégustation de l'agneau, car la plupart d'entre eux n'attendent pas ce moment pour y succomber. Il est vrai que les agneaux sont excellents de décembre à juillet et qu'il est facile de contrôler, selon sa brillance et sa couleur, la fraîcheur de la viande. Vous choisirez de préférence une selle au toucher élastique et doux, peu chargée en graisse, quitte à la barder grossièrement une fois désossée. La cuisson des filets d'agneau s'effectue toujours dans un four préchauffé et précède une période de repos durant laquelle la viande retrouve son moelleux. Cette précaution est indispensable pour goûter pleinement la saveur de l'agneau.

Il existe mille façons d'utiliser les herbes ; nul ne conteste qu'elles servent avec bonheur le filet d'agneau et lui confèrent un caractère très subtil. Un hachis très fin de cerfeuil, de ciboulette et d'estragon vous permettra de confectionner un « habit vert » que l'agneau arborera fièrement, tel un académicien sous la coupole.

La garniture se compose d'une duxelle, c'est-à-dire d'une menue brunoise de champignons, d'oignon et d'échalote revenus très doucement au beurre pour que leur eau s'évapore. Ce mélange délicat perpétue sans grand succès le souvenir d'un gastronome oublié, le marquis d'Uxelles, à qui l'avait dédié son maître queux La Varenne.

Les petits raviolis que vous suggère enfin notre chef doivent être confectionnés avec de très fines lamelles de pommes de terre, telles qu'on les obtient à la mandoline. C'est de leur malléabilité que dépend évidemment la bonne tenue de toute la garniture.

1. Désosser la selle d'agneau et réserver les deux filets. Confectionner la sauce avec les os et le bouquet garni. Pour la farce, mélanger tous les ingrédients, puis assaisonner.

2. Faire blanchir les feuilles d'épinards et les étaler sur un linge. Raidir sur toutes les faces les deux filets d'agneau durant 1 minute, puis les éponger dans un linge. Masquer les deux filets, les envelopper dans les feuilles d'épinards, puis les emmailloter dans la crépine. Réserver au frais.

en habit vert

3. Pour la garniture, détailler les pommes de terre en fines rondelles de l'épaisseur de chips et former de petits raviolis fourrés de duxelle. Cuire les raviolis à la poêle dans le beurre clarifié. Faire réduire la sauce et y faire infuser l'estragon frais. Mixer, puis monter au beurre.

4. Faire rôtir les filets 10 minutes à four chaud. Confectionner de petits coffrets avec les oignons. Préparer une petite fondue avec le poivron vert, le poivron rouge, l'oignon moyen et l'ail. Braiser les gros oignons et les garnir de fondue. Laisser reposer 10 minutes, détailler les filets d'agneau en tranches et disposer harmonieusement la garniture. Saucer légèrement le fond des assiettes.

Noix de ris de

Préparation *45 minutes*
Cuisson *35 minutes*
Difficulté ☆☆☆

Pour 4 personnes

4 noix de ris de veau
200 ml d'huile
2 gousses d'ail
1 carotte
1 oignon

100 ml de vinaigre de xérès
500 ml de jus de veau
100 g de beurre
60 g de câpres fines

Garniture:
8 endives
jus de citron
1 oignon
70 g de beurre
200 ml de crème fleurette
sel, poivre

Du fait de leur taille modeste et leur rôle secondaire en gastronomie, les câpres sont un condiment trop souvent négligé. Rendons-leur justice: bouton du câprier, arbuste épineux du bassin méditerranéen, la câpre se présente sous deux variétés principales dont les fleurs divergent: la câpre capucine, la plus courante, et la câpre plate. On l'utilise en général comme condiment et dans certaines préparations comme la tapenade, qui lui doit même son nom (du provençal *tapeno*, câpre). Mais elle mériterait, tel est du moins notre sentiment, d'être davantage utilisée.

Le ris de veau est l'un des plus prestigieux abats de cet animal: on désigne ainsi le thymus, glande située à la base du cou devant la trachée artère, qui ne se développe que chez les jeunes sujets (veaux, agneaux). C'est grâce à ce réservoir de protéines que le veau résiste aux infections les plus courantes. On apprécie dans le ris de veau une consistance à la fois ferme et fondante, et une saveur subtile qu'il faut éviter de masquer par des accompagnements trop relevés. Le vinaigre de xérès, au parfum de noix, s'unit parfaitement au jus de veau.

L'endive descend en ligne directe de la chicorée, dont les Grecs appréciaient les vertus digestives au point de la surnommer «l'amie du foie». Jadis légume d'hiver, l'endive connaît de nos jours une variété estivale qui la rend disponible toute l'année. Vous la choisirez très blanche, avec des feuilles rigides et bien serrées. Il ne faut pas laver les endives avant l'emploi, car elles se gorgent d'eau et perdent une partie de leur saveur.

1. Blanchir les ris de veau dans l'eau salée, rafraîchir et mettre sous presse. Supprimer les premières feuilles des endives. Les effeuiller en quantité suffisante pour chemiser quatre petits moules à chartreuse. Les blanchir à l'eau salée légèrement citronnée, puis égoutter et sécher sur un linge.

2. Émincer le reste des endives. Ciseler l'oignon et le faire suer au beurre. Ajouter l'émincé d'endives et laisser évaporer toute l'eau. Incorporer la crème, laisser réduire presque à sec, puis assaisonner. Garnir chaque moule chemisé d'endives avec la tombée ainsi obtenue et rabattre les feuilles pour refermer.

veau aux câpres

3. Faire revenir les noix de ris de veau dans l'huile chaude et laisser colorer sur toutes les faces. Ajouter l'ail écrasé ainsi qu'une mirepoix de carotte et d'oignon. Au terme de la cuisson, réserver les ris de veau au chaud.

4. Dégraisser le plat de cuisson. Déglacer avec le vinaigre, laisser réduire, mouiller avec le jus de veau, puis laisser revenir à nouveau jusqu'à l'obtention d'une sauce sirupeuse. Monter au beurre et passer au chinois fin. Au dernier moment, ajouter les câpres. Démouler une chartreuse d'endives sur chaque assiette, déposer une noix de ris de veau et napper de sauce.

Queue de bœuf braisée,

Préparation *1 heure 15 minutes*
Cuisson *3 heures*
Difficulté ★★

Pour 4 personnes

200 g de carottes
250 g d'oignons
150 g de céleri
2 kg de queue de bœuf
1 l de vin de bourgogne
1 tête d'ail
sel, poivre
100 g de couenne de porc

75 g de concentré de tomates
100 g de farine

Bouquet garni :
1 feuille de laurier
2 brins de thym
8 brins de persil

Garniture printanière :
carottes
navets
petits oignons
petites pommes de terre
petits pois, fèves

L'Angleterre produit une viande d'excellente qualité et sait la faire cuire brillamment, comme aurait pu l'attester le célèbre Carême, qui mit quelque temps au service de la Couronne ses talents de cuisinier. Les races bovines y sont particulièrement soignées, comme l'hereford ou la très célèbre aberdeen-angus en Écosse, et consommés de multiples façons.

Pourtant, le bœuf était un animal sacré dans plusieurs civilisations antiques, par exemple en Égypte. Les gourmets l'ont boudé pendant le Moyen Âge et c'était encore au XIXe siècle, à l'époque des « fêtes de bœuf gras » des bouchers de Paris, un animal auquel on vouait une sorte de culte.

La queue de bœuf anglaise s'apparente au bœuf bourguignon : c'est une préparation de morceaux de queue de bœuf, que vous choisirez de préférence dans la partie la plus charnue, c'est-à-dire la plus haute. La queue doit être bien fraîche et présenter une viande ferme et rouge, entourée d'une graisse très blanche ; il faut la parer partiellement pour protéger la chair des excès de la cuisson. Paradoxalement, on peut aussi préparer l'oxtail avec tout autre morceau de bœuf.

La garniture peut être printanière, à base de légumes nouveaux, ou s'apparenter à certains plats auvergnats avec des châtaignes confites dans la sauce afin d'obtenir une consistance comparable à celle du bœuf.

Une queue de bœuf demande finalement quatre jours, dégustation comprise. Après deux jours de marinade dans un vin de caractère, comme le bourgogne, vous le ferez cuire le troisième jour et le réchaufferez le lendemain : son goût n'en sera que meilleur.

1. Couper les carottes, les oignons et le céleri en grosse mirepoix. Parer la queue de bœuf. Mélanger la mirepoix avec la queue de bœuf détaillée en gros morceaux. Ajouter le vin, le bouquet garni et l'ail, puis laisser mariner au minimum 48 heures. Égoutter les morceaux de queue de bœuf, les assaisonner et les faire revenir sur tous les côtés.

2. Dans une braisière, faire suer la garniture de la marinade avec quelques couennes de porc. Ajouter les morceaux de queue de bœuf, le concentré de tomates, la farine colorée au four, puis mouiller avec la marinade. Porter à ébullition, couvrir et laisser cuire au four 3 heures environ.

garniture printanière

3. Éplucher et parer les légumes de la garniture : carottes, navets, petits oignons, petites pommes de terre, petits pois et fèves, puis les cuire séparément dans une eau bouillante et salée.

4. À la sortie du four, décanter les morceaux de queue de bœuf sans les casser. Les poser dans un plat de service creux et ajouter les légumes de la garniture. Faire une réduction de vin de Bourgogne rouge, l'ajouter à la sauce, passer au chinois fin, puis verser sur la viande et les légumes. Servir chaud.

Médaillons de veau au

Préparation *14 minutes*
Cuisson *25 minutes*
Difficulté ★★

Pour 4 personnes

150 g de pâte brisée
1 gros oignon
beurre
vinaigre
800 g environ de filet de veau
sel, poivre

1 rognon de veau
1 échalote
100 ml de madère
200 ml de crème double

Sauce citron :
20 g de sucre
100 ml de vinaigre de vin rouge
jus d'1 citron
40 ml de demi-glace
100 g de beurre

Proche de l'ancien comté de Charolais que se disputèrent, à travers l'Histoire, les ducs de Bourgogne, les rois de France et les empereurs d'Allemagne, le riche pays lyonnais vénère cette race bovine toute blanche dont l'éponyme est ce turbulent voisin. On connaissait les bœufs de Charolais, il reste à découvrir le veau de Charolais qu'affectionne Christian Bouvarel. Élevé sous la mère, sa viande vous garantit une saveur exceptionnelle.

On prélève sur ce veau le filet, d'épaisseur moyenne (un filet trop fin se dessèche à la cuisson), et le rognon. Pour que ce dernier reste tendre, faites-le cuire dans sa graisse à basse température (45 à 60 °C) et coupez-le en morceaux pour le poêler rapidement à part. La fraîcheur du rognon doit être parfaite ; vous veillerez à le préparer le plus vite possible.

Si la cuisson du filet en médaillons ne nécessite aucune explication particulière, il n'en va pas de même pour la sauce citron, qui allie l'acidité du fruit à la douceur ambiguë du caramel. C'est ce que l'on appelle une gastrique : une sauce dont le fond consiste en une réduction de vinaigre et de sucre, réputée pour « gastriquer » l'ensemble, c'est-à-dire le rendre plus doux à l'estomac. Elle relèvera parfaitement le goût de la viande, même si certains esprits grincheux reprochent à la viande de veau d'être insipide. Faut-il leur rappeler tous ces classiques : la selle de veau Orlov, l'osso-bucco, la noix de veau Stroganov) et tant d'autres ?

1. Pour la sauce citron, mélanger dans une casserole le sucre et le vinaigre jusqu'à coloration légèrement blonde. Ajouter le jus d'un demi-citron, la demi-glace, puis le reste de citron. Cuire très doucement, puis monter au beurre. Découper le zeste du citron en fine julienne et réserver.

2. Foncer un moule à tartelette avec la pâte brisée et le cuire à blanc. Émincer l'oignon assez finement et le mettre dans une casserole avec du beurre. Laisser confire tout doucement et ajouter en tout dernier lieu un filet de vinaigre.

citron et rognon à la crème

3. Parer le morceau de veau et lever quatre filets. Détailler chaque filet en trois médaillons, saler, poivrer, puis les poêler. Couper le rognon en cubes réguliers, assaisonner et faire sauter à la poêle. En fin de cuisson, ajouter l'échalote hachée, puis déglacer au madère.

4. Verser la crème dans la cuisson du rognon, laisser réduire d'un quart, puis monter avec une noix de beurre. Dresser le fond de tartelette au milieu de l'assiette et le remplir de rognons. Disposer tout autour les médaillons, napper de sauce et intercaler la compote d'oignons. Décorer avec les zestes de citron.

Volaille de Bresse en

Préparation *1 heure 15 minutes*
Cuisson *45 minutes*
Difficulté ☆☆

Pour 4 personnes

4 blancs de volaille de 120 g chacun
160 g de gruyère
sel, poivre
500 g d'épinards en branches
4 tranches de jambon blanc de 50 g chacune
200 g de pâte feuilletée (voir p. 318)
1 œuf entier pour dorer

Sauce à la crème:
250 g de morilles fraîches
80 g de beurre
sel, poivre
100 ml de vin blanc
500 ml de crème fleurette
3 jaunes d'œufs
jus d'1/2 citron
50 g d'estragon haché

Cette volaille en croûte a été préparée par Paul Bocuse en personne, lors de la réunion des meilleurs ouvriers de France à Collonges-au-Mont-d'Or, en 1993. C'est aussi cette année-là, et avec cette recette, que Christian Bouvarel est entré dans le club très fermé des M.O.F. – ce qui constitue l'apogée d'une carrière, mais non le but ultime, car une telle distinction comporte beaucoup de devoirs. Enfin, si notre chef voue à cette recette une prédilection personnelle, c'est aussi parce qu'elle met en valeur le produit régional par excellence, la volaille de Bresse.

Avant d'acheter votre volaille, vous devez vous assurer qu'elle porte le label rouge «Bresse» qui garantit sa provenance. La volaille bressane est sans conteste la meilleure car toutes les volailles fermières ne se valent pas, sans parler de celles élevées en batterie qui ne peuvent souffrir la comparaison avec une volaille élevée en plein air et nourrie au grains.

Il va de soi que vous devrez faire preuve d'autant d'exigence envers la qualité des autres produits. Sélectionnez un jambon de premier choix et un fromage savoureux. Sur ce dernier point, Christian Bouvarel vous suggère d'employer du comté, si vous le préférez au gruyère. Glissez-le dans le suprême plié en portefeuille avant de fermer le chausson pour éviter tout risque de coulure à la cuisson. Enfin, les épinards pourront être frais, à défaut être remplacés par un chou vert qui accompagnera la volaille sans la dénaturer.

1. Désosser la volaille en dégageant les suprêmes. Les fendre dans la longueur et les farcir de gruyère râpé. Saler, poivrer et refermer.

2. Équeuter les épinards en branches, les nettoyer à l'eau fraîche et les blanchir. Recouvrir d'épinards chaque blanc de volaille et l'entourer d'une tranche de jambon blanc.

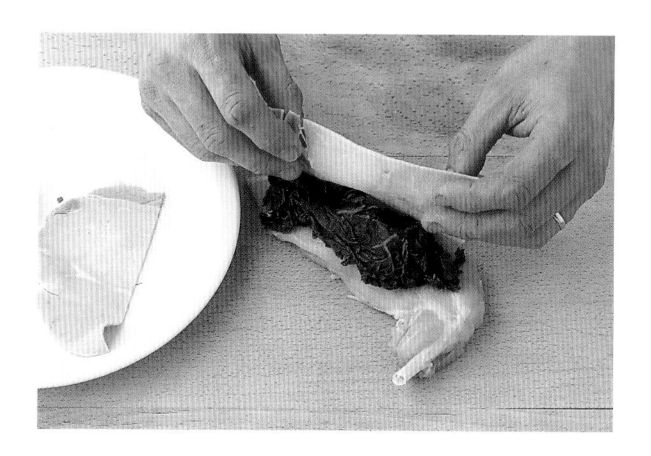

croûte aux morilles

3. Découper quatre abaisses dans le feuilletage et en envelopper chacun des suprêmes pour former un chausson. Laisser reposer 30 minutes, dorer à l'œuf et cuire au four 25 minutes à 190 °C.

4. Pour la sauce à la crème, étuver les morilles dans le beurre, saler et poivrer. Déglacer au vin, puis mouiller avec un quart de crème. Laisser cuire 4 à 5 minutes, mélanger les jaunes d'œufs au reste de crème, puis incorporer le tout au jus de citron et à l'estragon. Verser sur les morilles et remuer délicatement pour lier la sauce. Réduire à la nappe sans laisser bouillir. Arrêter la cuisson lorsqu'elle a pris consistance en changeant de récipient.

Roustin nega

Préparation *1 heure*
Cuisson *30 minutes*
Difficulté ★

Pour 4 personnes

1 côte de veau de 600 g (carré + filet)
100 g de beurre
huile d'arachide
200 ml de consommé de volaille
200 ml de vin blanc sec
sel, poivre fraîchement moulu

Consommé :
2 carcasses de volailles
sel, poivre du moulin
2 carottes
2 navets
1 poireau

Oignons à l'aigre-doux :
100 ml d'huile d'olive extra-vierge
2 cuil. à soupe de sucre et de farine
100 ml de vinaigre
400 g d'oignons nouveaux
50 g de raisins secs

La Lombardie tout entière, et principalement Milan, conserve depuis la Renaissance la tradition du rôti de veau, cuit dans sa graisse. À cette époque, les cuisiniers des maisons les plus aisées ne citaient guère que des recettes de viande blanche, notamment le veau, que l'on faisait rôtir à la broche par quartiers entiers. Ce dispositif ne permettait sans doute pas la finesse de cuisson que nous apprécions aujourd'hui, par exemple la viande rosée, comme le préconise notre chef.

Vous choisirez de préférence un veau élevé sous la mère, dont la chair est plus tendre, et vous n'hésiterez pas à parer de sa graisse le carré et le filet : la sauce n'en prendra que davantage de goût. La cuisson se déroule en deux temps et il faut la surveiller attentivement : d'abord pour faire colorer la viande sans trop la saisir (il ne doit pas apparaître de croûte en surface), ensuite pour la faire cuire en profondeur tout en la gardant délicatement rosée. À la sortie du four, la viande sera coupée en tranches et servie sur-le-champ, au risque sinon de la voir durcir.

Il est important de respecter le délai d'un jour pour la préparation du consommé, car seule une cuisson très douce et très lente (5 heures environ) peut en garantir la qualité. En reposant une nuit durant, elle s'enquérera d'un arôme plus subtil et plus complet.

Les oignons à l'aigre-doux sont enfin un emprunt à la gastronomie de l'ancien Empire d'Autriche-Hongrie, autrefois limitrophe de la Lombardie. Les Milanais leur ont ajouté des raisins secs que vous servirez à part.

1. Pour le consommé, faire blanchir la veille les carcasses de volailles, les égoutter et les rincer à l'eau froide. Faire tremper dans 1,5 l d'eau salée et poivrée, amener à ébullition et écumer. Ajouter les légumes, laisser cuire 5 heures à petit bouillon, passer au chinois et réserver. Découper la viande.

2. Faire revenir la côte de veau dans 50 g de beurre et de l'huile. Leur donner une belle coloration de chaque côté, mais sans laisser carboniser en surface.

à la milanaise

3. Incorporer le consommé et le vin blanc, saler, poivrer, porter à ébullition et laisser cuire 15 minutes au four à 180 °C. Retirer la viande et réserver au chaud. Pour les oignons à l'aigre-doux, confectionner un roux avec l'huile, le sucre et la farine. Laisser cuire 3 minutes et ajouter le vinaigre. Faire blanchir les oignons, les incorporer au roux avec les raisins et laisser cuire 6 minutes.

4. Faire réduire le jus de cuisson aux deux tiers. Hors du feu, incorporer au fouet 50 g de beurre par petits morceaux. Passer au chinois et réserver au chaud. Verser un peu de sauce dans une assiette et disposer la viande coupée en tranches. Servir les oignons et la sauce à part.

Marbré de filet de bœuf

Préparation *40 minutes*
Cuisson *15 minutes*
Difficulté ★★

Pour 4 personnes

4 filets de bœuf parés de 150 g chacun
gros sel de Guérande
poivre
100 g de beurre
160 g de foie d'oie cru
sel

20 g de lamelles de truffe
240 g de fines tagliatelle
100 ml de crème fleurette
40 g de julienne de poireau, céleri et carotte
200 g de crépine de porc
200 ml de fond de veau
200 ml de bouillon de bœuf
parmesan râpé
12 brins de cerfeuil

Le filet est la plus noble pièce de bœuf. Depuis le Moyen Âge, il entre dans la composition des plats les plus recherchés, tel l'aloyau qui permettait la préparation simultanée du filet, du faux-filet, du rumsteck et de la bavette. Les élevages européens, garants de qualité, nous fournissent cette viande savoureuse et fondante. Vous chercherez particulièrement pour cette recette le triple B, race belge connue sous le nom de « bleu-blanc-belge », mais, à défaut, toutes les races de qualité conviendront, comme la charolaise, la limousine, l'angus d'Écosse ou la frisonne d'Allemagne. Dans tous les cas, la viande fraîche doit être rouge, élastique et ferme au toucher.

La préparation du filet coupé en trois dans l'épaisseur demande un peu de temps, car il faut donner une belle forme à ce mille-feuille de bœuf. Une fois la viande enveloppée dans un film alimentaire, il faut laisser agir une bonne heure au frais. Ensuite, la crépine, fine membrane veinée de gras, doit être trempée quelques heures dans l'eau salée afin de la débarrasser de ses impuretés. Cette opération présente de surcroît l'avantage d'assouplir nettement la texture de la crépine pour en faciliter la manipulation.

Malgré toutes ces précautions, il se peut que les marbrés posent quelque problème à la découpe ; vous pourrez en partie pallier cet inconvénient en les laissant reposer quelques instants après cuisson.

Pour obtenir une sauce savoureuse, notre chef vous recommande de confectionner le fond de veau à partir d'une blanquette goûteuse et relevée. Servez les marbrés très chauds.

1. Assaisonner les filets de bœuf de gros sel et de poivre et les faire colorer vivement sur chaque face dans du beurre noisette. Réserver au frais. Couper le foie d'oie en fines tranches, saler, poivrer et saisir rapidement dans une poêle antiadhésive. Couper les filets en trois tranches dans le sens de l'épaisseur.

2. Garnir chaque filet avec du foie poêlé et des lamelles de truffe. Emballer dans un film alimentaire et réserver à nouveau au frais pendant 1 heure. Cuire les tagliatelle pendant 3 à 4 minutes. Faire réduire la crème avec la julienne de légumes et, lorsqu'elle est cuite, y incorporer les pâtes bien égouttées.

au foie d'oie et truffes

3. Lorsque les pièces de viande sont bien fermes, enlever le film alimentaire et les emballer dans la crépine ayant préalablement dégorgé 3 à 4 heures dans l'eau salée. Faire rôtir à la poêle pendant 4 minutes sur chaque face, puis dégraisser la poêle. Incorporer le fond de veau et le bouillon, laisser réduire, rectifier l'assaisonnement et réserver.

4. Trancher les filets en deux ou en trois parts et les disposer sur les assiettes légèrement saupoudrés de gros sel de Guérande. Dresser à côté les tagliatelle en dôme à l'aide d'une fourchette, saupoudrer de parmesan et garnir de brins de cerfeuil. Servir avec la sauce bien chaude.

Agneau en croûte de sel

Préparation	*30 minutes*
Cuisson	*20 minutes*
Difficulté	☆☆

Pour 4 personnes

1 selle d'agneau d'1,6 kg
sel, poivre
1,5 kg de gros sel
thym frais
gousses de vanille
200 g de petits pois écossés

200 ml de crème fleurette
beurre
1 œuf
4 feuilles de brick
1 cuil. à soupe d'huile d'olive
fond d'agneau

Les Anciens vouaient au sel une véritable vénération. Cette précieuse denrée figurait à tous les repas et les soldats romains en recevaient une poignée quotidienne, qui fut plus tard remplacée par une solde. Tout au long de l'histoire, la récolte, le commerce et la consommation du sel ont figuré parmi les activités économiques les plus importantes. Aujourd'hui encore, le sel joue dans notre cuisine un rôle essentiel.

Bien que disponible toute l'année, l'agneau se consomme de préférence au printemps. Notre chef recommande particulièrement l'agneau de pré-salé du Cotentin, qui s'abreuve aux grandes mares d'eau salée du littoral qui donnent à sa chair rouge vif une saveur toute particulière. On mesure la qualité de l'agneau à la largeur de sa selle, et à la présence d'une abondante et consistante graisse blanche. Vous devrez désosser minutieusement la selle d'agneau avant de la poêler pour obtenir une couleur uniforme.

La cuisson en croûte de sel, que l'on utilise aussi pour certains poissons à peau épaisse, nécessite une grande quantité de gros sel puisqu'il faut en recouvrir totalement la viande. Nonobstant son caractère inhabituel, ce traitement préserve le moelleux de la viande tout en la gardant juteuse et dorée. Dégustée très chaude, cette selle d'agneau vous surprendra par son arrière-goût marin et sa consistance croustillante.

Un tel plat ne saurait s'accompagner que d'une crème de petits pois frais, savamment adoucie d'un soupçon de vanille et servie dans une enveloppe de brick dont le feuilletage s'harmonise au croquant de la viande.

1. Désosser la selle d'agneau, ficeler les filets, saler et poivrer. Poêler la selle afin d'obtenir une coloration uniforme, puis la déposer dans un plat allant au four. Recouvrir de gros sel, de thym et d'une gousse de vanille fendue. Laisser cuire 15 minutes au four à 200 °C.

2. Cuire les petits pois à l'anglaise (dans l'eau bouillante salée) avec une gousse de vanille fendue. Passer le tout au tamis, puis incorporer la crème et le beurre dans une partie de la purée de pois. Incorporer l'œuf battu dans le reste de purée.

aux petits pois

3. Badigeonner chaque feuille de brick avec le mélange d'œuf et de purée, puis plier les feuilles en quatre. À l'aide d'un emporte-pièce, découper chaque feuille, puis les poêler dans le beurre et l'huile. Déglacer la poêle de cuisson des filets avec un peu de fond d'agneau. Réserver au chaud.

4. Découper les filets en tranches épaisses et disposer dans les assiettes. Garnir d'une galette de brick. Décorer avec le thym frais, une gousse de vanille fendue et la sauce.

Effilochade de canard

Préparation *45 minutes*
Cuisson *50 minutes*
Difficulté ★★

Pour 4 personnes

2 canards d'environ 1,7 kg chacun
1 bouquet garni
3 navets
3 carottes
3 artichauts
200 g de haricots verts

sucre
20 ml de vinaigre
100 g de beurre
sel, poivre
8 feuilles de brick
1 blanc d'œuf

Décoration :
ciboulette
tomates-cerises

D'abord composée pour le pigeon, cette recette a beaucoup déçu les espoirs que notre chef avait mis en elle. Cette nouvelle version plus adéquate qui préfère le canard ne recueille que des éloges. Il faut dire que le goût de ce palmipède, déjà plus fort à l'origine, se concentre davantage dans la papillote de brick et imprègne l'ensemble du plat. Vous vous assurerez un triomphe dès lors que vous aurez choisi un beau canard du Gers, d'un poids approximatif d'1,7 kg. Un canard plus gros serait trop gras et ne conviendrait pas dans le cas présent. Notre chef est d'avis qu'il faut l'acquérir plusieurs jours à l'avance et le laisser reposer au frais, à l'abri de l'humidité.

Cet accompagnement de légumes est sûrement la plus délectable façon de fêter l'arrivée du printemps. Pour conserver leur couleur et leur croquant, ne les faites séjourner dans l'eau bouillante que très peu de temps et stoppez immédiatement la cuisson dans l'eau glacée. De la sorte, leur consistance se marie parfaitement au croquant de la feuille de brick, nettement plus digeste en papillote que le papier d'aluminium, et enchantera vos convives. Cette grande crêpe feuilletée tunisienne arrange les morceaux les moins présentables, telle une cuisse de volaille désossée. De surcroît, elle conserve la chaleur des mets qu'elle enrobe, ce qui donne tout son sens au mariage subtil et parfumé du canard et des petits légumes.

À défaut de canard, vous pourrez accommoder de cette façon une volaille que vous choisirez peu grasse (par exemple un pigeon de Bresse d'environ 1 livre).

1. Flamber et vider les canards, puis les faire rôtir 35 minutes au four. Laisser reposer et découper en douze morceaux. Concasser les carcasses et confectionner un fond avec le bouquet garni.

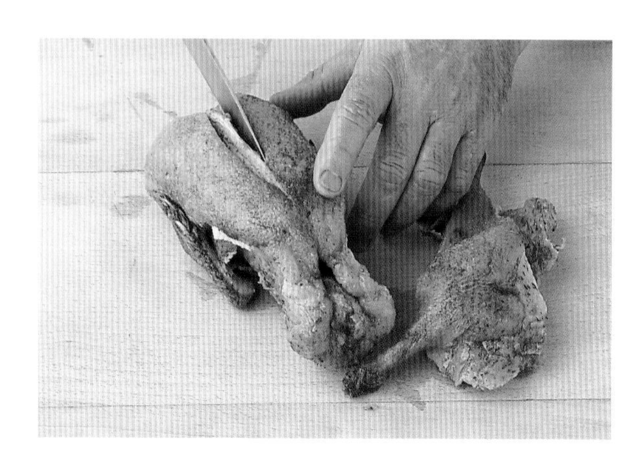

2. Laver et parer les navets, les carottes et les artichauts. Équeuter les haricots verts. Cuire séparément les légumes à l'eau bouillante salée, puis les rafraîchir dans l'eau glacée.

aux légumes de Provence

3. Confectionner un caramel avec le sucre et 1 cuil. à soupe d'eau. Décuire avec le vinaigre, puis ajouter le fond de canard. Laisser réduire, passer au chinois, monter au beurre et rectifier l'assaisonnement.

4. Effilocher le canard et le répartir en quatre portions. Disposer chaque portion dans deux feuilles de brick et refermer en papillote avec un brin de ciboulette. Badigeonner d'un peu de blanc d'œuf et enfourner 8 minutes. Dresser harmonieusement sur une assiette bien chaude avec la sauce.

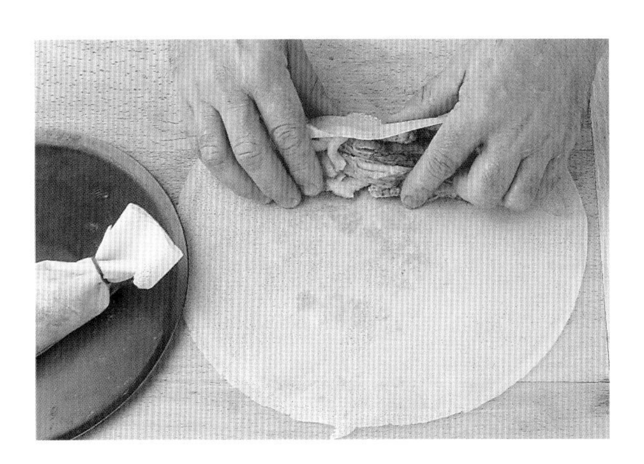

Rognon de veau rôti,

Préparation *1 heure 30 minutes*
Cuisson *35 minutes*
Difficulté ☆☆

Pour 4 personnes

2 pieds de veau
beurre
4 rognons de veau enrobés dans leur graisse
(450 g environ)
sel, poivre
huile d'olive
échalotes
fond de veau
thym
laurier
chapelure

Purée :
8 pommes de terre
100 g de beurre
100 ml de lait
huile d'olive
sel

Fines herbes :
persil plat
cerfeuil
coriandre

L'huile des Baux-de-Provence n'est autre que de l'huile d'olive de Maussane, bourgade des Alpilles dominée par plus de 200 000 oliviers et dont la production oléagineuse est si réputée que les plus grands chefs en ont fait leur ordinaire. Mais certaines olives connaissent un autre destin, par exemple les « salonenques », frappées au maillet, aromatisées au fenouil et à l'écorce d'orange, que l'on peut déguster à l'apéritif.

Dans cette purée parmentière (confectionnée de préférence avec des B.F. 15), l'huile d'olive intervient en dernier et, tout comme le lait, permet d'en détendre la consistance. Mesurez strictement sa proportion, sinon la purée s'apparenterait plutôt à une soupe épaisse.

Initialement, cette recette avait pour ambition d'améliorer la présentation d'abats dont l'apparence générale est assez peu flatteuse. Les rognons achetés dans leur enveloppe de graisse devront tout d'abord reposer 4 à 5 jours au réfrigérateur. Vous les dégraisserez seulement au moment de les faire cuire dans du papier d'aluminium, afin qu'ils conservent saveur et tendreté, et que leur sang, dont vous lierez enfin la sauce, puisse être recueilli sans encombre. Ce mode de cuisson évite les inconvénients des rognons, qui trop souvent se rétractent ou durcissent. Enfin, discrètement colorés à la poêle, ils prendront définitivement bonne figure.

Le succès sera complet si vous parfumez votre plat de service d'un bel assortiment de fines herbes très fraîches.

1. Pour la purée, faire cuire les pommes de terre 10 minutes dans l'eau. Passer au tamis, puis détendre avec un peu de beurre et de lait. Incorporer l'huile d'olive en dernier et saler. Réserver dans des ramequins.

2. Faire cuire les pieds de veau blanchis pendant 4 heures dans un bon bouillon. Laisser refroidir, couper en dés, faire sauter au beurre et incorporer à la purée. Dégraisser les rognons et les dénerver au centre. Les assaisonner et les enrouler dans du papier d'aluminium.

parmentière à l'huile des Baux

3. Mettre les rognons dans un plat allant au four avec un fond d'huile d'olive, puis cuire 10 minutes à four très chaud. Laisser reposer et faire colorer dans le beurre au dernier moment. Dégraisser et déglacer le plat avec les échalotes hachées et le fond de veau. Laisser réduire et passer au chinois. Ajouter le thym et le laurier hachés, monter au beurre, puis assaisonner.

4. Démouler la purée pour la dresser au centre de l'assiette. Saupoudrer de chapelure. Colorer à la salamandre. Présenter les rouelles de rognons en rosace et napper de sauce aux herbes liée avec le sang des rognons. Parsemer de fines herbes.

Navarin de ris et de langue

Préparation *45 minutes*
Cuisson *1 heure*
Difficulté *★*

Pour 4 personnes

500 g de ris de veau
200 ml de fond blanc de veau
1 bouquet garni
250 g de langue d'agneau
2 tomates
250 g de petits champignons
beurre

500 ml de fond d'agneau tomaté
sel
1 petite pincée de poivre de Cayenne
1/2 cuil. à café d'herbes à tortue
200 ml de porto rouge
jus d'1 citron
1 cuil. à café d'arrow-root
1 bouquet d'estragon
pommes de terre

« Canaris, Canaris, pleure ! Cent vingt vaisseaux... » Ce vers de Victor Hugo n'est pas sans nous rappeler la destruction de la flotte turco-égyptienne dans la Baie de Navarin en octobre 1827. Cette victoire remportée par la France, l'Angleterre, la Russie et la Grèce permit à cette dernière de proclamer son indépendance. On raconte que les diverses couleurs des uniformes avaient inspiré le plat de légumes nouveaux qui accompagne traditionnellement ce ragoût de mouton – bien qu'il existât déjà avant le XIXe siècle.

Jan Buytaert n'a conservé du navarin traditionnel que son principe et l'applique uniquement à des abats d'agneau, langue et ris, qui doivent être très frais. Bien que certains tripiers donnent aussi ce nom aux animelles d'agneau, le ris est une glande (le thymus) que l'on trouve à la base du cou des jeunes animaux, surtout le veau et l'agneau, et qui les protège de certaines maladies. Il faut faire dégorger les abats plusieurs heures dans l'eau froide, les blanchir, les dénerver et les peler, avant de les faire cuire.

Le fond d'agneau doit être enrichi de tomates bien mûres afin de prendre une teinte rougeâtre. Les autres condiments sont assez simples à mettre en œuvre, excepté peut-être les herbes à tortue, que l'on utilise en général pour assaisonner le consommé de tortue ou la tête de veau « en tortue ». La texture de l'arrow-root, liant à base de grain, est moins glutineuse que la fécule de pomme de terre. Cette recette vous fournira sans doute une bonne occasion de découvrir ses qualités. N'hésitez pas à servir plusieurs jours après ce navarin réchauffé : il n'en sera que meilleur.

1. Faire blanchir et égoutter les ris d'agneau, puis les faire cuire dans le fond blanc avec le bouquet garni. Procéder de la même manière pour les langues.

2. Peler les langues et les couper en quatre. Parer les ris et les couper en gros morceaux. Monder et épépiner les tomates, puis les couper en dés. Faire sauter les champignons au beurre. Réserver.

de veau à l'estragon

3. Faire réduire les jus de cuisson avec le fond d'agneau aux deux tiers. Incorporer à cette sauce une pincée de sel, une pointe de poivre de Cayenne, les herbes à tortue, le porto et le jus de citron. Lier légèrement le tout avec l'arrow-root et passer au chinois.

4. Ajouter les champignons préalablement sautés dans le beurre, les dés de tomate et les feuilles d'estragon. Incorporer les ris et les langues. Laisser mijoter 10 minutes dans une cocotte, puis servir avec des pommes de terre vapeur.

Foie de veau, jus caramélisé

Préparation *20 minutes*
Cuisson *20 minutes*
Difficulté ★

Pour 4 personnes

1 kg de foie de veau
50 g de beurre

Sauce au gingembre :
40 g d'échalotes
150 g de beurre
50 g de gingembre
20 ml de sauce soja
500 ml de fond de veau

Garniture :
1 kg de pommes de terre grenailles de Noirmoutier
75 g de graisse d'oie
1 gousse d'ail
1 branche de thym
1 feuille de laurier

Échalotes confites :
250 g d'échalotes
125 g de beurre

L'utilisation de la sauce soja et du gingembre dans cette préparation de foie de veau témoigne de l'intérêt que Jacques Cagna porte à la langue japonaise et à l'Empire du Soleil levant. De ses fréquents séjours au Japon, il a rapporté ces condiments essentiels qu'il décline avec plaisir dans des recettes françaises traditionnelles.

Ce n'est pourtant pas une alliance évidente et la sauce soja – au goût saumâtre – doit être mesurée avec prudence pour servir de jus de viande. D'abord testée sans grand succès sur une anguille, cette recette s'apprête parfaitement au foie de veau, plus tendre et d'un goût moins prononcé. Cet abat sera choisi en fonction de sa fraîcheur et de la finesse de son grain ; il faudra lui enlever sa pellicule extérieure et le dénerver soigneusement avant de le fariner et de le faire dorer des deux côtés pour lui donner un tour croustillant. Sachez pour votre gouverne que Jacques Cagna se fournit en foie de veau chez un éleveur corrézien.

La pomme de terre grenaille, que l'on cultive sur l'île de Noirmoutier, gagnera dans sa cuisson à la graisse d'oie un agréable parfum de noisette. Toujours plantée à la main, elle subit à la récolte une impitoyable sélection qui garantit sa qualité. Très facile à manipuler, la grenaille fait le délice des clients de notre chef : elle accompagne aussi bien sa côte de veau fermier que son admirable farci d'escargots.

La même préparation conviendra pour le ris de veau ; les cuisiniers qui n'apprécient pas le gingembre pourront le remplacer par une fondue d'échalotes.

1. Pour la sauce au gingembre, faire suer les échalotes hachées dans un peu de beurre avec le gingembre. Déglacer avec la sauce de soja, le fond de veau et laisser cuire à feu doux. Émulsionner avec le beurre restant.

2. Pour la garniture, laver les pommes de terre grenailles. Foncer une sauteuse avec du papier d'aluminium et y assembler les pommes de terre non épluchées, la graisse d'oie fondue, la gousse d'ail, la branche de thym et la feuille de laurier. Couvrir et cuire au four pendant 1 heure.

au gingembre et soja

3. Retirer la peau du foie de veau, le couper en tranches, assaisonner et le saisir dans la poêle avec 50 g de beurre. Pour les échalotes confites, faire compoter les échalotes émincées dans une sauteuse avec le beurre.

4. Escaloper les tranches de foie et les disposer sur une assiette bien chaude. Napper d'échalotes confites et de sauce au gingembre. Garnir de pommes de terre autour et décorer de thym et de laurier.

Grouse aux lentilles

Préparation *1 heure 30 minutes*
Cuisson *1 heure*
Difficulté ☆☆

Pour 4 personnes

4 grouses
600 g de lentilles du Puy
2 bouquets garnis
250 g de pommes de terre
225 g de carottes
sel, poivre
huile
300 ml de fond de grouse
100 ml de jus d'orange
20 g de beurre

On ne peut comparer «the Glorious 12th», le 12 août, jour d'ouverture de la chasse à la grouse, qu'à la «palombite» française, tant convoitée dans les campagnes du Sud-Ouest. C'est le début d'une période de fièvre chasseresse qui s'achève au 1er novembre, législation oblige. La grouse est un oiseau gallinacé du Nord de l'Angleterre qui demeure essentiellement dans les landes parsemées de bruyère, terrains de chasse favoris de l'aristocratie britannique. Qui n'a gardé en mémoire les descriptions qu'a donné de ces contrées sauvages le célèbre Conan Doyle dans certaines aventures de Sherlock Holmes.

La grouse (*lagopedus scoticus*) appartient au genre des tétras. Elle se nourrit de diverses denrées qu'elle peut trouver sur la lande: feuilles de bruyère, myrtilles, airelles, etc.. D'un calibre à peine supérieur à la perdrix, la grouse présente un poids d'environ 300 g; les mâles sont en général plus volumineux que les femelles. La coutume veut que l'oiseau abattu repose quelques jours dans son plumage, afin de parfumer davantage encore ses chairs avant de le parer. Ensuite, la grouse est de préférence rôtie, d'autres modes de cuisson n'ayant manifestement pas retenu l'attention des spécialistes.

Stewart Cameron vous suggère un parfait accompagnement de galettes de pommes de terre et de carottes, dont la consistance et la neutralité sauront mettre en valeur ce volatile. Mais rien ne la servira mieux qu'une fine sauce à l'orange, qui peut sembler incongrue, mais dont la saveur acidulée réveillera les nuances les plus subtiles de cette chair sauvage.

1. Parer et flamber les grouses, puis lever les suprêmes. Faire cuire 20 minutes les lentilles dans l'eau salée avec le bouquet garni.

2. Peler et râper les pommes de terre ainsi que 200 g de carottes. Bien essorer sur du papier absorbant ou un torchon. Les assembler en galettes et assaisonner. Les disposer dans une petite poêle chaude et faire dorer doucement des deux côtés.

sur sa sauce à l'orange

3. Éplucher le restant des carottes, les tailler en julienne et faire frire dans une huile très chaude. Faire revenir quelques minutes les suprêmes à la poêle et terminer la cuisson au four.

4. Déglacer la poêle avec le fond de sauce confectionné à partir des carcasses et une garniture aromatique. Laisser réduire et ajouter le jus d'orange. Passer au chinois, monter au beurre et incorporer les lentilles. Napper de sauce l'assiette chaude. Disposer au centre une galette de pommes de terre et de carottes, surmontés des suprêmes puis des carottes en julienne.

Médaillon d'angus aux

Préparation *45 minutes*
Cuisson *15 minutes*
Difficulté ★★

Pour 4 personnes

1 filet de bœuf angus
150 g de cèpes
150 g de chanterelles
50 ml d'huile d'olive
sel, poivre

Sauce :
50 g de beurre
75 g de brunoise de carotte, céleri et oignon
1 feuille de laurier
2 g de thym
1 g de poivre noir en grains
150 ml de drambuie (liqueur)
150 ml de fond de bœuf

Seul un chef écossais pouvait nous vanter les mérites de l'angus-aberdeen, ce bœuf dont la renommée dépasse largement les frontières de l'Écosse, et qui figure avec le whisky et Marie Stuart (révérence parlée) parmi les plus belles exportations de ce pays. Comme son nom l'indique, cette race bovine a vu le jour dans la région d'Aberdeen ; elle est à présent implantée dans le monde entier, même en Argentine et aux États-Unis dont on connaît les compétences en la matière. Bien sûr, les meilleurs bœufs de cette race exceptionnelle demeurent les angus-aberdeen d'origine, élevés en Écosse et soumis à de sévères contrôles de qualité.

Pour conserver sa saveur naturelle, chaque animal abattu est pendu pendant plus d'un mois, ce qui accentue évidemment le goût de la viande et dispense les amateurs de prévoir un accompagnement trop corsé. Ce procédé, inspiré de la préparation du gibier, permet de limiter sensiblement le temps de cuisson et de préparer des sauces plus faciles que de coutume. Parmi les produits du marché français, les experts désignent le charolais comme le plus proche de l'angus.

On se contentera donc de le servir avec une duxelle qui fait la part belle aux chanterelles, issues du même sol qui nourrit ces puissants animaux. Cette alliance ne doit donc rien au hasard, mais libre à vous de rompre avec les traditions écossaises en remplaçant les champignons par des légumes de votre choix. Vous vous rachèterez en employant de la drambuie, cette liqueur à base de whisky et de fleurs de bruyère qui vaut à elle seule un voyage en Écosse.

1. Parer et dénerver le filet d'angus. Le découper en médaillons réguliers d'environ 2 cm d'épaisseur et réserver au frais.

2. Nettoyer les champignons et les émincer soigneusement en lamelles très fines.

cèpes et aux chanterelles

3. Pour la sauce, faire revenir 1 à 2 minutes à feu doux dans 25 g de beurre la brunoise de légumes, le laurier, le thym et le poivre. Ajouter la drambuie et faire flamber. Verser le fond de bœuf, laisser réduire aux deux tiers, puis passer au chinois. Monter rapidement la sauce avec les 25 g de beurre restants.

4. Dans une poêle, faire chauffer l'huile à température élevée, déposer les médaillons assaisonnés et les porter à la cuisson désirée. Faire sauter les champignons dans la même cuisson. Dresser au centre de l'assiette un médaillon, ajouter la duxelle et recouvrir d'un autre médaillon. Arroser de sauce à la drambuie.

Suprême de poussin poché

Préparation *1 heure 30 minutes*
Cuisson *50 minutes*
Difficulté ★ ★

Pour 4 personnes

8 suprêmes de poussins
60 g d'orge
1 l de bouillon de volaille
4 pilons de poulets
100 g de fromage blanc crémeux
12 petites carottes

12 petites courgettes
60 g de beurre
4 brins d'estragon

La brigade de Stewart Cameron fonctionne à peu près comme une équipe de rugby, avec solidarité et efficacité. Ce n'est guère étonnant, puisque le voisin qui fournit les œufs (les meilleurs de la région, paraît-il) n'est autre que le célèbre rugbyman Quintin Dunlop.

Le poussin à l'estragon est une alliance classique, mais toujours appréciée : celle que l'on appelait « herbe du dragon » dégage un arôme subtil et piquant qui parfume délicatement la chair de poussin. Vous devrez pourtant mesurer sa quantité, car il serait bien dommage d'altérer cette tendre chair. Choisissez un poussin élevé en plein air, dont la viande est plus goûteuse.

La mousse de poulet que vous préparerez à base de pilons émincés et de fromage blanc gagnera en fermeté si vous la travaillez au-dessus de glaçons. Ce maintien lui sera nécessaire pour les quenelles. L'accompagnement d'orge, qui n'est pas sans évoquer le célèbre whisky, rend hommage à cette céréale que l'on consomme abondamment en Écosse et dont on fait également le stingo, un vin d'orge comparable à la bière. Vous pocherez les grains d'orge sec dans un bouillon de volaille afin de les attendrir et de leur donner du goût. Il en sera de même pour les petits légumes détaillés en fins morceaux, dont la douceur et la tendreté formeront avec l'orge, plus sauvage, un agréable contraste.

Cette préparation illustre bien la cuisine écossaise, qui tire parti d'épices que nous utilisons avec parcimonie (le gingembre, par exemple) et fait souvent intervenir des céréales communes comme l'orge ou l'avoine.

1. Découper les suprêmes de poussins en morceaux. Faire pocher l'orge dans 100 ml de bouillon de volaille.

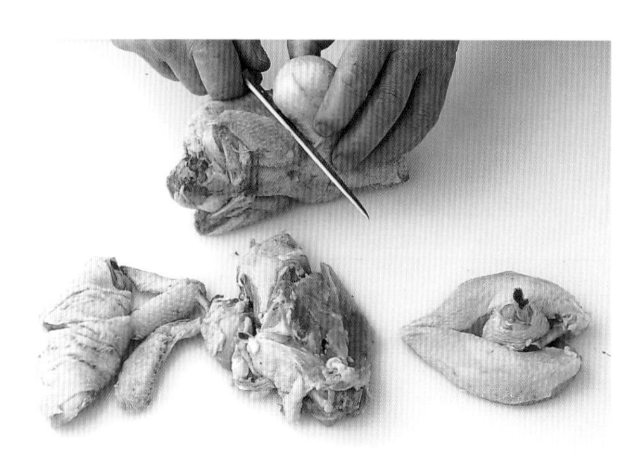

2. Dans un récipient, mélanger les pilons de poulets émincés et les parures. Ajouter le fromage blanc et passer le tout au mixeur.

à l'orge et à l'estragon

3. Éplucher les carottes et les courgettes, puis les tailler en losanges. Les pocher 5 minutes dans 150 ml de bouillon de volaille et réserver en petits fagots pour la décoration de l'assiette.

4. Confectionner des quenelles de mousse de poulet et les faire pocher à feu doux dans 750 ml de bouillon, ainsi que les morceaux de poussins. Verser le bouillon dans une casserole, laisser réduire pour aviver les parfums et monter au beurre. Disposer sur une assiette chaude, napper de sauce et décorer de brins d'estragon.

Ragoût de lapin avec

Préparation *45 minutes*
Cuisson *35 minutes*
Difficulté ★★

Pour 4 personnes

2 râbles de lapin
60 g de beurre
1 échalote
sel
5 olives noires
5 olives vertes

100 ml de vin blanc sec
1 rameau de fenouil sauvage
bouillon de viande
20 g de parmesan râpé
brins de cerfeuil

Pâte à garganelli:
400 g de farine
4 œufs

Émilie-Romagne, ancienne province de Romagne, est le berceau des pâtes garganelli. C'était un plat traditionnel qu'on trouvait sur les plus belles tables, généralement cuisiné avec du bouillon de volaille ou, à une époque plus ancienne, dans un ragoût de viande rouge et de tomates. Les familles plus modestes le consommaient habituellement sans viande et surtout en été, puisque l'on associait alors des courgettes aux pâtes.

Les pâtes sont passées au peigne (pettine), cadre en bois tendu de fils parallèles contre lesquels on roule les garganelli pour leur donner cet aspect. Vos premières pâtes ne seront certes pas très réussies, d'ailleurs notre chef reconnaît qu'il faut un certain tour de main, mais que l'expérience vient rapidement.

Les garganelli se consomment froids en salade ou chauds avec ce ragoût de lapin au vin rouge et à l'échalote. Notre chef recommande en l'occurence l'excellent lapin coureur de Ligurie, dont se régalent les riverains du golfe de Gênes. Encore faut-il que ce soit un lapin de ferme, jeune (mais pas un lapereau), peu chargé en matière grasse. Délicatement parfumé au fenouil sauvage, il s'apprête à merveille à ces pâtes.

Sachez, pour la petite histoire, que les premiers plants de fenouil sauvage ont vu le jour dans le jardin botanique des Médicis, à Florence. On ne saurait trouver meilleure preuve du caractère princier de ce plat, qu'il faut déguster avec la distinction qui lui sied.

1. Désosser les râbles de lapin et en couper un en morceaux. Faire cuire l'autre entier à four moyen, avec une noix de beurre pendant 20 minutes environ (l'intérieur doit rester rosé). Hacher l'échalote et la faire suer dans une casserole avec 40 g de beurre. Incorporer les morceaux du râble de lapin et saler.

2. Dénoyauter les olives noires et vertes, les hacher, puis les ajouter aux morceaux de râble. Mouiller avec le vin blanc et laisser évaporer. Ajouter le rameau de fenouil sauvage et laisser cuire 10 minutes. Mouiller si nécessaire avec un peu de bouillon de viande.

garganelli al pettine

3. Pour la pâte à garganelli, pétrir la farine avec les œufs. Former une boule et laisser reposer la pâte 1 heure. Abaisser la pâte finement et la couper en petits carrés de 5 cm. Les enrouler sur un petit bâton et les former sur le peigne spécial (pettine). Faire cuire les garganelli dans une eau bouillante salée, puis les égoutter.

4. Découper le second râble en tranches fines. Poêler les garganelli avec le parmesan et le ragoût de lapin. Servir bien chaud. Décorer de quelques fines tranches de râble de lapin et de brins de fenouil.

Rosettes d'agneau truffées

Préparation *1 heure*
Cuisson *30 minutes*
Difficulté ⋆⋆

Pour 4 personnes

2 carrés d'agneau de 700 g environ
sel
2 pommes de terre
50 g de beurre
30 g de parmigiano reggiano
1 verre de porto (tawny, de préférence)

50 g de truffe noire
250 ml de bouillon de viande
2 poireaux
farine

Agneau, truffe, pommes de terre et parmesan sont des ingrédients hauts en couleur dont la forte personnalité marque cette recette, tant par leur force que par leur souplesse.

La noble famille des fromages « grana », bien implantée dans la région de Parme et dans l'Émilie, compte plusieurs fleurons parmi lesquels le célèbre parmesan. On pourrait qualifier de fils prodigue le parmigiano reggiano dont les frasques sont bien connues. Plus d'un millier d'artisans fromagers se consacrent à la fabrication et à l'affinage de ce produit – qui s'étalent sur une période de trois ans –, que l'on connaît surtout râpé, mais dont la présentation en rouelles d'une extraordinaire dureté réjouit les amateurs. C'est un fromage très gourmand, puisqu'il ne faut pas moins de 16 l de lait pour en produire 1 kg.

Le grana padano est le frère jumeau du reggiano : quoique moins connu à l'étranger, sa robuste charpente et son goût prononcé n'ont rien à lui envier. Il faut râper l'un et l'autre au dernier moment, afin de préserver leur saveur.

On lui opposera un agneau de caractère, par exemple un pré-salé de Normandie qui donnera d'intéressants contrastes : les agneaux du Cotentin, apporteront une note iodée très appréciable. Il ne reste qu'à lui adjoindre une pomme de terre de qualité, petite bintje de Hollande ou grenaille de Noirmoutier, et vous aurez toutes les chances de servir un plat qui fera date. Profitez-en pour découvrir la truffe blanche de Romagne, irrégulière et de petite taille, dont l'arrière-goût n'est pas sans évoquer l'ail.

1. Désosser les carrés d'agneau et saler. Faire cuire 15 minutes au four bien chaud en gardant la viande rosée à l'intérieur. Réserver.

2. Couper les pommes de terre en minces rondelles. Les placer en forme de rosaces de la même dimension que les assiettes dans un plat allant au four. Ajouter du sel, quelques noix de beurre et saupoudrer de parmesan râpé. Laisser gratiner 10 minutes au four à 180 °C.

à la mode de Romagne

3. Verser le porto dans une sauteuse et en laisser évaporer environ la moitié. Ajouter la truffe coupée en lamelles, le bouillon de viande et laisser cuire quelques minutes. Émulsionner avec de petits morceaux de beurre.

4. Couper les poireaux en fines rondelles en biseau, les rouler dans la farine et les faire frire dans l'huile bouillante. Couper l'agneau en rosettes de 2 cm d'épaisseur, les déposer au cœur de la tartelette de pommes de terre et verser la sauce. Décorer de bagues de poireaux dorées.

Mignon de veau en jus

Préparation *45 minutes*
Cuisson *10 minutes*
Difficulté ★★

Pour 4 personnes

zestes d'1 orange
zestes d'1 citron
15 g de sucre
huile d'olive vierge
50 g de beurre
4 médaillons de filet mignon de veau de lait
(140 g chacun)
120 g de petites girolles

sel, poivre fraîchement moulu
4 grosses rouelles de moelle de bœuf
sel de Guérande
poivre noir concassé
1 brin de marjolaine

Brunoise :
huile d'olive
beurre
100 g de carottes
100 g de vert de courgette
50 g de céleri-branche
50 g d'oignon blanc

Il vous faut tout d'abord préparer un osso-buco à la marjolaine, puis conserver son jus. Vous pourrez ensuite vous pencher sur l'énigme de l'osso-buco sans jarret de veau, puisqu'on en assaisonne ici le délicat filet mignon d'un veau de lait.

Ce petit muscle qui longe la colonne vertébrale compte parmi les plus nobles parties de l'animal. Il est assez facile à travailler et préserve son goût précieux tout au long d'une cuisson très douce. Pour que la viande garde sa couleur claire, il serait utile de la citronner sur toutes ses faces avant de la passer à la sauteuse. Elle doit rester tendre et moelleuse, et provoquera d'agréables contrastes avec le croquant des zestes d'agrumes confits et séchés.

Selon une alliance aujourd'hui traditionnelle, la fine saveur d'abricot des girolles (ou chanterelles) rincées à l'eau claire viendra souligner celle du veau, que les rouelles de moelle de bœuf auront rendue plus fondante. De petits pavés de brunoise, soigneusement disposés dans l'assiette apporteront une touche subtile à votre assiette.

La marjolaine est une plante répandue dans tout le bassin méditerranéen ; les Italiens en parfument notamment la piccata, petite escalope de veau sautée au beurre. Les Grecs l'utilisent de préférence grillée sur les brochettes de chevreau et les Hongrois en assaisonnent le célèbre goulache. En France, elle fait partie des traditionnelles herbes de Provence.

À la place du filet mignon, vous pourrez employer du quasi de veau, mais ce morceau s'avère parfois un peu trop ferme.

1. Tailler les zestes d'orange et de citron en fine julienne. Les faire blanchir, puis les mettre à confire sur feu doux dans une casserole avec un peu d'eau et de sucre durant 45 minutes. Égoutter et faire sécher sur une assiette.

2. Faire étuver avec un peu d'huile et de beurre la brunoise de légumes en prenant soin de la conserver croquante.

d'osso-buco à la marjolaine

3. *Dans une sauteuse, faire saisir à l'huile et au beurre les médaillons de veau. Laisser cuire doucement afin de leur donner une belle coloration. Laver et égoutter les girolles, puis les poêler. Saler et poivrer. Mettre à pocher les rouelles de moelle dans une eau salée.*

4. *À l'aide d'un cercle de 10 cm de diamètre, étaler la brunoise de légumes au centre des assiettes. Disposer dessus un médaillon de veau et une rouelle de moelle. Parsemer de sel de Guérande et de poivre noir concassé. Ranger les girolles tout autour et arroser de jus d'osso-buco. Décorer de zestes d'agrumes et de brins de marjolaine.*

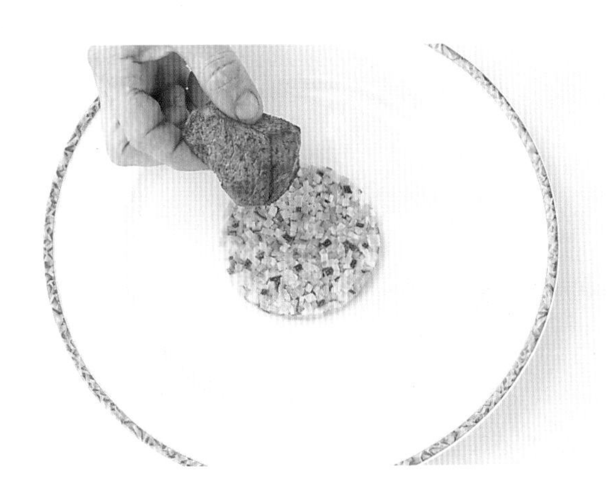

Tian de bettes en rosace

Préparation	*1 heure*
Cuisson	*30 minutes*
Difficulté	★★

Pour 4 personnes

4 râbles de lapereaux fermiers
huile d'olive vierge
50 g de beurre
1 carotte
1 branche de céleri
2 échalotes

1 gousse d'ail
4 brins de romarin
1 tomate
200 ml de vin blanc sec
800 g de bettes
200 g de petites girolles
3 jaunes d'œufs
200 ml de crème fleurette
15 g de pignons de pin
poivre fraîchement moulu
sel,
10 olives de Nice

À l'origine, le tian est un grand plat de terre vernissée que l'on réserve aux gratins de légumes. Par extension, ces gratins ont pris en Provence le nom de tian, dont voici un exemple. La bette, ce légume mal-aimé, est consommée par les Provençaux qui en font aussi bien des plats que des desserts (la fameuse tourte aux feuilles de bettes, par exemple).

Il existe des bettes vertes et des bettes blondes ; on les appelle aussi blettes ou poirées. Il faut d'abord les faire blanchir pour leur enlever toute amertume. Les côtes de bettes sont riches en filaments qu'il faut ôter patiemment, à moins de trouver des pousses très jeunes. Vous n'aurez plus ensuite qu'à les faire revenir au beurre quelques instants.

Le choix des lapereaux est aujourd'hui grandement facilité par la qualité des élevages fermiers et la récente création du label « lapin de France ». Vous aurez besoin de quatre petits lapins fermiers de 1 à 1,2 kg, nourris principalement à la luzerne, mais aussi à l'orge et au blé. Une fois les filets sur l'os du râble levés, vous devrez veiller à la cuisson pour préserver la richesse en protéines de la viande. Pensez à les arroser régulièrement de la matière grasse qu'ils rendent dans la sauteuse et réservez-les hors du feu quelques instants avant de les détailler en aiguillettes.

Le tian peut également se confectionner avec des épinards dont le goût plus soutenu sera très apprécié ; il n'est pas nécessaire de les faire blanchir avant cuisson.

1. Lever les filets des râbles de lapereaux et enlever la peau qui les recouvre. Concasser les os et couper les panoufles en morceaux, puis les faire revenir dans l'huile et le beurre. Ajouter la carotte, le céleri, les échalotes en dés, la gousse d'ail écrasée, un brin de romarin et la tomate en quartiers. Laisser cuire le tout avec le vin blanc et de l'eau pour obtenir 100 ml de jus.

2. Séparer les feuilles des côtes de bettes. Laver les feuilles, les faire blanchir, puis les rafraîchir et les presser. Éplucher les côtes, les tailler en bâtonnets et les faire étuver dans une sauteuse avec du beurre et de l'eau. Réserver vingt girolles et poêler le reste. Mélanger les jaunes d'œufs et la crème fleurette, ajouter la purée de bettes, les girolles poêlées et les pignons de pin, puis assaisonner.

et lapereaux aux girolles

3. Prendre quatre cercles de 12 cm de diamètre sur 2 cm de hauteur. Avec du papier d'aluminium, former des fonds hermétiques en repliant les bords du papier, puis beurrer. Garnir de la préparation à base de bettes et cuire à feu doux (140 °C) pendant 10 minutes. Après cuisson, démouler les tians en les retournant sur les assiettes et enlever le papier.

4. Poêler les vingt girolles et tailler les olives en copeaux. Faire rôtir dans l'huile d'olive et le beurre les filets de lapereaux en les arrosant fréquemment. Laisser reposer sur une grille, puis les couper en biais en fines aiguillettes. Ranger soigneusement les aiguillettes de lapereaux en forme de rosace sur les tians de blettes. Entourer de bâtonnets de blettes et de girolles poêlées.

Cailles aux figues

Préparation *1 heure*
Cuisson *30 minutes*
Difficulté ☆☆

Pour 4 personnes

6 cailles
500 ml de vin rouge
100 g de carottes
150 g d'oignons

50 g de céleri-branche
1 gousse d'ail
1 bouquet garni
poivre concassé
260 g de beurre
100 ml de cognac
1/2 cube de bouillon de bœuf
sel, poivre
600 g de feuilles de chou vert frisé
4 figues sèches

La figue est riche en consonances historiques : c'est avec la vigne et l'olivier le fruit le plus cité dans la Bible ; la légende veut que Romulus et Rémus soient nés sous un figuier, et l'on sait que les Grecs de l'Antiquité l'utilisaient très largement, notamment pour gaver les oies. Ce fruit est très largement consommé dans tout le bassin méditerranéen.

Bien que la Provence produise d'excellentes figues, notre chef propose d'employer des fruits séchés, et recommande ceux importés de Turquie pour leur saveur et leur moelleux.

Il faut choisir sur le marché entre la caille d'élevage et la caille fermière, reconnaissable à sa chair jaunâtre. C'est cette dernière que nous recommande Jacques Chibois : à la fois plus ferme et plus grosse, elle possède un goût plus prononcé et donnera le meilleur d'elle-même à cette recette. Vous conserverez les os pour donner de l'arôme à la marinade, puis les ferez revenir à la poêle pour marquer le fond de sauce.

Pour l'accompagnement de chou vert, votre choix se portera plutôt sur la variété hiversa, qui se conserve au réfrigérateur sous un film alimentaire. Toutefois, veillez à le faire cuire dans plusieurs eaux pour lui ôter son amertume naturelle.

Si vous êtes chasseur, vous pourrez peut-être adapter cette recette à divers gibiers à plumes : pigeon, perdreau, pintade ou faisan, qui pourront s'accompagner d'autres légumes, tels les champignons, les bettes ou les salsifis.

1. Mettre à mariner la veille les cailles désossées avec leurs os dans le vin rouge avec les carottes, 100 g d'oignons, le céleri-branche coupé en petits dés, la gousse d'ail, le bouquet garni et quelques grains de poivre concassés.

2. Égoutter les cailles, les os et les légumes. Faire revenir les os dans 60 g de beurre, puis les légumes jusqu'à bonne coloration. Flamber au cognac, puis ajouter le vin de la marinade, le bouillon de bœuf et le bouquet garni. Cuire à feu doux jusqu'à réduction de 150 à 200 ml. Passer au chinois et monter avec 80 g de beurre. Rectifier l'assaisonnement.

et au chou vert

3. Cuire les feuilles de chou (sans les côtes) dans l'eau bouillante salée jusqu'à ce qu'elles soient légèrement croquantes. Confectionner des bâtonnets de figues et les faire tomber avec 80 g de beurre et 50 g d'oignons émincés. Ajouter 120 ml d'eau et laisser cuire à couvert. À mi-cuisson, incorporer les figues. Laisser fondre et ajouter les feuilles de chou coupées.

4. Dans une poêle antiadhésive, faire colorer les cailles dans 40 g de beurre tout en les maintenant légèrement rosées. Dresser au centre de l'assiette un dôme de chou entouré de trois moitiés de cailles, puis napper de sauce.

Côte de bœuf en provençale

Préparation *45 minutes*
Cuisson *30 minutes*
Difficulté ⁎ ⁎

Pour 4 personnes

2 côtes de bœuf de 1,2 kg chacune
sel, poivre
huile

Sauce :
4 cuil. à soupe de vin blanc
300 g de tomates bien fermes
2 branches d'estragon
2 pointes d'ail haché
4 cuil. à soupe d'huile d'olive

300 ml de jus de bœuf
300 g de beurre

Garniture :
400 g de pommes de terre nouvelles
8 artichauts poivrades
8 petits oignons nouveaux
8 petites gousses d'ail épluchées
120 g d'olives de pays
200 g de petites courgettes
80 g de beurre
2 branches de thym frais
2 branches de romarin frais
2 petites feuilles de laurier frais
180 ml d'eau
2 cuil. à soupe d'huile d'olive
10 feuilles de basilic finement coupées
sel, poivre

Le bœuf est l'animal de boucherie le plus populaire et se décline en de nombreuses races de qualité. Les élevages font l'objet d'un contrôle rigoureux, les sélections et la nourriture se sont affinées avec le temps. Rôti, grillé ou poché, le bœuf constitue la base de l'économie domestique et se suffit à lui-même. Si notre chef se prononce d'abord en faveur de la race limousine, d'autres vous apporteront toute satisfaction : la race normande, viande dont la plus fondante est la frisonne d'Allemagne ou le « bleu-blanc-belge » de nos voisins outre-quiévrains.

La côte de bœuf est un morceau de choix que vous ferez « mûrir » 12 à 21 jours au réfrigérateur et qui devra cuire très lentement à four doux, après que vous l'aurez dénervée et dégraissée. Elle devra quand même conserver un peu de graisse, car c'est du persillé de la viande que vient la saveur. Avec les parures que vous aurez levées, confectionnez le jus de bœuf nécessaire à la sauce en les faisant rôtir 30 minutes jusqu'à belle coloration dorée avec un oignon, du thym, du laurier et un filet d'eau ; passez au chinois.

La cuisson des côtes de bœuf doit être uniforme et la chaleur assez douce pour pénétrer au plus profond de la chair sans carboniser la surface. Conservez l'os pour servir, car sa présence affine le goût capiteux de la viande.

L'accompagnement de légumes nouveaux rafraîchira ce plat, et en soulignera la richesse et l'éclat. Vous les ferez sauter à la poêle pour conserver tout leur goût et tout leur croquant. Les artichauts poivrades se consomment crus dans le Midi : vous les porterez donc tout juste à bonne température.

1. Dénerver les côtes de bœuf, les dégraisser et les manchonner.

2. Pour la garniture, laver les pommes de terre sans les éplucher. Parer les artichauts poivrades, éplucher les petits oignons et les gousses d'ail. Blanchir deux fois les olives de pays et couper les courgettes en tronçons de 2 cm. Cuire séparément tous les légumes dans l'eau salée.

de légumes nouveaux

3. Dans une poêle antiadhésive, terminer de cuire dans le beurre à couvert tous les légumes avec le thym, le romarin et le laurier pendant 15 minutes environ. Juste avant de servir, ajouter l'eau, l'huile d'olive, le basilic haché, le sel et le poivre. Remuer vivement et retirer aussitôt pour que tous les légumes soient bien enrobés de cette sauce.

4. Saler et poivrer les côtes de bœuf, puis les faire cuire dans l'huile 15 minutes. Retirer et réserver dans un plat recouvert d'une feuille d'aluminium. Déglacer les sucs au vin blanc, puis ajouter les autres ingrédients. Faire bouillir, incorporer 2 cuil. à soupe d'huile et mélanger. Dresser les côtes de bœuf sur un plat chaud, ajouter les légumes et napper de sauce.

Chartreuse de pigeonneaux

Préparation	*1 heure*
Cuisson	*1 heure*
Difficulté	☆ ☆

Pour 4 personnes

4 pigeons de 400 g chacun
sel, poivre

Fond de pigeon :
carcasses et parures des pigeons
huile
50 g de beurre

1 bouquet garni
500 ml de vin blanc
150 ml de fond de veau
80 ml de jus de truffes
sel, poivre

Garniture :
1 chou à « feuilles cloquées »
1 carotte
50 g de céleri-rave
4 fines tranches de lard
1 échalote
50 g de beurre

Certains ont prétendu sans preuve irréfutable que c'est aux pères chartreux que l'on doit cet apprêt de légumes à base de chou braisé, qui accompagne élégamment des volatiles tels la perdrix ou le pigeon. Chacun pourra là-dessus faire sa propre religion : on ne prête qu'aux riches et les chartreux, déjà bien connus pour leur liqueur à base de plantes, avaient le dos large…

Mais l'habit ne fait pas le moine et cette chartreuse présente l'avantage de masquer totalement son contenu, réservant ainsi de fines surprises aux convives lors de la dégustation.

Bien que l'on parle ici de pigeonneaux, il faut vous méfier des pigeons trop jeunes ou trop petits, dont le goût n'est pas très affirmé. La meilleure saison est évidemment la période de la chasse ; choisissez des pièces de 350-400 g au moins. Il existe par ailleurs des pigeons d'élevage, nourris au maïs plutôt qu'aux lentilles, dont la qualité offre un intéressant recours.

Le chou est un légume faiblement énergétique, mais très riche en vitamine E. Ses vertus sont reconnues depuis l'Antiquité, puisque les Romains l'utilisaient déjà pour dissiper la mélancolie et mieux supporter l'alcool. Très apprécié en Europe, il pousse la complaisance jusqu'à rester à notre disposition toute l'année, bien que sa meilleure saison soit l'hiver. Il vous faut un chou de Milan, reconnaissable à ses feuilles à bords gaufrés, lourd et très dense. C'est l'un des représentants de l'espèce dite à « feuilles cloquées », qu'illustrent par exemple le majestueux « roi d'hiver » et le chou « pontoise ».

1. Désosser les pigeons, manchonner les ailerons, puis concasser les carcasses et les parures. Réserver les suprêmes au frais. À la sortie du réfrigérateur, les assaisonner et les poêler 3 minutes de chaque côté.

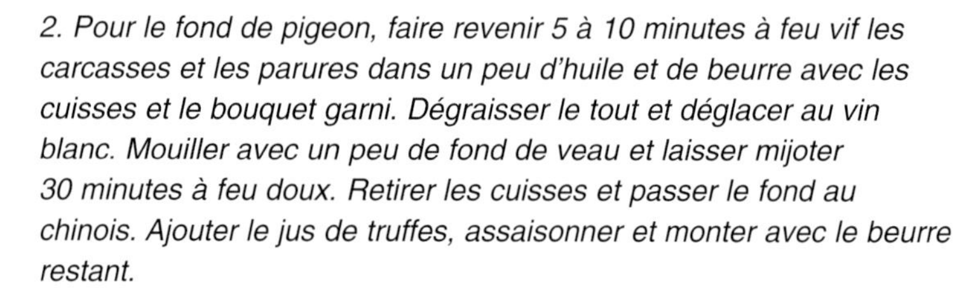

2. Pour le fond de pigeon, faire revenir 5 à 10 minutes à feu vif les carcasses et les parures dans un peu d'huile et de beurre avec les cuisses et le bouquet garni. Dégraisser le tout et déglacer au vin blanc. Mouiller avec un peu de fond de veau et laisser mijoter 30 minutes à feu doux. Retirer les cuisses et passer le fond au chinois. Ajouter le jus de truffes, assaisonner et monter avec le beurre restant.

aux deux cuissons

3. Pour la garniture, éplucher le chou, réserver les belles feuilles, faire blanchir et rafraîchir. Tailler en fine julienne la carotte, le céleri-rave, le lard et le reste du chou. Hacher l'échalote. Faire blanchir le céleri, la carotte et le lard. Faire fondre l'échalote dans le beurre, puis ajouter les lardons et la julienne. Laisser mijoter 20 minutes à feu doux.

4. Foncer des moules de 10 cm de diamètre avec les feuilles de chou réservées. Garnir d'une couche de julienne, d'une cuisse, puis à nouveau de julienne. Envelopper dans un film alimentaire et terminer la cuisson 20 minutes à la vapeur. Napper le fond des assiettes de sauce et disposer la chartreuse entourée des suprêmes escalopés.

Noisettes d'agneau

Préparation *30 minutes*
Cuisson *20 minutes*
Difficulté ★

Pour 4 personnes

1 selle d'agneau de 1,5 kg
220 g de beurre
huile
300 g de pommes de terre (belle de Fontenay)
80 ml de crème fleurette
sel, poivre
4 tranches de foie gras (de canard, de préférence)
1 belle truffe

Sauce:
os et parures de la selle
1 oignon
1 carotte
50 g de céleri-branche
1 bouquet garni
250 ml de vin blanc
80 ml de jus de truffes
sel, poivre
30 g de beurre

«Belle de Fontenay rech. tendre agneau pour sorties et plus si aff.»: telle pourrait être la petite annonce qui déciderait de la rencontre entre ce tubercule à particule et ce jeune mammifère à la chair si réputée. Il en résulte un couple charmeur et distingué que vous devriez inviter plus souvent à votre table…

La belle de Fontenay est une variété suprême de pomme de terre à chair jaune, très digne dans la cuisson et dont la précocité constitue un atout véritable. On peut en faire une purée très fine fort peu farineuse qui permet de concentrer toutes les saveurs. Elle s'entend parfaitement avec la sauce dont notre chef la recouvrira juste avant de servir.

Son partenaire est très jeune, mais on lui accordera sans peine une dérogation: un agneau de pays est en principe âgé de 4 à 5 mois et n'a pratiquement pas quitté le giron de sa mère, qui l'a nourri pendant tout ce temps. Le morceau visé est ici la selle, juste au-dessus des gigots, dont la chair doit être d'un rose soutenu, avec une très faible quantité de graisse. N'oubliez pas que la viande est plus moelleuse lorsqu'on a pris la précaution de la laisser reposer quelques instants après la cuisson car celle-ci provoque un léger resserrement des fibres.

Cette union se déroule sous l'œil attendri de deux témoins de choix, eux-mêmes compagnons de longue date: la truffe et le foie gras frais – de canard de préférence –, le plus riche et le plus nourrissant des abats. Peut-on se retenir d'entonner les premières mesures de la «Marche nuptiale» de Mendelssohn?

1. Désosser la selle d'agneau, dénerver les filets et les parer à vif. Tailler quatre noisettes de même grosseur, donner un tour de ficelle afin de les tenir en forme et réserver au frais.

2. Pour la sauce, concasser les os et parures, puis faire revenir le tout avec l'oignon, la carotte, le céleri et le bouquet garni. Laisser colorer 20 minutes à feu vif et dégraisser. Déglacer au vin blanc, laisser réduire à consistance, passer au chinois et laisser réduire à nouveau. Détendre avec le jus de truffes, rectifier l'assaisonnement et monter au beurre.

« Rossini »

3. Faire sauter les noisettes d'agneau dans 20 g de beurre et un peu d'huile (qui doivent rester rosées). Laisser reposer 5 à 6 minutes. Cuire les pommes de terre et les écraser en purée. Ajouter 200 g de beurre, la crème fleurette et assaisonner.

4. Poêler à sec les tranches de foie gras dans une poêle très chaude. Dresser sur chaque assiette chaude une noisette d'agneau, un médaillon de foie gras chaud et terminer avec une rondelle de truffe. Verser la sauce et déposer une belle quenelle de purée.

Filet de bœuf de Chalosse

Préparation *1 heure*
Cuisson *30 minutes*
Difficulté ★ ★

Pour 4 personnes

4 tournedos de bœuf de 150 g chacun
sel, poivre
500 g d'asperges fines des Landes
500 g d'asperges sauvages
3 tomates
1 truffe

4 échalotes
250 ml de tursan blanc
250 ml de jus de veau lié
1 foie gras de canard

Palets de maïs :
25 g de beurre
25 g de farine
500 ml de lait
2 jaunes d'œufs
250 g de maïs doux
beurre clarifié

Au sud des Landes, entre Adour et Gave de Pau, s'étend la Chalosse, région polyculturelle où domine l'élevage bovin, distingué par un label de qualité. Il s'agit de bœufs de race blonde d'Aquitaine, engraissés pendant 4 mois au maïs, dont les filets peuvent peser jusqu'à 7 kg. Avant d'être commercialisée, la viande de Chalosse séjourne en mûrisserie 3 à 4 semaines.

La fraîcheur de la viande n'a pas de rapport direct avec sa couleur, qui peut varier selon les races. On pourra davantage la contrôler grâce aux fines marbrures blanches qui affleurent à la surface des muscles. Les tournedos que l'on découpera dans le filet auront une épaisseur d'environ 2 cm et cuiront dans une poêle épaisse, dans un mélange d'huile et de beurre préalablement chauffé. Cette précaution permet de caraméliser l'extérieur des tournedos et de conserver ainsi leur jus.

Le déglaçage des sucs doit se faire à l'aide d'un produit local, le tursan blanc, V.D.Q.S. élaboré par les viticulteurs de Gascogne qui saura faire preuve de toute la nervosité nécessaire.

L'accompagnement de maïs doux est indispensable, puisque c'est l'aliment principal du bœuf de Chalosse. Facile à trouver sur les marchés de juillet à octobre, il se présente en épis de grains laiteux, enrobés de feuilles vert pâle. Ayez soin de confectionner la sauce des palets de maïs la veille et de la réserver au frais : la pâte n'en aura que plus de tenue et sa découpe sera plus facile.

Vous servirez avec ce plat des asperges landaises, réputées pour leur finesse, que vous aurez fait cuire avec mesure pour préserver leur saveur et le croquant de leur pointe.

1. Pour les palets de maïs, faire un roux blanc avec le beurre et la farine. Laisser chauffer à feu très doux 5 à 10 minutes. Faire bouillir le lait, le laisser refroidir, puis le verser sur le roux chaud. Ajouter les jaunes d'œufs tout en remuant, puis le maïs doux.

2. Étaler la sauce sur 1 cm d'épaisseur sur une plaque huilée. Laisser refroidir 2 heures au frais, puis découper à l'emporte-pièce. Réserver. Parer le filet de bœuf et tailler quatre tournedos de 150 g chacun. Les assaisonner, puis les saisir 1 minute sur chaque face. Réserver sur un plat de service.

aux primeurs des Landes

3. Faire cuire et dorer les palets de maïs dans le beurre clarifié. Faire cuire les asperges blanches à l'eau salée, ainsi que les pointes d'asperges sauvages, qui doivent rester croquantes. Tailler les tomates en dés après les avoir mondées et épépinées. Couper la truffe en lamelles.

4. Dégraisser légèrement le plat de cuisson des tournedos. Ajouter les échalotes ciselées et les faire blondir. Déglacer avec le tursan, laisser réduire 5 minutes à feu vif et ajouter le jus de veau. Porter à ébullition, puis passer au chinois. Napper l'assiette de sauce. Dresser une tranche de foie gras sur chaque tournedos et surmonter d'une lamelle de truffe. Disposer harmonieusement les pointes d'asperges, les dés de tomates et un palet de maïs.

Foie gras chaud de canard

Préparation *30 minutes*
Cuisson *10 minutes*
Difficulté ☆☆

Pour 4 personnes

200 g de rhubarbe
100 g de sucre
1 gousse de vanille
poivre blanc
poivre du Sichuan
jus et zeste d'1 citron

jus d'1 orange
baies roses
quelques graines de coriandre
noix muscade
1 piment d'Espelette
50 g de confiture de rhubarbe
100 g de mie de pain
un peu de beurre
1 foie gras de canard de 500 g environ
fleur de sel
ciboulette
100 g de mesclun

On réserve souvent le foie gras aux fêtes de fin d'année, mais rien n'interdit de le consommer à d'autres périodes de l'année. Son débit est plus important fin décembre, ce qui garantit la fraîcheur des produits que vous trouverez alors sur le marché. Un beau foie gras de canard pèse généralement entre 400 et 500 g, et se présente ferme et lisse, bien rond et d'une couleur homogène. On réserve le foie gras de canard aux recettes chaudes, car il convient mieux que le foie gras d'oie, plus raffiné mais plus fragile. Ici, l'escalope de foie gras poêlée se déguste à la croque-au-sel, comme certains légumes crus.

La rhubarbe se consomme toujours cuite. Cette plante volumineuse, de la famille des polygonacées, est connue surtout pour son exceptionnelle teneur en fibres et en lipides, ce qui la rend très utile, malgré l'acidité qu'on lui reproche souvent. Longtemps employée en médecine, elle fait aujourd'hui florès en gastronomie dans l'accompagnement des volailles et des viandes grasses. Les Britanniques en tirent un chutney très réputé. On n'utilise que des tiges, denses, fermes et cassantes au moment de l'achat. Une rhubarbe avancée, voire molle ou filandreuse, ne produira qu'une compote insipide et pâteuse. Toutefois, si vous craignez qu'elle soit trop acide, commencez par l'ébouillanter avant de l'égoutter et de poursuivre normalement la préparation.

L'accompagnement relevé à base de poivre, de baies roses et de piment ne doit pas neutraliser le goût du foie gras : il faut en user avec modération, de manière à ce que chacun des ingrédients joue sa partie sans nuire à son voisin.

1. Dans une casserole, placer la rhubarbe coupée grossièrement avec le sucre et la gousse de vanille. Laisser cuire 10 minutes, puis égoutter la compote.

2. Écraser les grains de poivre et les torréfier dans une casserole pour en faire ressortir tous les arômes. Déglacer avec le jus de citron et le jus d'orange, puis incorporer les épices.

avec sa compote de rhubarbe

3. Incorporer la compote de rhubarbe à cette préparation ainsi qu'un zeste de citron et 1 cuil. à soupe de confiture de rhubarbe. Tailler des petits dés de mie de pain, les passer au beurre, les faire sécher au four, puis les passer au tamis à gros trous.

4. Couper le foie gras en quatre escalopes de 120 g chacune. Dans une poêle antiadhésive, poêler les escalopes, puis parsemer de fleur de sel et de ciboulette. Dresser sur une grande assiette bien chaude un beau bouquet de mesclun et la chapelure. Déposer dessus l'escalope de foie gras et décorer d'un filet de compote de rhubarbe.

Pigeonneau au jus de

Préparation	*35 minutes*
Cuisson	*20 minutes*
Difficulté	★★★

Pour 4 personnes

4 pigeonneaux de 300 à 350 g chacun
sel, poivre
1 échalote
50 g de beurre
40 g de truffes fraîches

300 g de pommes de terre charlotte
250 g de mirepoix de champignons sauvages
mesclun

L'élevage des pigeons était, au Moyen Âge, réservé aux seigneurs: eux seuls avaient le droit de bâtir des colombiers, dont l'importance était proportionnelle à l'étendue de leurs possessions. Ces pigeons, en trop grand nombre, étaient très préjudiciables aux récoltes, que les volatiles picoraient allégrement quand celles-ci venaient à maturité – ce qui explique les revendications paysannes pour l'abolition de ce droit féodal, enregistrées en 1789 dans les cahiers de doléances.

Ces pigeons n'ont guère de rapport avec leurs cousins des villes dont on déplore aujourd'hui les déprédations, malgré les campagnes de «dépigeonisation» dont le précurseur spirituel fut le chansonnier Henri Tisot. Mais les pigeons d'élevage fort comestibles et les pigeonneaux dont la chair est tendre et savoureuse réjouiront vos papilles. Choisissez de jeunes volatiles entre 300 et 350 g, et faites-les cuire sans excès dans un four préchauffé. Un bref repos s'impose avant dégustation pour que la viande retrouve tout son moelleux.

Les champignons sauvages se ramassent au printemps et à l'automne. Il s'agit des morilles, des mousserons, des girolles et bien d'autres encore. Les champignons déshydratés feront aussi l'affaire. Présentés dans un mille-feuille de pommes de terre dont la tenue ne s'altère pas à la cuisson, ils créeront par leur consistance moelleuse un agréable contraste avec le croquant de la charlotte. Garnissez modérément les mille-feuilles de mirepoix pour ne pas en compromettre l'architecture et atténuer le parfum des champignons qui couvrirait celui de la charlotte.

1. Parer les pigeonneaux désossés. Confectionner un fond bien assaisonné avec les carcasses et réserver.

2. Faire rôtir au four les pigeonneaux avec l'échalote coupée en quatre. Au terme de la cuisson, déglacer la sauteuse avec le fond de pigeon. Laisser réduire et monter au beurre avec les truffes fraîches et hachées.

truffes et son mille-feuille

3. Couper les pommes de terre en rondelles régulières, en garnir trois cercles et les faire cuire 20 minutes à four moyen.

4. Dresser les mille-feuilles en alternant les rondelles de pommes de terre et la mirepoix de champignons sauvages préparée entre-temps. Dresser sur des assiettes chaudes, arroser de sauce et décorer d'un bouquet de salades.

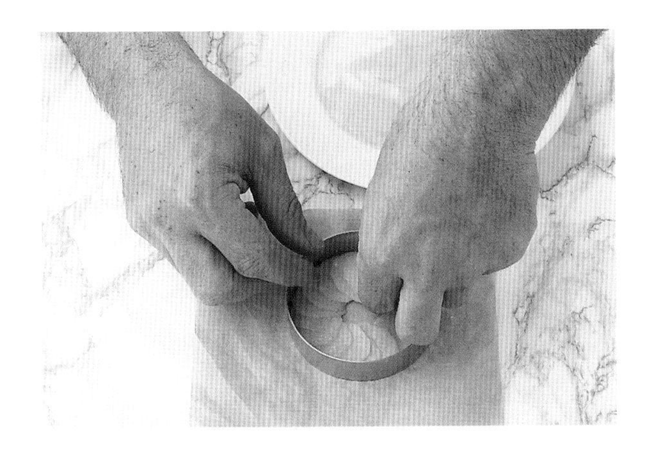

Canon d'agneau

Préparation *20 minutes*
Cuisson *20 minutes*
Difficulté ★★

Pour 4 personnes

2 selles d'agneau d'environ 1 kg chacune
sel, poivre
16 asperges vertes
50 g de truffes
300 g de foie gras
4 pommes de terre
huile d'arachide

Le canon est un procédé classique de présentation de la viande fourrée au foie gras. C'est une selle d'agneau qui est choisie pour cette recette, dont les filets, épais et savoureux, ont séduit notre chef.

Partout en France, on élève des agneaux de lait de pays, exclusivement nourris au pis de la mère, qui seyent à cette préparation. Notre chef recommande l'agneau de Sisteron ou celui du Limousin, cette dernière région se signalant par la qualité de ses pâturages et des cheptels de petite taille. La viande y est particulièrement tendre, riche en arôme et presque dépourvue de graisse. Ils étaient jadis consommés au printemps, comme traditionnel mets pascal, car c'est en cette saison que leur viande s'avère la meilleure.

Vous choisirez en outre un foie gras entier de première qualité (des Landes par exemple). Il doit conserver à la cuisson toute sa fermeté, ce dont vous vous assurerez en faisant frire à part un échantillon de lobe: veillez à ce qu'il ne se décompose pas à la chaleur ni ne paraîsse granuleux. Les truffes fraîches peuvent également réserver des surprises. Vous garantirez leur qualité en choisissant des conserves de première ébullition. À défaut, vous pouvez utiliser des morilles de belle qualité.

La julienne de pommes de terre exige des légumes non lavés, qui perdraient la fécule indispensable à leur maintien pendant la cuisson. Des bintje ou des sirtema (pommes de terre nouvelles), fermes sous le doigt, rendront plus aisé l'enrobage des canons.

Enfin, pour souligner le caractère très printanier de ce plat, notre chef vous conseille un accompagnement d'asperges de saison.

1. Désosser entièrement les selles; conserver les os et les parures pour confectionner la sauce. Parer à vif les filets, les ouvrir et les assaisonner. Peler et faire cuire les asperges dans l'eau salée. Rafraîchir, égoutter et les raccourcir à 8 cm. Réserver.

2. Couper en rondelles la moitié des truffes, l'autre moitié étant réservée à la sauce. Farcir les filets de rondelles de truffes et placer au milieu le foie gras en forme de boudin. Peler et tailler en julienne les pommes de terre (sans les rincer), les saler et bien les presser.

à la truffe

3. Enrober les filets dans la julienne de pommes de terre. Hacher le reste des truffes et l'incorporer à la sauce préalablement préparée avec les os et les parures. Passer au chinois.

4. Verser l'huile dans une sauteuse et faire colorer une douzaine de minutes les filets sur toutes leurs faces. Passer au four 4 à 5 minutes à 60 °C pour terminer la cuisson. Couper les canons en deux et les dresser deux par deux sur une assiette chaude. Disposer quatre asperges préalablement chauffées, puis arroser de sauce aux truffes.

Rossini de lièvre

Préparation *40 minutes*
Cuisson *1 heure*
Difficulté ★★

Pour 4 personnes

4 râbles de lièvres courts
huile
5 gros oignons
1 carotte
2 gousses d'ail
1 brin de thym

750 ml de vin blanc
100 ml de fine de Bourgogne
200 g de foie gras cru de canard
1/2 chou rouge
2 pommes reinettes
130 g de beurre
100 ml de vin rouge
150 ml de vinaigre
sel, poivre noir

La chasse au lièvre fait l'objet d'innombrables anecdotes qu'on se raconte autour de la table, comme par exemple l'histoire du lièvre qui « pète ses plombs », souvenir d'enfance que Jean Crotet raconte avec un humour désopilant. En ce qui nous concerne, nous parlerons plutôt du lièvre avant le repas, lorsqu'il convient de le préparer.

Votre choix se portera en saison de chasse sur un beau lièvre français de 3,5 kg environ, sur lequel vous lèverez un très beau filet. La peau de l'animal sera bien tendue et ses membres raides ; veillez à retirer, le cas échéant, les plombs qui seraient restés, ainsi que les parties de chair qu'ils auront gâtées…

Notre chef déconseille la marinade traditionnelle, qui ferait perdre à la viande la plupart de ses qualités gustatives. Pour la même raison, vous aurez le souci de faire saisir le filet de lièvre plutôt que de le cuire, de manière à le servir rosé. La délicate farce au foie gras donnera toute sa mesure en atténuant par sa saveur et son moelleux le goût fort du lièvre.

Avec le chou rouge braisé et la compotée d'oignons et de pommes, reinettes de préférence, vous confectionnerez une garniture harmonieuse et originale. Vous l'enrichirez, au besoin, de raisins à gros grains préalablement marinés dans du vin blanc bouillant et servis à part.

Lorsque la saison s'y prête, vous pourrez agrémenter ce plat de quelques marrons frais : détaillés en brunoise et revenus dans la graisse de canard avec des oignons et quelques dés de céleri, ils produisent un confit succulent.

1. Lever les filets des râbles et concasser les carcasses. Mettre sur le feu avec de l'huile, laisser colorer, puis ajouter la moitié des oignons, la carotte, l'ail et le thym. Mouiller avec le vin blanc, de l'eau, 50 ml de fine de Bourgogne et laisser cuire une demi-journée. Ouvrir les filets, placer au milieu une portion de foie gras de la taille d'un petit doigt et refermer. Couper en tournedos et ficeler.

2. Couper le chou rouge en quatre, le laver et l'émincer finement. Ciseler deux oignons et couper les pommes en dés d'1 cm. Faire suer les oignons dans 80 g de beurre, puis ajouter les pommes et le chou. Laisser cuire en remuant pendant 10 à 15 minutes. Ajouter le vin rouge et 20 à 30 ml de vinaigre. Laisser cuire à couvert 1 heure, puis assaisonner.

au chou rouge

3. Faire chauffer de l'huile dans une sauteuse et assaisonner de sel et de poivre les petits tournedos. Les faire bien colorer, retirer et réserver.

4. Dégraisser la sauteuse, puis ajouter le reste de fine de Bourgogne et de vinaigre. Faire réduire, ajouter le fond, laisser réduire à nouveau et passer au chinois. Incorporer au dernier moment 50 g de beurre et remuer énergiquement. Disposer sur le centre de l'assiette un gros bouquet de chou rouge, l'entourer de petits tournedos et napper de sauce.

Côte de veau fermier

Préparation *45 minutes*
Cuisson *15 minutes*
Difficulté ★★

Pour 4 personnes

4 tomates
sucre
sel, poivre
huile d'olive
thym effeuillé
ail
1 carré de veau de 1,5 kg
beurre
oignons

carottes
zestes de citron
zeste d'1 orange
8 oignons tendres
3 fenouils
persil plat effeuillé

Jus de veau :
2 carottes
2 oignons
1 branche de céleri
1 bouquet garni
1 tomate
1 l de fond blanc
beurre

Un « cuisinier en terre cathare », comme se définit lui-même Michel Del Burgo, sait apprécier toutes les parties du veau sous la mère. Cette viande d'une grande finesse lui est fournie par des producteurs locaux (dans la région de Carcassonne et de Limoux) dont il vante le savoir-faire et la rigueur. Dans le veau de l'Aude, tout est bon : carré, filet, jarret, abats, etc.

Notre chef exécute une variation personnelle de l'osso-buco, incontournable classique italien du jarret. L'originalité consiste à cuisiner de la même manière une côte de veau découpée dans le carré et soigneusement détalonnée – par votre boucher, de préférence : le profane ne sait guère enlever l'os sous le carré ni manchonner une côte. Conservez un peu de graisse autour de la viande, car ces petits résidus formeront une substance croustillante et goûteuse après cuisson.

C'est en somme un drame en deux actes : d'abord le protagoniste est saisi sur le fond d'une poêle avec un décor adapté de petits légumes qui parfument l'huile et le beurre. Ensuite, déjà bien coloré, on termine la cuisson à petit feu dans un four très doux, après avoir travaillé la garniture aromatique. Il faut arroser régulièrement la viande pendant la cuisson, car elle pourrait se dessécher.

Vous couperez en quatre trois bulbes de fenouil bien serrés pour qu'ils restent fermes et réservent aux tomates confites un accueil digne d'elles. Notre chef propose encore plusieurs alternatives : des artichauts à la place des fenouils et un autre morceau de veau pour doubler la côte au pied levé.

1. Monder, épépiner et couper les tomates en quatre. Disposer les quartiers sur une plaque recouverte de papier sulfurisé légèrement huilé. Sucrer, saler et poivrer les tomates, les huiler et les parsemer de thym. Déposer sur chaque morceau une rondelle d'ail et laisser dessécher 2 heures au four à 100 °C.

2. Parer le carré de veau. Le faire saisir dans une sauteuse avec un peu de beurre et d'huile d'olive, ainsi qu'une garniture d'oignons, de carottes et d'ail. Cuire au four 15 minutes environ (160-170 °C). Préparer une fine brunoise de zestes de citron et d'orange, puis réserver.

en osso-buco

3. Pour le jus de veau, pincer les parures à brun. Ajouter la garniture en mirepoix, le bouquet garni et la tomate fraîche. Dégraisser, puis mouiller avec un peu d'eau. Réduire à sec et mouiller avec le fond blanc. Laisser cuire, puis passer au chinois. Terminer en montant au beurre et en incorporant au dernier moment la brunoise d'agrumes.

4. Parer les oignons tendres. Tourner les fenouils façon pomme anglaise. Mettre le tout dans une sauteuse et laisser braiser. Ajouter les tomates à demi confites et le persil plat ciselé. Détailler la côte de veau en tranches et les dresser harmonieusement dans l'assiette avec la garniture.

Aiguillettes de canard de

Préparation *20 minutes*
Cuisson *20 minutes*
Difficulté ★

Pour 4 personnes

1 canard de Challans
beurre
sel
4 pommes (melrose, de préférence)
10 g de graines de coriandre
250 ml de fond de canard
1 botte de cresson (facultatif)

Que la coriandre soit le meilleur accompagnement du canard n'étonnera personne, puisque ce principe gastronomique est acquis depuis l'Antiquité, dans la foulée du célèbre Apicius. Cette plante aromatique originaire d'Orient trouve en effet dans le palmipède un complice de choix, grâce à son étonnante capacité à gorger sa chair des parfums les plus délicats sans rien perdre de son caractère.

Le canard de Challans, dit aussi canard nantais, s'est forgé la réputation d'un remarquable volatile. Dans cette bourgade de Vendée proche de Nantes, on élève des canards moins volumineux que certains de leurs congénères, mais qui bénéficient d'un label rouge : il s'agit de canards de Barbarie nourris en liberté dans l'herbe grasse du pays nantais, avec une dose quotidienne de céréales soigneusement calculée. L'animal est étouffé ou saigné à 77 jours (pour la canette) ou 84 jours (pour les canards mâles). Sa chair est fine et savoureuse, bien qu'un peu grasse.

De chaque côté du bréchet, sous l'aile du canard, se trouve l'aiguillette que l'on extrait avec sa peau, dont la forme et le caractère se prêtent sans broncher à notre préparation. On peut aussi choisir chez le volailler les blancs d'un canard de poids moyen, que l'on détaillera en longues et fines tranches.

Ce n'est pas seulement en hommage à Maurice Chevalier, interprète de *Ma Pomme* et d'ailleurs grand amateur de canard, que Joseph Delphin choisit d'accompagner ce plat de pommes melrose : ce fruit bicolore, moins connu peut-être que la golden ou la reinette, possède une peau très fine et une saveur parfumée qui se marient fort bien aux aiguillettes.

1. Lever les filets du canard et les parer pour qu'ils soient propres et nets. Retirer la petite peau qui se trouve en haut du filet. Inciser la peau pour permettre d'évacuer la graisse lors de la cuisson.

2. Saisir les filets côté peau dans une poêle contenant du beurre. Saler et faire cuire 10 à 12 minutes en tout. Une fois cuits, les déposer sur une feuille de papier d'aluminium et laisser reposer une dizaine de minutes.

Challans à la coriandre

3. Éplucher les pommes, les couper en deux, les épépiner, puis les couper à nouveau en six. Les saisir dans le beurre sur toutes leurs faces pour obtenir une légère coloration.

4. Dégraisser la cocotte et y verser les graines de coriandre écrasées. Monter au beurre et déglacer avec le fond de canard. Dresser le canard et les pommes en éventail dans les assiettes. Napper de sauce et déposer, le cas échéant, un bouquet de cresson au centre. Servir chaud.

Râble de lapin farci,

Préparation *1 heure*
Cuisson *1 heure*
Difficulté ★★

Pour 4 personnes

1 râble de lapin de 900 g
80 g de carottes
80 g de navets
40 g de tomates confites
240 g de fusilli ou autres pâtes

Civet :
huile de lavande
os de lapin
ail
oignons
échalotes
pelures de tomates
thym, laurier, lavande
40 ml de vin rouge

Le Mouginois Dorange respire depuis toujours le doux parfum de lavande qui embaume la Provence, et voue une admiration sans bornes à son ancien maître Roger Vergé. Il n'est donc pas surprenant qu'il compose des plats inédits, nuancés de lavande, cette plante aromatique aux multiples vertus.

Au lieu des cuisses de lapin qu'il cuisine d'ordinaire à l'ail, avec des pommes de terre sautées, notre chef utilise ici le râble qu'il nappe d'un délectable civet à base d'essence de lavande (disponible en pharmacie), de lavande (sans les fleurs) et de vin rouge – un vin rouge de Provence, naturellement, ou peut-être de Corse, dont quelques bons crus feront honneur à ce plat.

Le lapereau fermier est une viande de premier choix dont le râble est la partie la plus moelleuse. Pour lui conserver cette qualité, veillez à ne pas le faire cuire trop doucement ni trop lentement, et servez le râble rosé. Le reste de l'animal pourra par exemple vous servir à préparer une terrine ou de petits gigotins cuits à la moutarde, à l'huile d'olive et au romarin.

Les fusilli accompagnent à merveille cette viande en civet, puisque les échanges gastronomiques et culturels n'ont jamais faibli entre la Provence et l'Italie voisine. Le lapin, cependant, s'accommode fort bien d'une poêlée de champignons des bois, ou encore d'un assaisonnement de thym et de romarin.

1. Désosser le râble de lapin et réserver les os pour confectionner le civet. Réserver également les rognons pour la farce.

2. Tailler les carottes et les navets en bâtonnets de 3 x 0,5 cm. Les cuire séparément dans l'eau salée et les rafraîchir.

sauce civet à la lavande

3. Farcir le râble en déposant sur les côtés les bâtonnets de légumes. Ajouter au centre les tomates confites et le rognon, enrouler le tout et bien ficeler. Cuire les fusilli à l'eau salée, puis rafraîchir.

4. Pour le civet, faire revenir à l'huile de lavande les os du râble, l'ail, les oignons et les échalotes. Dégraisser, puis ajouter les pelures de tomates, le thym, le laurier et la lavande. Déglacer au vin rouge et faire réduire. Laisser cuire environ 1 heure, puis passer au chinois. Faire rôtir le râble 8 à 10 minutes à 200 °C et le découper en médaillons. Servir les fusilli en sauce au centre de l'assiette.

Selle d'agneau

Préparation *1 heure*
Cuisson *45 minutes*
Difficulté ★★★

Pour 4 personnes

1 selle d'agneau de 800 g
140 g de girolles
100 g de champignons
sel, poivre
240 ml d'huile d'olive
40 g de cannelle en poudre
poivre blanc
10 g de noix muscade
10 g de girofle en poudre

140 g de beurre
120 g de pâte filo
12 g de basilic
40 g de graines de pavot
ciboulette

Sauce:
os d'agneau
carotte
échalote
ail
oignon
thym, laurier
40 ml de vinaigre de xérès
100 ml de porto

Il y a des chefs qui soignent leurs farces et des chefs tout simplement farceurs – et bien sûr ceux qui cumulent ces deux qualités. On ne doutera plus que Philippe Dorange appartienne à cette dernière catégorie lorsqu'on aura lu cette recette où l'agneau farci «en pain d'épices» (et non «au pain d'épices») se dissimule au regard des convives sous une croustillante enveloppe de pâte.

Une fois encore, notre chef reste fidèle au tendre agneau de lait de Pauillac qui nous vient d'une région déjà richement pourvue, puisque les fameux vignobles Château-Lafite et Mouton-Rotschild en sont les principaux fleurons. Philippe Dorange choisit la selle pour en dégager les filets, les faire raidir et les enrober d'épices. Il faut beaucoup de temps pour cette préparation, car une fois roulés dans la pâte filo beurrée, les filets doivent se détendre au frais sous un film alimentaire 24 heures avant la cuisson.

La difficulté réside ici dans le choix et le dosage des épices, dont le goût doit être sensible sans masquer celui de l'agneau. Le basilic et le girofle pourront être employés par le profane sans qu'il courre de risques inconsidérés. Les plus avertis feront entrer dans la danse quelques grains de coriandre – souvent utilisés pour accompagner le canard. Enfin, les graines de pavot dans lesquelles vous roulerez les pains vont adhérer à la pâte et la revêtir d'une pellicule noire au goût subtil et croquant.

Notre chef avoue qu'il a déjà préparé ainsi le poisson (lotte ou saumon) et substitué aux girolles des champignons de Paris bien assaisonnés.

1. Lever les filets de la selle d'agneau et les parer à vif en réservant les os pour la confection de la sauce. Couper les girolles en dés.

2. Poêler les champignons et les assaisonner. Percer les filets d'agneau dans leur longueur et les farcir de champignons. Pôêler les filets à l'huile d'olive, les assaisonner de cannelle, de poivre blanc, de noix muscade, de girofle et réserver.

en pain d'épices

3. *Pour la sauce, faire revenir les os d'agneau avec la garniture aromatique. Dégraisser, puis déglacer au vinaigre de xérès et au porto. Laisser cuire 1 heure, puis passer au chinois. Faire sauter les girolles au beurre.*

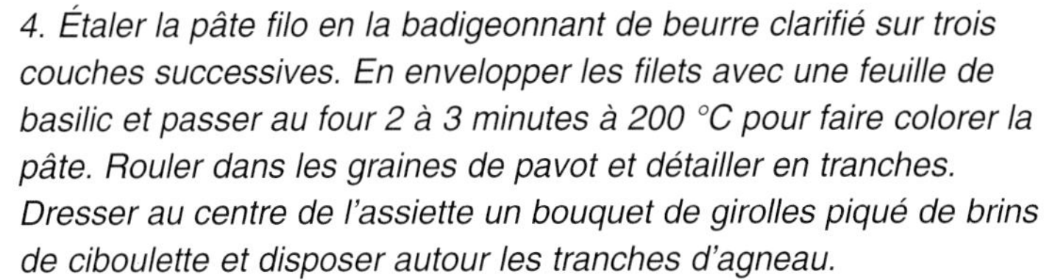

4. *Étaler la pâte filo en la badigeonnant de beurre clarifié sur trois couches successives. En envelopper les filets avec une feuille de basilic et passer au four 2 à 3 minutes à 200 °C pour faire colorer la pâte. Rouler dans les graines de pavot et détailler en tranches. Dresser au centre de l'assiette un bouquet de girolles piqué de brins de ciboulette et disposer autour les tranches d'agneau.*

Grillon de ris de veau au

Préparation *40 minutes*
Cuisson *10 minutes*
Difficulté ★★

Pour 4 personnes

2 belles noix de ris de veau
de 250 à 300 g chacune
500 ml de fond de volaille
beurre clarifié
200 g de pâtes fraîches
2 courgettes

huile d'olive
sel, poivre
quelques brins de cerfeuil

Sauce au curry (200 ml) :
2 oignons
1 pomme
1 tomate
1 banane
2 cuil. à soupe de curry en poudre
500 ml de crème fleurette
sel, poivre

Le thymus, glande située devant la trachée, à la naissance du cou, protège les organismes jeunes de certaines infections et disparaît à l'âge adulte. Chez le veau et l'agneau, il porte le nom de ris. Sa partie ronde, appelée noix, est d'une grande finesse et connaît un succès durable parmi les gastronomes.

Le ris de veau supporte toutes les cuissons : on peut le braiser, le faire griller ou le faire sauter, et quand Claude Dupont a choisi de le poêler au beurre clarifié, il a d'abord pensé au bœuf belge par excellence, le « blanc-bleu-belge » (B.B.B.), de la région de Namur. Mais l'Europe est pourvue de nombreuses races de qualité et l'on peut choisir d'autres veaux, pourvu que leur alimentation soit convenable et leur fraîcheur garantie.

Comme pour tous les abats, vous devrez d'abord débarrasser les ris de leurs impuretés et des traces de sang résiduelles en les faisant dégorger dans l'eau froide. Un nettoyage approfondi s'impose par la suite ; l'élimination de la fine membrane qui revêt la noix est une préparation minutieuse : pas question d'en laisser la moindre parcelle !

La sauce au curry demande un peu d'attention, car ce mélange d'épices très coloré doit être dosé avec prudence. On peut aussi employer du curry en pâte, mais avec les mêmes précautions. Pour les légumes, utilisez les petites courgettes « diamant », fines et savoureuses ; il faudra les tailler en lanières de même taille que les pâtes afin d'équilibrer leur mélange.

1. Faire dégorger les ris de veau à grande eau. Les blanchir, retirer la pellicule et les presser dans une serviette. Faire braiser les ris dans le fond de volaille. Détailler chaque noix de ris de veau en quatre escalopes et les éponger sur une serviette.

2. Poêler chaque escalope dans le beurre clarifié. Arrêter la cuisson dès que l'escalope est croustillante. Faire cuire les pâtes fraîches et les réserver au chaud.

curry et pâtes fraîches

1. Après avoir plumé et flambé les bécasses, enlever les gésiers. Pour les brider, enfoncer le bec dans la cuisse et le faire ressortir sous l'autre cuisse, en traversant l'oiseau. Saler et poivrer.

2. Faire chauffer l'huile dans une sauteuse, faire dorer les bécasses sur toutes les faces, puis enfourner 5 minutes. À la sortie du four, désosser les bécasses.

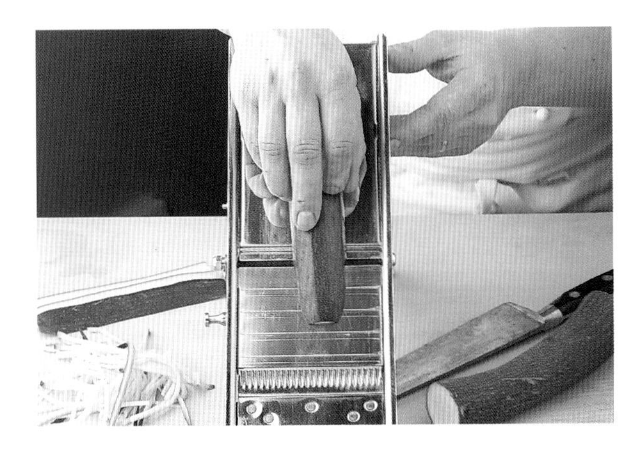

Jambonnettes de volaille

Préparation *45 minutes*
Cuisson *25 minutes*
Difficulté ★

Pour 4 personnes

2 volailles d'1 kg chacune
2 échalotes
persil
100 ml de whisky
200 ml de vin blanc
200 ml de fond de volaille

500 ml de crème fleurette
sel, poivre
100 g de beurre
400 g de jets de houblon
jus d'1 citron
brins de cerfeuil

C'est en fonction de votre goût que vous choisirez la volaille la plus apte à fournir les jambonnettes: poulet, chapon, dinde, pintade ou canard se prêteront de bonne grâce à cet emploi. Les Belges se flattent de cuisiner avec faste les volailles dans des préparations renommées comme le coucou de Malines ou le waterzoi, à vrai dire beaucoup plus longues que la présente recette.

On ne saurait trop recommander les excellentes volailles fermières françaises, de Bresse ou des Landes. La confection des jambonnettes n'est pas très difficile, mais il faut inciser avec soin la peau du volatile pour y introduire le petit éclat d'os, que vous aurez choisi pointu. Le reste va de soi.

Les jeunes pousses de houblon, dites aussi jets de houblon, sont très populaires en Belgique et figurent à la carte de nombreux restaurants. Leur saison est courte (de mi-mars à fin avril), car cette plante grimpante peut atteindre 5 m de haut et ne prolifère que modérément. Alors qu'au XVe siècle on attribuait au houblon des vertus médicinales, le siècle suivant, avec Rabelais, l'a prétendu aphrodisiaque. De nos jours, l'Europe entière s'intéresse à cette spécialité belge que certains comparent aux asperges. C'est d'ailleurs comme ces dernières que les jets sont ici parés et pochés avant de revenir dans le beurre.

Cette belle préparation peut se conserver quelques jours, bien qu'il ne soit guère probable que vos convives en laissent dans

1. Diviser chaque volaille en quatre morceaux: deux ailes et deux cuisses. Désosser chaque morceau afin qu'il ne reste que la chair, la peau et un petit éclat d'os pointu.

2. Rouler la chair dans la peau. Pratiquer un petit trou dans la peau pour y passer l'os et fermer par ce moyen la jambonnette.

aux jets de houblon

3. Faire colorer les jambonnettes avec les échalotes hachées et les queues de persil. Laisser braiser le tout 5 minutes, déglacer au whisky et laisser réduire. Ajouter le vin blanc, laisser réduire, puis le fond de volaille et laisser cuire. Réserver les jambonnettes au chaud. Laisser réduire le jus de cuisson, puis ajouter la crème fleurette.

4. Laisser réduire à bonne consistance, puis rectifier l'assaisonnement. Monter la sauce au beurre et passer au chinois. Faire blanchir les jets de houblon dans l'eau et le jus de citron, puis les faire revenir dans le beurre. Verser un peu de sauce au fond de l'assiette, puis dresser une jambonnette et les jets de houblon. Décorer de brins de cerfeuil.

Chartreuse de

Préparation *1 heure*
Cuisson *20 minutes*
Difficulté ★★

Pour 4 personnes

Chartreuse :
2 poussins
cognac, madère
sel, poivre, huile de truffe
4 tranches de foie gras d'oie
4 feuilles de basilic
4 rondelles de truffe noire
4 carottes (110 g environ)
2 céleris-raves (400 g environ)
2 feuilles de chou de Milan

beurre
brins de cerfeuil

Cèpes :
600 g de petits cèpes
40 g de beurre
1 cuil. à soupe de persil et de cerfeuil hachés
1 cuil. à café d'échalote
4 cuil. à soupe de vin rouge
4 cuil. à soupe de jus de veau
4 cuil. à soupe de vinaigre balsamique
sel, poivre

Farce :
cuisses des poussins
200 g de veau, 30 g de foie de volaille
30 g de cœur de volaille
5 g de quatre-épices
cognac, 100 ml de crème fleurette fouettée

Les papilles en émoi et les sens en éveil : cette chartreuse plonge généralement les clients de Lothar Eiermann dans un état de grâce proche de la béatitude. Il n'est pas courant de réunir le poussin, le foie gras, la truffe noire et les cèpes, et moins encore d'avoir à préparer des plats d'une telle finesse.

Comme pour une course de demi-fond, vous commencerez par quelques exercices d'échauffement : éprouver la truffe, dénerver le foie gras. Assurez-vous ensuite du matériel : désosser le poussin, préparer les poitrines, nettoyer les cèpes. C'est alors que l'on peut apprécier la bonne foi du fournisseur. Plongeons dans l'évidence : le poussin doit être un poussin, et c'est bien plus complexe qu'il n'y paraît. Choisissez-le d'origine alsacienne, très frais, de la taille d'un pigeon, car il faut que sa poitrine tout entière puisse entrer dans la chartreuse. Exigez qu'il soit entier, car le foie et le cœur constitueront des compléments délicats.

Vous parfumerez à votre guise la farce dont vous garnirez ces poitrines : cognac, madère ou porto produisent toujours un excellent effet.

Le principe de la chartreuse est-il vraiment l'œuvre des moines chartreux, qui l'utilisaient pour conserver les viandes au moment du Carême ? On peut en tous les cas confectionner les chartreuses quelques jours à l'avance et les réserver au froid afin de faciliter le démoulage. Préparez-en toujours quelques-unes en supplément, car il arrive que les légumes se dissocient dans l'assiette au moment de servir.

1. Couper les poussins et dépouiller les poitrines. Désosser les cuisses et les faire mariner dans le cognac et le madère. Faire sauter les filets et les cœurs, saler, poivrer et faire réchauffer avec la viande à feu doux. Aplatir les poitrines, les parfumer à l'huile de truffe, puis y déposer une tranche de foie gras, le basilic et une rondelle de truffe. Refermer comme une poche et réserver au frais.

2. Pour la farce, mélanger toute la viande (cuisses, veau, foie et cœur). Tamiser, ajouter le quatre-épices et le cognac, puis la crème fouettée. Nettoyer les légumes et les couper en bâtonnets de 5 x 0,5 cm. Faire blanchir, passer à l'eau froide et éponger. Procéder de la même manière pour le chou. Découper dans le chou huit cercles de 5,5 cm de diamètre.

poussin aux cèpes

3. Beurrer quatre ramequins, puis alterner sur les bords les bâtonnets de carottes et de céleri. Poser au fond un cercle de chou et un peu de farce. À l'aide d'une cuillère, remonter sur les bords en pressant les légumes. Presser la poitrine dans le ramequin, ajouter un peu de farce et recouvrir d'un cercle de chou. Cuire au four au bain-marie 25 minutes à 150 °C.

4. Nettoyer les cèpes, les couper en lamelles et les faire sauter à feu vif avec un peu de beurre, le persil, le cerfeuil et l'échalote. Réserver au chaud. Déglacer la sauteuse avec le vin rouge et le jus de veau, puis ajouter le vinaigre balsamique, le sel et le poivre. Déposer sur l'assiette un peu de jus et démouler une chartreuse. Garnir de lamelles de cèpes et de brins de cerfeuil.

Porcelet laqué et sa

Préparation *20 minutes*
Cuisson *1 heure 30 minutes*
Difficulté ★★

Pour 4 personnes

1 cuisseau de porcelet avec la peau
300 ml de jus d'orange pressé
200 g de sucre
1 cuil. à soupe de miel
80 g d'échalotes
10 g de thym citronné, de marjolaine et de romarin
1 cuil. à café de poivre noir et de poivre blanc concassés
sel

Choucroute :
400 g de choucroute
100 g d'oignon
30 g de poitrine fumée
1/2 pomme
200 ml de riesling de Verrenberg
50 ml de jus de pomme
100 ml de bouillon
1 cuil. à soupe de graines de moutarde
1 clou de girofle
1 feuille de laurier
1 baie de genièvre
5 grains de poivre blanc
sucre
1 pomme de terre
sel, poivre blanc du moulin

Le riesling de Verrenberg est issu des vignobles du prince de Hohenlohe, propriétaire du fabuleux domaine où se trouve l'établissement de Lothar Eiermann. Ce cru passe aux yeux des spécialistes pour l'un des meilleurs du Bade-Wurtemberg et le prince a d'ailleurs reçu les compliments de M. Piggot. Comme pour tous les produits de qualité, vous jugerez sans doute plus raisonnable de commencer la cuisson du porcelet avec un riesling sec d'origine modeste et de conclure en beauté par le nectar de Verrenberg.

Même très jeune, le cuisseau de porc présente un goût très prononcé et notre chef juge opportun de le nuancer au moyen du laquage. Ce procédé chinois est aussi raffiné qu'une torture à petit feu : vous passerez la première couche de laque 30 minutes après le début de la cuisson, en aucun cas avant. D'autres passages s'imposent ensuite avec régularité, mais toujours avec le souci d'éviter le dessèchement de la viande, en l'arrosant de sa propre graisse.

Ce « maquillage » se compose essentiellement de miel, qui compte parmi les belles productions de la Forêt-Noire. Employez-le avec modération, car la puissance de son arôme peut modifier l'équilibre du plat. Préparez la choucroute dans les règles de l'art : il faut d'abord adjoindre au chou de la graisse d'oie. N'oublions pas que le mot « choucroute » est dérivé de l'alsacien « surkrut » (en allemand *Sauerkraut*), qui signifie « chou aigre », et que cette appellation n'a de sens que si l'on fait mariner le chou 15 jours à 8 semaines dans la saumure. On l'aromatise alors de genièvre, de bière ou de vin blanc, parfois même de champagne.

1. Inciser la peau du cuisseau de porcelet et le saisir sur toutes ses faces dans une poêle très chaude. Le déposer sur l'os au four à 180 °C pendant 30 minutes.

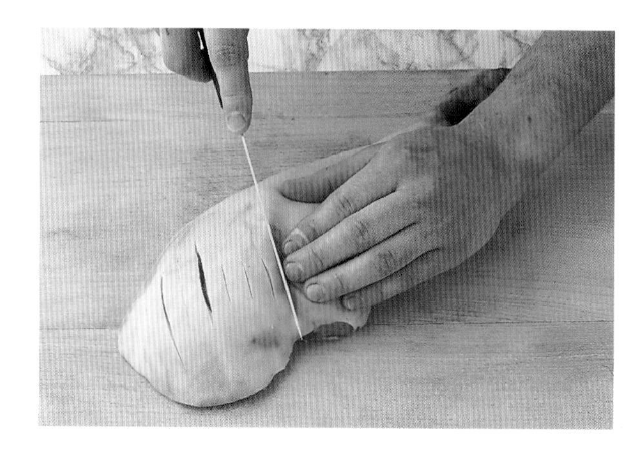

2. Préparer un fond de glaçage en chauffant le jus d'orange, le sucre, le miel, les échalotes et les aromates. Laisser réduire jusqu'à l'obtention d'un sirop. Retirer le cuisseau du four et laisser refroidir. Glacer avec le sirop et remettre à four doux. Glacer deux ou trois fois pendant la cuisson, soit 45 minutes au total.

choucroute au Verrenberg

3. Laver la choucroute à l'eau froide et l'égoutter. Faire suer l'oignon et la poitrine fumée sans qu'ils se colorent. Incorporer la pomme coupée en tranches, puis mouiller avec le vin, le jus de pomme et le bouillon. Ajouter la choucroute et les aromates, puis laisser cuire 1 heure 30 minutes.

4. Râper finement la pomme de terre. Retirer le morceau de poitrine fumée et le sachet d'aromates, puis lier avec la pomme de terre. Rectifier l'assaisonnement. Couper le cuisseau en tranches et le servir avec la choucroute.

Aiguillettes de canette

Préparation *25 minutes*
Cuisson *45 minutes*
Difficulté ★

Pour 4 personnes

2 canettes de 1,5 kg chacune
zestes de 2 citrons
200 g de beurre
sel, poivre
2 pommes de terre
brins d'estragon
4 figues fraîches
beurre clarifié

Fond de canard :
50 ml de vin blanc sec
50 ml de cognac
200 ml de fond de veau

Caramel :
150 g de sucre
50 ml de vinaigre de vin rouge
1 cuil. à soupe de miel

La canette, tendre et savoureuse, présente une véritable palette de saveurs. Pour Jean Fleury, la meilleure canette reste celle de Challans, soumise à des contrôles drastiques, logée en espaces réservés de 2,5 m² par bête et nourrie aux céréales. On les abat vers 11 semaines, ce qui donne à la viande une certaine maturité. Les canettes de Sologne passent elles aussi assez bien cette épreuve, mais avec un succès plus mesuré.

La canette est un animal de toutes mains, ou plutôt de toutes palmes : en guise de garniture, elle accepte aussi bien les olives noires, la menthe fraîche, les oranges amères, le cassis, les cerises… avec des fonds aussi divers que le porto ou le vin jaune du Jura. Dans le cas présent, et pour rester dans la tradition, notre chef recommande les figues fraîches, un vin blanc sec et du cognac.

Choisissez des figues françaises : plusieurs variétés de renom, la belle varoise de Solliès ou la bellone, dont on admire la robe tirant sur le violet, enrichiront ce plat déjà très élégant. Consommée depuis l'aube des temps (et citée dans la Bible), la figue a conservé tout son prestige ; sa texture subtile apportera à la canette un parfum délicat. Selon Jean Fleury, les figues apprêtent également fort bien la pintade.

La préparation des pommes de terre n'a rien de compliqué. La finesse des tranches permettra de les rendre transparentes à la cuisson afin de laisser apparaître le brin d'estragon placé à l'intérieur. Enfin, ne dénaturez pas cette composition par un emploi démesuré du vinaigre et du miel, qui lui donnent presque tout son caractère.

1. Flamber les canettes, les vider et les brider. Les cuire 25 à 30 minutes à 200 °C environ, en prenant soin de les tenir rosées. Lever les filets et faire griller les cuisses pour achever la cuisson. Pour le fond de canard, concasser les carcasses, les suer et déglacer au vin blanc et au cognac. Ajouter le fond de veau. Cuire environ 1/4 h et passer au chinois.

2. Pour le caramel blond, faire chauffer le sucre. Ajouter environ un quart de verre de vinaigre de vin rouge, le miel et faire bouillir. Mélanger au fond de canard, monter à ébullition, puis réserver hors du feu. Ajouter les zestes de citrons et monter avec le beurre frais. Rectifier l'assaisonnement.

au miel et citron

3. Laver et peler les pommes de terre, puis les couper à la mandoline en fines rondelles. Placer un brin d'estragon sur chaque rondelle et recouvrir avec une autre rondelle. Cuire les figues au four avec une noix de beurre.

4. Faire revenir les pommes de terre dans le beurre clarifié dans une poêle antiadhésive jusqu'à coloration. Dresser une cuisse de canette et quelques aiguillettes sur chaque assiette. Ajouter quatre ou cinq pommes de terre transparentes et une figue. Napper de sauce au miel et au citron, et décorer de zestes de citrons.

Queues de cochons farcies

Préparation	*30 minutes*
Cuisson	*2 heures*
Difficulté	*★★★*

Pour 4 personnes

8 queues de cochons légèrement saumurées
1 cuil. à soupe d'échalote
1 cuil. à soupe de vin blanc ou de vin jaune
200 g de maigre de porc
100 g de chair blanche de veau
70 g de foie gras

100 ml de crème double
noix muscade
sel, poivre
1 kg de haricots blancs et de haricots d'Espagne coupés (salés et saumurés en pots de grès)
fond blanc
100 g de beurre

Ces haricots en saumure – qui rappellent l'influence espagnole aux Pays-Bas – sont appréciés dans plusieurs préparations à base de porc ou d'agneau. Ils se préparent à l'automne et sont ainsi consommés tout l'hiver, ce qui garantit l'efficacité de ce procédé traditionnel de conservation. Lorsqu'on les a lavés et coupés, les haricots d'Espagne sont empilés en couches dans un pot de grès, de telle sorte que les plus durs soient au fond. On les saupoudre de sel jusqu'à la limite supérieure du pot avant de les mettre en pression sous une planchette lestée d'un poids. Avant de les consommer, il faut les rincer à plusieurs reprises et les faire cuire 15 minutes dans l'eau bouillante.

La queue de cochon saumurée présente une belle couleur rosée, et demande quelques précautions avant l'emploi. Il est indispensable de la faire dessaler pendant 24 heures avant toute autre opération, voire de la nettoyer scrupuleusement si votre boucher, par mégarde, a failli à cette ingrate mission. Les queues cuiront ensuite dans une eau maintenue à 70 °C, ce qui devrait faciliter leur désossement une fois refroidies sous l'eau claire. Si vous ne les consommez pas de suite, vous pourrez conserver ces queues désossées quelque temps au réfrigérateur.

De la qualité de la farce dépend le succès de la présentation. Il faudra donc choisir des ingrédients de bonne qualité et envelopper les queues dans un film alimentaire pour donner davantage de maintien à l'ensemble. Pour pocher les queues, il est recommandé de les entourer d'un linge très fin, étroitement ficelé.

1. Faire dessaler les queues pendant 24 heures, puis les mettre à frémir dans l'eau froide 1 heure 30 minutes à 2 heures. Une fois cuites, égoutter et laisser tiédir. Préparer la farce en hachant la viande de quatre queues. Faire suer l'échalote et déglacer au vin blanc. Ajouter ce mélange ainsi que le maigre de porc, le veau, le foie et la crème à la viande hachée, puis mélanger soigneusement. Rectifier l'assaisonnement.

2. Pour désosser les queues restantes, pratiquer une incision sur toute leur longueur, soulever l'os et l'enlever. Farcir les queues avec la farce.

et haricots saumurés

3. Réunir les queues farcies deux par deux à l'envers, les envelopper dans un film alimentaire, rouler en forme de saucisse et ficeler. Dessaler les haricots coupés en les rinçant plusieurs fois à l'eau courante. Goûter et mettre à cuire dans l'eau bouillante environ 15 minutes. Mettre à cuire les deux sortes de haricots de manière traditionnelle.

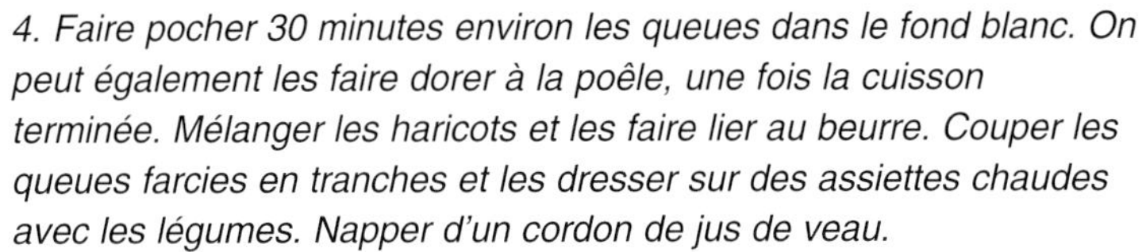

4. Faire pocher 30 minutes environ les queues dans le fond blanc. On peut également les faire dorer à la poêle, une fois la cuisson terminée. Mélanger les haricots et les faire lier au beurre. Couper les queues farcies en tranches et les dresser sur des assiettes chaudes avec les légumes. Napper d'un cordon de jus de veau.

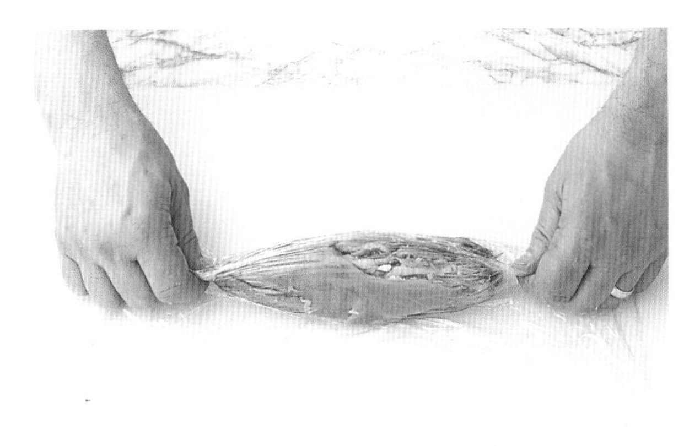

Filet d'agneau de Pauillac

Préparation *2 heures*
Cuisson *2 heures*
Difficulté ★★

Pour 4 personnes

300 g d'épaule d'agneau de Pauillac
900 g de carré d'agneau de Pauillac
sel, poivre

Épaule (cuisson et fond de sauce) **:**
1 brunoise de carotte, oignon et céleri-branche
500 ml de jus d'agneau
2 gousses d'ail, 1 tomate
1 bouquet garni
sel, poivre du moulin

Marmelade :
400 g d'aubergines
150 g d'oignons
1 brin de thym, 1 gousse d'ail
100 g de tomates concassées

Étuvée de courgettes :
4 mini-courgettes
6 tomates-cerises
4 oignons nouveaux
sel, poivre
fleurs de thym
huile d'olive

Croûte d'herbes :
100 g de mie de pain, 2 blancs d'œufs
25 g d'herbes de Provence fraîches
sel, poivre
1 jaune d'œuf pour dorer

L'agneau n'est jamais aussi savoureux qu'au printemps, aux alentours de Pâques, dont il constitue le plat traditionnel. On peut néanmoins s'en procurer toute l'année, mais les agneaux d'été sont de moins bonne qualité. On apprécie la viande d'agneau dans tout le bassin méditerranéen et bien au-delà : les recettes indiennes et africaines le confirment.

Parmi les élevages qui peuvent se prévaloir d'appellations contrôlées, notre chef affectionne tout particulièrement l'agneau de Pauillac, abattu en Gironde à moins de 65 jours, dont la tendre viande blanche se caractérise par un goût très prononcé. On choisira le carré, la viande prélevée près de l'os étant toujours plus savoureuse, surtout quand elle est parée en partie pour la cuisson.

La marmelade d'aubergines (moussaka), d'origine grecque ou turque, peut être préparée à l'avance pour bien mélanger les saveurs. On la déguste aussi bien froide que chaude et vous la réchaufferez sans encombre.

Il vous faudra de la patience pour confectionner la croûte d'herbes. Si nos voisins d'outre-Manche apprécient l'agneau baignant dans une sauce à la menthe, nous préférons pour cette recette les herbes du Midi, romarin, thym ou sarriette. La sauge peut aussi relever avec élégance cette viande, tout comme la marjolaine qui viendra compléter cette palette aromatique. Il est nécessaire de préparer la croûte dans un endroit frais afin de lui conserver une consistance optimale. Ce plat de printemps, servi chaud, ne se conserve que quelques jours.

1. Couper l'épaule en morceaux de 50 g. Faire revenir les morceaux, égoutter, ajouter la brunoise et faire suer. Mouiller à hauteur avec le jus d'agneau, puis ajouter l'ail, la tomate et le bouquet garni. Saler, poivrer et laisser cuire 1 heure 30 minutes à feu doux. Décanter, puis passer au chinois étamine. Faire réduire en dégraissant jusqu'à épaississement de la sauce. Réserver au bain-marie.

2. Pour la marmelade, tailler les aubergines en fines lanières avec la peau. Faire dorer, puis enfourner 15 minutes à 120 °C. Couper les aubergines en dés et ciseler les oignons. Faire suer le tout avec le thym, l'ail haché et les tomates concassées. Chemiser de lanières d'aubergines six cercles de 6 x 3 cm, puis les garnir de farce à l'agneau et de marmelade. Rabattre les lanières taillées en pointe.

rôti en croûte d'herbes

3. Faire cuire les courgettes dans l'eau salée, rafraîchir et couper en éventail. Disposer entre chaque lamelle de courgette des rondelles de tomates-cerises et intercaler avec des rondelles d'oignons nouveaux. Saler, poivrer et saupoudrer de fleurs de thym. Arroser d'huile d'olive et faire confire au four à 150 °C pendant 10 minutes.

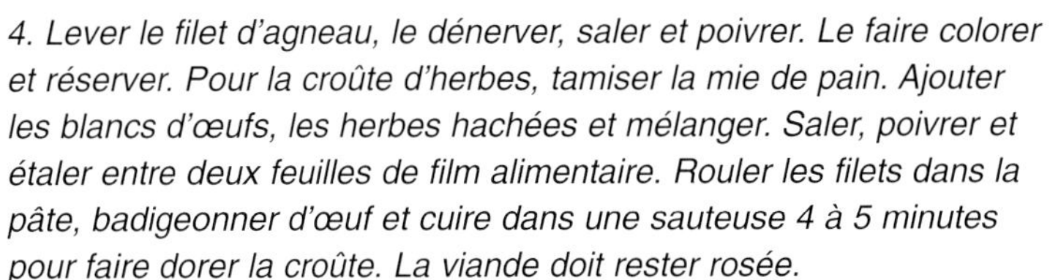

4. Lever le filet d'agneau, le dénerver, saler et poivrer. Le faire colorer et réserver. Pour la croûte d'herbes, tamiser la mie de pain. Ajouter les blancs d'œufs, les herbes hachées et mélanger. Saler, poivrer et étaler entre deux feuilles de film alimentaire. Rouler les filets dans la pâte, badigeonner d'œuf et cuire dans une sauteuse 4 à 5 minutes pour faire dorer la croûte. La viande doit rester rosée.

Filet de veau à la ficelle,

Préparation *1 heure*
Cuisson *20 minutes*
Difficulté ★★★

Pour 4 personnes

1 filet de veau de 500 g
sel,
poivre
1 chou vert nouveau
1 botte de navets blancs

1 botte de carottes nouvelles
1 botte d'oignons nouveaux
250 g d'asperges vertes
100 g de haricots verts
300 g de beurre
1 bouquet de ciboulette
200 ml de fond blanc de volaille

Décoration :
1 brunoise de truffes, et de poivrons rouge, vert et jaune

Le veau était déjà apprécié dans l'Antiquité : pendant que Moïse recevait au Sinaï les Dix commandements, les Hébreux élevèrent le Veau d'or auquel ils vouèrent un culte païen. De même, c'est un veau gras que l'on tue pour fêter le retour du Fils prodigue : ces deux paraboles bibliques témoignent que l'excellence du veau était déjà largement reconnue.

Toutes les parties du veau se consomment : a tête, les abats, les ris et bien sûr la viande. Jarrets, blanquettes et fricassées ne cessent de chatouiller les papilles, particulièrement des Français, qui se vantent d'être les premiers producteurs européens. Après quelques années difficiles, les élevages ont su restaurer la confiance et s'imposer à nouveau au quotidien, avec près de 4 kg de viande consommés par personne et par an.

Pour ce filet de veau à la ficelle inspiré d'une vieille recette de ménage (le filet de bœuf à la ficelle que l'on pochait avant de le servir saignant), notre chef conseille un veau limousin sous la mère, aujourd'hui labellisé, que le lait maternel fait grossir chaque jour d'1 kg. Sa chair est d'un blanc rosé brillant, très ferme, avec une graisse bien blanche. On peut se procurer le veau la veille et le laisser reposer au frais toute la nuit.

Nul besoin de connaître l'origine de son nom pour apprécier la chartreuse de légumes, et c'est heureux, car nous l'ignorons : cette préparation à base de chou (un légume peu onéreux et néanmoins nourrissant) a peut-être été imaginée par les moines chartreux dans l'austère solitude de leurs méditations… Elle rehaussera par sa simplicité la saveur naturelle du veau.

1. Choisir de préférence un filet de veau de lait. Le parer et le dénerver avec un couteau effilé, l'assaisonner et le ficeler. Conserver au frais. Faire blanchir les feuilles de chou et les déposer sur un film alimentaire après les avoir bien égouttées.

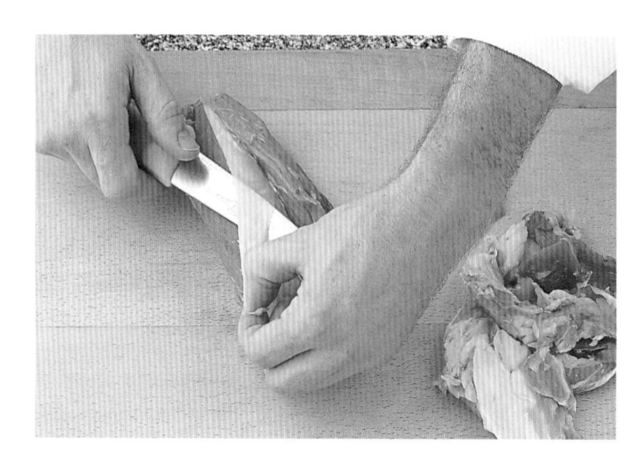

2. Disposer en alignement sur chaque feuille de chou les petits légumes préalablement cuits dans l'eau bouillante salée (navets, carottes, oignons, asperges et haricots verts). Napper d'un peu de beurre monté additionné de ciboulette hachée. Replier la feuille de chou à l'aide du film alimentaire et bien serrer en forme de paupiette.

chartreuse de légumes

3. Pocher les filets de veau environ 8 minutes dans le bouillon de volaille. Égoutter et garder au chaud.

4. Faire réduire le jus de cuisson de moitié, puis monter avec le reste de beurre. Ajouter la brunoise de poivrons et de truffes, puis rectifier l'assaisonnement. Détailler les filets de veau en tranches, dresser sur les assiettes et napper de sauce. Disposer à côté la chartreuse de légumes réchauffée 5 minutes à la vapeur.

Filet mignon de

Préparation *50 minutes*
Cuisson *30 minutes*
Difficulté ★

Pour 4 personnes

200 g de semoule de blé dur
50 ml d'huile d'olive
sel, poivre
20 ml de bouillon de volaille
1 cuil. à soupe de concentré de tomates
épices broyées (4 graines de cardamome,
2 clous de girofle, 2 pincées de curry,
1 pincée de cumin, 2 pincées de paprika,
1 pincée de cannelle)

100 ml de crème fleurette
2 filets mignons de porc de 800 g chacun
30 g de beurre
10 ml d'huile
12 petites feuilles de menthe

Fruits macérés :
2 figues sèches
3 abricots secs
2 pruneaux d'Agen
10 cacahuètes grillées
5 amandes grillées
jus d'1 citron vert et d'1 citron jaune

Sauce coco-curry : *voir* p. 318

C'est en hommage à un voyage professionnel en Tunisie (de ceux, à n'en pas douter, qui forment la jeunesse) que Philippe Groult a composé ce véritable « plat de parfums ». Il a découvert un jardin d'Eden où de multiples épices préparent un feu d'artifices aux saveurs inédites, et nous l'y avons suivi sans hésiter.

Tout d'abord, on emploiera la semoule ou « fleur de farine » avec le calibre de son choix. Seuls importent la qualité du blé dur et le traitement qu'on lui réserve à l'huile d'olive.

Les cacahuètes et les amandes (et même, si vous le souhaitez, des pois chiches et des pignons de pin) seront dorés à la poêle. En été, vous pourrez les remplacer par des amandes fraîches. Il en est de même pour les fruits secs, auxquels on peut adjoindre des dattes ou substituer des fruits frais : par exemple, une garniture madras de dés d'amandes, de tomates et de pêches, avec des amandes effilées et de la menthe fraîche.

Il faut encore souligner l'importance de la macération, du mélange de citrons jaune et vert. Le premier atténue la saveur sucrée des fruits, le second l'enrichit d'une note pointue.

Le filet mignon sera découpé dans la pointe et cuit rosé. Il reste après le repas plus de viande que de semoule, mais sa qualité ne saurait être pour autant remise en cause. L'agneau possède la faculté de conserver son goût malgré la subtilité des épices. Tous les morceaux conviennent donc, à commencer par la selle.

1. Faire macérer les figues, les abricots, les pruneaux, les cacahuètes et les amandes dans les jus de citrons pendant 10 minutes.

2. Égrainer la semoule à l'huile d'olive. Saler et mouiller avec le bouillon additionné de concentré de tomates. Mélanger les épices broyées avec la crème fleurette, faire bouillir et incorporer ce mélange à la semoule. Ajouter les deux tiers des fruits macérés.

porc coco-curry

3. Parer et ficeler les filets mignons, puis les assaisonner de sel et de poivre. Faire sauter dans une noix de beurre et un peu d'huile jusqu'à ce qu'ils soient rosés. Laisser reposer dans une assiette, pincer les sucs de cuisson et ajouter 30 ml d'eau. Réserver.

4. Pour la sauce coco-curry, faire fondre à l'huile d'olive l'oignon, la pomme et la banane. Ajouter le curry, le lait de coco et le bouillon de volaille. Porter à ébullition 3 minutes, mixer, passer au chinois, puis monter au beurre. Déposer 3 cuil. à soupe de semoule par assiette et surmonter d'un médaillon de porc. Napper de sauce coco-curry. Décorer de copeaux de noix de coco et de feuilles de menthe.

Brochette de gibier

Préparation *2 heures*
Cuisson *45 minutes*
Difficulté ★★

Pour 4 personnes

2 pigeons ramiers
1 colvert, 4 cailles
sel, poivre
5 baies de genièvre
20 ml de cognac
10 graines de coriandre
250 g de foie gras frais de canard
4 beaux champignons de Paris
100 g de pissenlit
50 g de mâche

1 frisée
1 trévise
20 ml de vinaigrette (*voir* p. 318)
3 grosses pommes de terre
5 châtaignes

Sauce:
1 échalote
1 gousse d'ail
1/2 oignon
10 ml de cognac
200 ml de vin rouge
1 branche de thym
jus et zeste d'1 orange
10 g de poivre du Sichuan
1 cuil. à soupe de miel

Est-ce en mémoire des cadets de Gascogne qui, dans l'acte II de *Cyrano*, brandissent sur leur rapière les feutres des fuyards, « bizarre gibier à plumes » de la porte de Nesle ? Cette étonnante présentation en brochette a fait le succès de Philippe Groult.

La disparité de chair et de saveur des trois gibiers choisis peut décourager le novice, une fois qu'il les a plumés. Mais cette recette permet au contraire de surmonter brillamment cette difficulté et d'en tirer quelque prestige.

Le colvert doit être un petit volatile à tête jaune, à chair tendre et moelleuse. Le pigeon ramier – palombe dans le Sud-Ouest de la France – se rencontre aisément en Europe, surtout lors des périodes de migration. Les cailles, de préférence « fermières », seront fermes et grosses, d'un goût puissant. Après avoir extrait les plombs de chasse, vous les dispenserez de marinade ou de faisandage qui les dégraderaient.

La saison du gibier se prête à de subtiles alliances avec les têtes de cèpes grillées et les châtaignes fraîches. Vous les rendrez bien croquantes en les coupant en fines lamelles avant de les faire sauter à cru.

Vous pourrez à l'envi alterner la composition de cette brochette par un autre gibier : le chevreuil, le sanglier, la biche et le marcassin pourront ainsi remplacer les volatiles proposés par notre chef, à condition de respecter les temps et modes de cuisson propres à chaque viande.

1. Flamber et vider les pigeons et le colvert. Lever les suprêmes et les cuisses. Flamber et vider les cailles ; réserver les foies. Désosser les cailles en laissant les parties dorsales et fourrer l'intérieur avec leur foie. Assaisonner, puis ajouter le genièvre et le cognac. Assaisonner les suprêmes de sel, de poivre et de graines de coriandre écrasées.

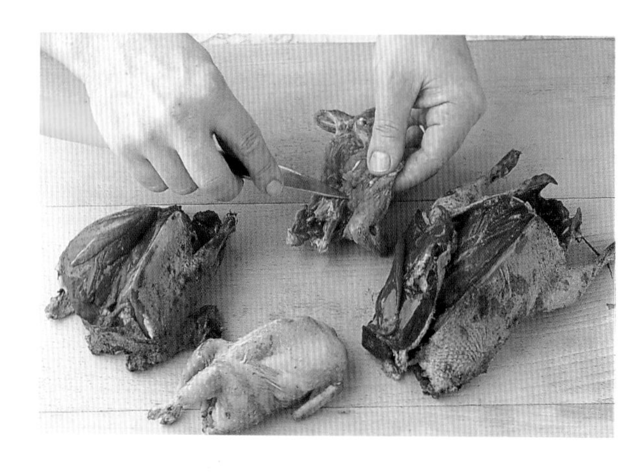

2. Pour la sauce, concasser les carcasses et faire suer dans une casserole l'échalote, l'ail et l'oignon. Ajouter les carcasses, faire rissoler 2 minutes et flamber avec le cognac. Mouiller avec le vin rouge (que l'on aura entre-temps fait réduire de moitié), ajouter le thym, laisser cuire 15 minutes, puis passer au chinois.

à plume « en saugrenée »

3. Trancher en quatre parts le foie gras et l'assaisonner. Laisser cuire 8 minutes, puis ajouter les cailles, les suprêmes, les champignons et les châtaignes. Lorsque les cuisses sont saignantes, les désosser et les remettre à cuire jusqu'à ce qu'elles soient croustillantes. Mélanger les salades à la vinaigrette. Faire sauter les pommes de terre coupées en rondelles.

4. Monter les brochettes avec colvert, champignons, caille, foie gras, châtaignes et pigeon. Réserver au chaud. Terminer la sauce en « saugrenée » en déglaçant avec le jus d'orange et le jus de cuisson. Hors du feu, concasser le poivre et faire caraméliser le zeste d'orange avec le miel. Verser le tout sur le colvert.

Canette de Challans

Préparation *1 heure*
Cuisson *45 minutes*
Difficulté ★

Pour 4 personnes

2 canettes de Challans de 1,5 kg chacune
10 g de sel
120 g de beurre
150 g de miel du Gâtinais
250 g de graines de coriandre
jus et zestes de 4 oranges
50 ml de vinaigre vieux à l'ancienne
20 g de ciboulette
10 g d'estragon

Garniture:
16 pommes de terre
100 g de champignons boutons
200 g de lardons fumés
sel, poivre
16 oignons grelots
1 noix de beurre
1 pincée de sucre

La chair moins grasse, plus fine et plus tendre de la canette est souvent préférée à celle du canard. Si vous choisissez une volaille à carcasse molle, peu importe sa provenance. Notre chef, pourtant, vous la déconseille dans cette recette. Une fois plumée, la canette d'environ 1,5 kg doit présenter une belle peau de couleur maïs.

En sa qualité de Normand, Philippe Groult vous conseille aussi, le cas échéant, un canard de Rouen (notamment le duclair) à la chair rouge très fine, qu'il ne faut surtout pas saigner. Certains canards sauvages croisés feront parfaitement l'affaire.

La coriandre en grains, à laquelle on reconnaît depuis des siècles certaines vertus thérapeutiques et sédatives, reste la seule plante aromatique susceptible de rehausser convenablement le goût du canard. On dit qu'Amphyclès, excellent spécialiste de la graisse, employait déjà cette ombellifère pour conserver les viandes. Vous l'utiliserez pour nuancer l'indémodable association du canard et de l'orange, et apprécierez tout particulièrement ces graines gorgées de graisse formant une carapace avec le miel.

Cette recette, à la fois simple et très recherchée, traduit parfaitement les principes culinaires de Philippe Groult, dont voici pour conclure un précieux commandement: «Je veux exalter sans déguiser et harmoniser sans trahir pour, dans votre assiette, étonner sans provoquer».

1. Flamber, vider, parer et brider les canettes après avoir assaisonné l'intérieur de 10 g de sel. Faire colorer dans le beurre fondu avec 2 cuil. à café de miel et laisser dorer sur toutes les faces. Cuire ensuite les canettes au four à 180 °C pendant 25 minutes.

2. Dégraisser la sauteuse, ajouter le reste de miel, puis faire caraméliser la coriandre concassée et les zestes d'oranges.

à l'orange et coriandre

3. Faire blanchir les pommes de terre épluchées, puis les faire dorer avec les champignons boutons. Ajouter les lardons blanchis et assaisonner. Faire brunir les oignons grelots avec une noix de beurre, une pincée de sucre et du sel.

4. Masquer les canettes avec le mélange caramélisé et laisser cuire 10 minutes. Retirer les canettes. Pincer les sucs, déglacer avec le vinaigre et le jus d'orange, puis filtrer. Disposer les canettes et la garniture dans l'assiette de service. Parsemer de ciboulette ciselée et d'estragon. Servir la sauce à part.

Canard colvert laqué aux

Préparation	*1 heure 30 minutes*
Cuisson	*1 heure 30 minutes*
Difficulté	★★

Pour 4 personnes

2 canards colverts
30 g de poivre du Sichuan
30 g de coriandre
10 g de cumin
4 gousses de cardamome
150 g de miel toutes fleurs
1 cuil. à soupe de sauce soja
2 cuil. à soupe de xérès
2 gousses d'ail
sel

Chou rouge confit aux figues:
1 chou rouge moyen
sel
1 pincée de sucre
3 cuil. à soupe de vinaigre
2 gros oignons
100 ml d'huile d'olive
8 figues séchées
250 ml de vin rouge
1 verre de porto
gingembre frais

La qualité des épices asiatiques et les combinaisons qu'elles suggèrent excitent l'imagination de nos meilleurs chefs, qui exaltent ainsi les saveurs les plus diverses. C'est ici le colvert, le canard sauvage le plus courant d'Europe centrale, qui se voit transfiguré à leur approche.

À défaut de colverts, vous pourrez vous contenter d'autres canards pourvu qu'ils soient de belle taille (2,5 à 3 kg) et que vous les laissiez rassir dans leurs plumes une dizaine de jours au réfrigérateur. Vous n'aurez plus qu'à les plumer le jour même de la préparation. Si la cuisson des canards ne demande que 20 minutes, vous devrez ensuite laisser reposer la viande avant de servir: elle retrouvera ainsi tout son moelleux.

Le chou rouge est à son apogée pendant l'automne et l'hiver: choisissez un spécimen bien rond, de taille moyenne et sans flétrissures. Il faut extraire les côtes les plus grosses et le cœur avant d'émincer le chou pour le mettre en marinade. Cette dernière dure toute une nuit et facilitera nettement sa digestion. Pour la cuisson conjuguée du chou et des figues, prenez garde à bien doser le xérès: ce vin madérisé dégage un arôme très prononcé qui pourrait dénaturer celui du chou si vous l'utilisez sans discernement. La même prudence s'impose pour le poivre du Sichuan, très vigoureux d'ordinaire.

Cette recette ne déroge guère aux traditions alsaciennes qui autrefois voulaient que l'on serve à Noël une oie rôtie garnie de chou rouge ou de choucroute. L'auberge de l'Ill, déjà centenaire, sait y apporter de subtiles variantes. Ce plat fera bonne figure lors des repas de fête, par exemple.

1. Plumer, vider et brider les canards. La veille, couper en quartiers et émincer finement le chou rouge après en avoir retiré le trognon. Assaisonner de sel, de sucre et de vinaigre, puis laisser mariner toute une nuit.

2. Le lendemain, faire revenir les oignons émincés dans un peu d'huile d'olive. Verser le chou rouge mariné, les figues séchées coupées en dés, puis mouiller avec le vin rouge et le porto. Ajouter trois rouelles de gingembre et faire cuire très doucement au four à 180 °C (1 heure à 1 heure 30 minutes). Mélanger et rectifier l'assaisonnement avant de servir.

épices, chou rouge aux figues

3. Dans un moulin à café, moudre très finement le poivre du Sichuan, la coriandre, le cumin et la cardamome. Mélanger les épices moulues au miel, à la sauce soja et au xérès, puis ajouter les gousses d'ail. Saler l'intérieur et l'extérieur des canards.

4. À l'aide d'un pinceau, badigeonner les deux canards de miel. Cuire les canards 20 minutes au four à 220 °C, puis les laisser reposer 15 minutes environ. Avant de servir, passer les canards au four après les avoir badigeonnés à nouveau de miel. Ajouter le chou rouge confit.

Feuillantine de pigeon

Préparation	*1 heure 30 minutes*
Cuisson	*35 minutes*
Difficulté	★★★

Pour 8 personnes

4 pigeons de 500 g chacun
beurre clarifié
sel, poivre
8 tranches de foie gras d'oie
8 lamelles de truffes
16 feuilles d'épinards
1,2 kg de pâte feuilletée (*voir* p. 318)
1 jaune d'œuf
8 petites endives
8 carottes

Farce (500 g) :
200 g de chair de porc
150 g de collier de porc
100 g de gras de porc
50 g de jambon blanc
5 g de truffe hachée
100 ml de jus de truffes
500 ml de porto
sel, poivre

On prêtait autrefois des pouvoirs maléfiques aux truffes : de nuit, il fallait éviter les truffières et multiplier les signes de croix en les traversant. Il a fallu Brillat-Savarin pour réhabiliter ce « diamant noir » qui ne parvient à maturité qu'après plusieurs années et que l'on récolte aux saisons intermédiaires. La truffe noire accompagne parfaitement les volailles, ici le pigeon, qu'elle enrichit de son arôme dans un délicieux écrin feuilleté.

Aujourd'hui, alors qu'ils ne sont plus voyageurs, on trouve sans peine de jeunes pigeons fermiers, élevés en plein air, nourris au grain et parfois même aux petits pois. Choisissez un sujet de 350 à 400 g à la chair tendre et veillez à ne pas trop le faire colorer pour éviter qu'elle ne durcisse.

La farce est assez longue à réaliser, mais vous pouvez procéder la veille, ce qui lui confère une saveur encore plus raffinée. La préparation de la pâte feuilletée suscite parfois quelques inquiétudes chez les cuisiniers peu expérimentés : il faut employer du sel fin de Guérande qui lui donnera plus de délicatesse et du beurre fondu froid pour la détrempe. Laissez reposer la pâte au moins 2 heures avant d'ajouter un peu de beurre et de lui donner les « tours » qui formeront le feuilletage, puis laissez à nouveau reposer 2 heures avant d'abaisser la pâte et de la découper en cercles.

Le glaçage des carottes se fait sans difficulté : bien parées, elles doivent séjourner 10 minutes dans une poêle bien chaude avec un peu d'eau, une noix de beurre et une pincée de sucre.

1. Lever les suprêmes de pigeons et enlever la peau qui les recouvre. Désosser les cuisses en laissant l'os de la patte. Dans une poêle chaude contenant du beurre clarifié, faire colorer les suprêmes préalablement assaisonnés et les tranches de foie gras.

2. Déposer une lamelle de truffe entre le suprême de pigeon et la tranche de foie gras. Laisser reposer 30 minutes. Pour la farce, mélanger tous les ingrédients. Enrober le pigeon/foie gras et garnir les cuisses de farce. Envelopper le tout dans les feuilles d'épinards préalablement blanchies, rafraîchies et égouttées.

et foie gras aux truffes

3. *À l'aide d'un emporte-pièce, confectionner deux cercles de feuilletage dont un sera légèrement plus grand. Déposer le pigeon sur le petit cercle, badigeonner le bord avec le jaune d'œuf et recouvrir avec l'autre abaisse de feuilletage. Nettoyer et découper les endives en biseau. Éplucher et parer les carottes.*

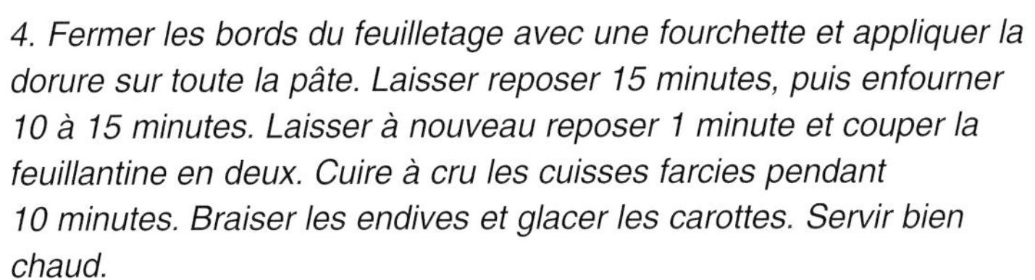

4. *Fermer les bords du feuilletage avec une fourchette et appliquer la dorure sur toute la pâte. Laisser reposer 15 minutes, puis enfourner 10 à 15 minutes. Laisser à nouveau reposer 1 minute et couper la feuillantine en deux. Cuire à cru les cuisses farcies pendant 10 minutes. Braiser les endives et glacer les carottes. Servir bien chaud.*

Coquelet rôti, céleri-rave

Préparation *1 heure*
Cuisson *30 minutes*
Difficulté ☆☆

Pour 4 personnes

2 carottes
2 navets (ou panais)
2 salsifis
2 kg de graisse de canard
8 clous de girofle
4 coquelets

2 céleris-raves
500 ml de lait
250 ml de crème fleurette
sel, poivre

Jus de noix :
24 noix mondées
300 ml de bouillon de volaille
9 gousses d'ail
25 ml de kumel (liqueur)
sel,
poivre

Bien que britannique, notre chef apprécie les poulets des Landes ou de Bresse, au point d'exiger de son aviculteur qu'il applique les méthodes d'élevage en vigueur dans ces régions : volatiles en liberté, alimentation riche en blé, maïs et produits laitiers. Si ces volailles ne sont pas encore labellisées (qu'on reconnaît en France par une bague à la patte), Paul Heathcote a la satisfaction de leur trouver une poitrine épaisse, d'un moelleux très délicat après cuisson. Il assure même en privé que, pour certains spécimens, l'élève aurait dépassé le maître…

En France, nos coquelets sont reconnaissables à leurs pattes noires et à leur tournure dodue. Ils sont âgés de 2 mois, parfois désignés encore sous le nom de poussins. Faites-les cuire avec mesure, car la chair est assez délicate. Il faut les accompagner d'une sauce plutôt relevée lorsque leur goût n'est pas très prononcé. Nore chef propose ici un jus de noix blanchies et pelées, dont la couleur et la consistance joueront un rôle déterminant.

Les navets seront de préférence des primeurs, plus doux et plus tendres. On a longtemps considéré le navet à tort comme un légume ordinaire que l'on réservait pour le pot-au-feu. Il mérite pourtant de figurer dans des compositions plus subtiles. Le cas échéant, vous pouvez remplacer le navet par le panais, ce légume oublié en France dont les Anglo-Saxons restent friands.

Cette recette vous fournira peut-être l'occasion de découvrir le kummel, liqueur à base de carvi dont le bouquet rappelle l'anis.

1. Éplucher les carottes et les navets. Couper les salsifis dans le sens de la longueur. Faire braiser doucement, puis laisser cuire dans la graisse du canard 15 minutes environ avec les clous de girofle. Faire rôtir les coquelets 7 minutes de chaque côté, puis ôter les cuisses. Laisser cuire 15 minutes de plus et réserver au chaud.

2. Couper le céleri en dés et le mettre à cuire 20 minutes dans le lait. Faire bouillir à part les deux tiers de la crème jusqu'à ce qu'elle épaississe. Égoutter le céleri et le passer au mixeur jusqu'à l'obtention d'une purée. Incorporer l'ensemble de la crème et rectifier l'assaisonnement.

et jus de noix

3. Pour le jus de noix, faire blanchir les noix et les peler. Ajouter le bouillon de volaille et laisser cuire doucement jusqu'à ce que la sauce épaississe. Dans une poêle, faire suer les gousses d'ail jusqu'à ce qu'elles soient dorées. Ajouter les légumes et rectifier l'assaisonnement.

4. À l'aide d'une cuillère, dresser au centre de l'assiette une quenelle de purée et ajouter le blanc du coquelet émincé. Disposer des cuisses sur le côté et des légumes tout autour. Verser le jus de noix et quelques gouttes de kummel.

Faisan rôti aux pommes

Préparation *1 heure 40 minutes*
Cuisson *1 heure 30 minutes*
Difficulté ☆☆☆

Pour 4 personnes

2 faisans
8 échalotes
200 g de graisse de canard
sel, poivre
8 feuilles de chou de Milan
4 salsifis
50 g de beurre
jus d'1 citron, persil

Pommes de terre en hochepot :
500 g de pommes de terre
1 carotte en rondelles
1/2 oignon en rondelles
1 branche de romarin
150 g de beurre fondu
sel, poivre

Sauce au vieux porto :
carcasses des 2 faisans
50 g de beurre
2 côtes de céleri-branche, 1 carotte
1 oignon, 1 gousse d'ail
1 feuille de laurier, 1 branche de thym
6 grains de poivre
200 ml de porto
500 ml de fond blanc de volaille
200 ml de fond de veau
sel, poivre

D'origine flamande, cette recette est traditionnelle dans le comté de Lancashire où l'on prépare ainsi l'agneau. Paul Heathcote vous en présente une variante avec un gibier à plume, de préférence une jeune poule faisane, d'un goût plus délicat que le faisan mâle. Vos talents de cuisinier vont faire revivre le vœu du Faisan, quand en 1454, Philippe le Bon, duc de Bourgogne, fit prêter serment sur ce volatile à ses barons assemblés d'aller délivrer Byzance – mais ce vœu n'a jamais été accompli…

Vous prendrez garde à ne pas trop faire faisander la viande, même s'il convient d'attendre quelques jours avant de la cuisiner. À défaut, d'autres gibiers à plume conviendront parfaitement : perdreaux, grouses ou pigeons des bois.

Faire cuire les pommes de terre dans un moule « pommes anna » que le maître queux Adolphe Dugléré, alors cuisinier de la famille Rothschild, inventa en hommage à Anna Deslions. Il s'agit d'un moule en fonte suffisamment profond, de préférence antiadhésif, dont les parois épaisses permettent d'obtenir des légumes particulièrement fondants.

Les savants ne s'accordent pas sur la signification du mot « hochepot ». Il viendrait selon certains du verbe « hocher », qui exprimerait la nécessité de « secouer le pot » – ce qui n'est le cas dans aucune des recettes où ce vocable est employé. On en déduit donc que la recette originale, qui s'est manifestement perdue – peut-être un ragoût de bœuf cuit sans eau –, requérait beaucoup d'énergie de la part du cuisinier.

1. Flamber et vider les faisans. Lever les poitrines et les faire rôtir 7 à 8 minutes de chaque côté jusqu'à l'obtention d'une couleur dorée. Éplucher les échalotes, les faire confire dans la graisse de canard, assaisonner et réserver. Laver et faire blanchir les feuilles de chou.

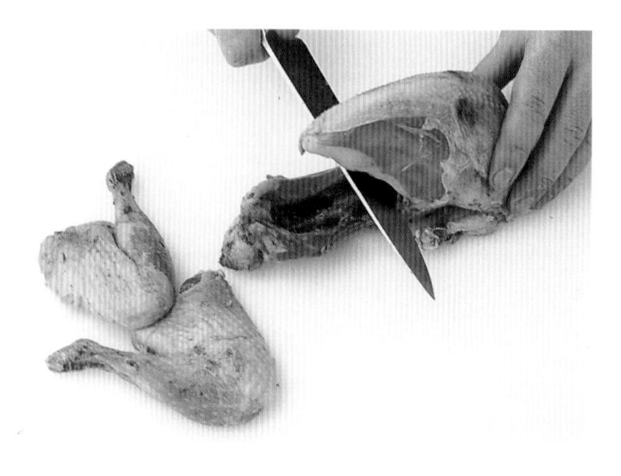

2. Couper en quatre les salsifis et les cuire à la poêle avec le beurre. Laisser dorer, assaisonner de sel et de poivre, puis ajouter le jus de citron et le persil haché. Faire braiser les lentilles avec tous les ingrédients.

de terre en hochepot

3. Pour les pommes de terre hochepot, rassembler tous les ingrédients et assaisonner. Garnir soigneusement l'intérieur et les bords du moule « pommes anna » d'une couche serrée de rondelles de pommes de terre. Remplir le moule du restant des pommes de terre, de carotte et d'oignon. Enfourner 1 heure jusqu'à cuisson complète et l'obtention d'une belle coloration.

4. Pour la sauce au vieux porto, faire suer au beurre les carcasses, les légumes et les herbes. Déglacer au porto et laisser réduire de moitié. Ajouter le fond de volaille et laisser réduire. Terminer par le fond de veau et passer au chinois après quelques minutes. Porter à ébullition, écumer, réduire à consistance d'une sauce et rectifier l'assaisonnement. Dresser sur une assiette chaude.

Filet et queue de bœuf,

Préparation *1 heure 40 minutes*
Cuisson *3 heures 30 minutes*
Difficulté ★★★

Pour 4 personnes

1 queue de bœuf
450 g de carottes
200 g de poireaux
200 g d'oignons
1 rutabaga
1 chou de Milan
huile
125 ml de vinaigre de vin rouge

500 ml de vin rouge
500 ml de Guinness
2 l de fond de bœuf
1 bouquet de persil plat
100 g de thym
15 g d'arrow-root
sel, poivre
6 filets de bœuf de 150 g chacun

Purée de pommes de terre :
900 g de pommes de terre (mary pipper)
100 ml de crème fleurette fouettée
50 g de beurre
sel, poivre

En ce qui concerne les qualités respectives des races bovines anglaises et françaises, Paul Heathcote n'a pas voulu trancher : vous avez donc toute liberté de choisir une viande de haute qualité gastronomique, que ce soit l'angus (appelé aussi aberdeen-angus), en provenance exclusive du Nord-Est de l'Écosse, ou le charolais français. Dans les deux cas, vous obtiendrez des filets peu gras, savoureux et fondants, riches en protides et remarquablement tendres. Vous les ferez griller fortement en surface, mais sans excès, pour que l'intérieur reste juteux.

Le queue de bœuf viendra parfumer la sauce : il convient donc de choisir les morceaux situés dans la partie la plus haute et par conséquent la plus large, car le goût n'en sera que meilleur. Il faut la faire cuire très longtemps pour qu'elle puisse dégager complètement son arôme, jusqu'à ce que la viande se détache des os.

La présentation finale sera fortement colorée grâce aux divers légumes taillés en gros dés, qu'une cuisson très rapide aura maintenus fermes et croquants.

Vous préparerez la sauce à la bière (un grand classique de la cuisine britannique) en la réduisant très modérément, car la bière trop cuite perd son goût jusqu'à devenir aigre. Le choix de cette bière dépend surtout de votre goût, mais notre chef recommande la Guinness qui fait la fierté des Irlandais, puisque sa consommation quotidienne dépasserait huit millions de pintes à travers le monde. À défaut, d'autres bières moins fortes en alcool seront les bienvenues.

1. Retirer le gras et les nerfs de la queue de bœuf. Couper les carottes, les poireaux et le rutabaga en gros dés. Détailler le chou en petits morceaux et le mettre à cuire.

2. Faire saisir dans l'huile chaude les morceaux de queue de bœuf et les faire revenir 15 minutes environ. Ajouter les légumes, puis déglacer au vinaigre et au vin rouge.

sauce à la bière

3. Ajouter la bière, le fond de bœuf, les herbes et faire braiser au four jusqu'à cuisson complète (environ 3 heures). Retirer la queue, dégraisser, lier à la fécule et passer la sauce au chinois. Assaisonner les filets de bœuf, les faire cuire à la poêle et laisser reposer.

4. Pour la purée, cuire les pommes de terre avec leur peau, les éplucher encore chaudes et les réduire en purée. Ajouter la crème, mélanger au fouet et incorporer le beurre en dés. Rectifier l'assaisonnement. Au moment de servir, découper le filet en tranches. Décorer de légumes et d'une quenelle de purée. Verser la sauce.

Perdrix des neiges

Préparation *50 minutes*
Cuisson *30 minutes*
Difficulté ★★

Pour 4 personnes

250 g de pois russes
4 jeunes perdrix des neiges (ou grouses)
100 g de beurre
2 têtes d'ail
4 endives
jus de citron
100 ml de jus de truffes
persil
sel, poivre

Sauce :
carcasses et cuisses des perdrix des neiges
1 mirepoix d'oignon, carotte et céleri-rave
genièvre
500 ml de vin rouge corsé
sel, poivre
100 g de beurre

La chasse est ouverte pendant tout l'hiver arctique, laissant à ces adeptes d'excellentes occasions d'arpenter l'immense forêt norvégienne et d'y découvrir sa faune. Au premier rang figure la perdrix des neiges aux doigts couverts de plumes (dite aussi poule des neiges), que les savants nomment lagopède et qui possède un plumage saisonnier : plutôt brune l'été, elle connaît trois mues annuelles et se camoufle facilement l'hiver, en revêtant un plumage d'un blanc neigeux. Ses deux principales espèces de l'extrême Nord, le lagopède muet et le lagopède des saules, vivent de bourgeons et de petits fruits qu'ils dénichent sous la neige.

Vous choisirez donc en hiver des perdrix jeunes, car elles sont plus tendres et savoureuses. Il faudra d'abord débarrasser les chairs des plombs qui les ont meurtries. À l'instar de son lointain cousin le pigeon ramier, la perdrix peut dégager une légère amertume au cours d'une cuisson trop longue : vous limiterez par conséquent à 30 minutes son passage à feu vif.

Hormis ce volatile que l'on n'aperçoit guère sous nos latitudes, cette recette se compose également de pois russes, c'est-à-dire des pois cassés séchés et torréfiés dont la saveur est assez prononcée. Ce sont des légumes très secs qu'il est indispensable de plonger la veille dans l'eau fraîche et d'adoucir en cours de cuisson par de généreuses adjonctions de beurre. Un filet de jus de truffes ajoutera une pointe parfumée.

Si vous ne trouvez pas de pois russes, un accompagnement de morilles ou une fricassée d'escargots pourront tout autant convenir à la perdrix des neiges.

1. La veille, faire tremper les pois russes dans l'eau. Vider et flamber les perdrix. Séparer les cuisses des suprêmes et les faire revenir 10 minutes avec 50 g de beurre et l'ail en chemise en veillant à ce que la chair reste dorée.

2. Pour la sauce, faire revenir les carcasses concassées et les cuisses. Ajouter la mirepoix de légumes et le genièvre. Déglacer au vin rouge, assaisonner, laisser réduire, passer au chinois et monter au beurre. Poêler doucement les endives à couvert en ajoutant un peu de beurre et de jus de citron jusqu'à obtention d'une légère coloration.

aux pois russes

3. *Faire cuire les pois russes dans l'eau. En fin de cuisson, ajouter le beurre restant, le jus de truffes, un peu de persil haché, le sel et le poivre.*

4. *Découper les suprêmes en fines tranches et les dresser sur l'assiette avec les endives confites. Déposer les pois russes sur la viande et légèrement napper de sauce.*

Poitrine d'oie demi-sel

Préparation — *1 heure*
Cuisson — *1 heure 20 minutes*
Difficulté — ★★

Pour 4 personnes

1 oie de 4 kg environ
200 g de gros sel
300 g de foie gras d'oie
2 pommes goldens
50 g de figues séchées

épices (girofle, cardamome, macis, anis, coriandre)
sel, poivre
16 navets nouveaux
16 carottes nouvelles
1 rave jaune
1 oignon
200 g de lentilles vertes
2 l de bouillon de volaille
100 g de beurre
jus de truffes (facultatif)

On sait depuis Swift et les voyages de Gulliver que « nécessité est mère de l'invention ». Plus on se rapproche du cercle polaire, plus la rudesse du climat et la longueur des hivers rendent les communications difficiles, de sorte que les habitants au cours du temps ont appris à conserver leurs aliments. C'est pourquoi on utilise la saumure en Norvège, pour le poisson comme pour la viande, avec du gros sel marin.

L'oie s'accommode parfaitement de ce traitement grâce à sa graisse naturelle. Toutefois, comme le sel durcit les chairs, le palmipède devra subir plusieurs rinçages et une cuisson très douce, de préférence dans un bouillon bien aromatisé. Avant de mettre l'oie dans la saumure pour la nuit, n'oubliez surtout pas d'en extraire le foie, que vous utiliserez pour la farce.

Eyvind Hellstrøm vous recommande ensuite un accompagnement traditionnel à base de raves jaunes et de navets nouveaux coupés en gros morceaux pour qu'ils conservent davantage de goût. Vous les mélangerez à des épices orientales, tels la cardamome, dont les Indiens parfument le riz, et le macis, qui est en fait l'arille, des noix muscade réduites en poudre. Vous pourrez ajouter des aromates tels le thym, le romarin ou le persil pour servir ce plat nordique, réchauffé.

Si vous préparez cette savoureuse recette au printemps, n'hésitez pas à doubler la garniture d'une brunoise confectionnée à partir de petits légumes croquants : carottes, pommes de terre nouvelles et haricots verts seront les bienvenus.

1. Mettre l'oie dans le gros sel et laisser reposer toute la nuit. Dessaler à l'eau en la rinçant plusieurs fois. Désosser l'oie en laissant la poitrine sur la peau. Décoller légèrement les filets, puis poser au centre le foie gras, les goldens (que l'on a fait sauter au préalable dans du beurre clarifié), les figues séchées et coupées en dés, et les épices.

2. Rectifier l'assaisonnement et envelopper la ballottine dans un torchon. Parer tous les petits légumes et rincer plusieurs fois les lentilles vertes.

pochée et grillée

3. Faire pocher la ballottine 1 heure environ dans le bouillon de volaille. Avec ce même bouillon, cuire séparément les légumes 5 à 6 minutes, puis les lentilles, environ 20 minutes.

4. Faire griller la ballottine sur la peau, la couper en tranches et les déposer sur le lit de lentilles. Disposer les légumes tout autour et napper d'un peu de beurre fondu ou éventuellement de jus de truffes.

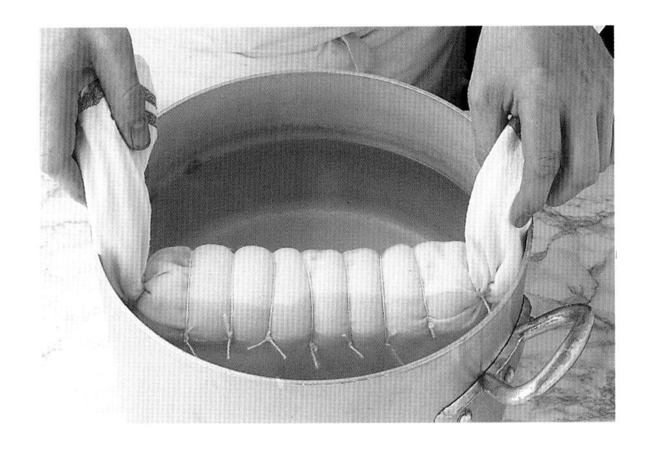

Renne du Karasjok

Préparation	*50 minutes*
Cuisson	*1 heure*
Difficulté	★★

Pour 4 personnes

1 selle de renne d'1,5 kg (jeune veau de renne)
20 baies de genièvre
thym
sel, poivre du moulin
500 g de morilles fraîches
200 ml de crème double
4 pommes de terre moyennes
2 poires moyennes
2 cuil. à soupe de graisse d'oie

Sauce :
os concassés de la selle
1 carotte
1/4 de céleri-rave
3 gousses d'ail,
1 oignon
thym, baies de genièvre
1 l de vin rouge corsé
200 ml de porto
10 grains de café expresso concassés (arabica, de préférence)
200 g de beurre

Proche de la Finlande et partiellement habité par les Lapons, le Karasjok est une immense zone glacée propice à l'élevage et à la chasse du renne. Dans de telles immensités, les notions d'espace et de temps ne comptent plus. Alors que la population humaine y diminue, le nombre de cervidés s'accroît d'année en année. Cette conjoncture est assez appréciée des Norvégiens qui raffolent de ce gibier au goût très fort, et surtout du jeune veau de renne, âgé de 2 ans, qui vous est proposé par notre chef.

La chair du jeune renne sera de préférence rosée, voire saignante, après une cuisson très rapide. Les baies de genièvre formeront comme une croûte indissociable de la viande. On connaît assez l'engouement que manifestent les Européens du Nord pour cette baie riche en arôme, dont on assaisonne la choucroute et le gibier, et qui sert à confectionner l'eau-de-vie du même nom. Les Belges l'apprécient tant qu'ils lui ont consacré tout un musée dans la ville de Hasselt en Limbourg.

Les champignons accompagnent à merveille ce plat rubrique : des morilles (que vous nettoierez avec le plus grand soin) ou d'autres variétés accommodées en fricassée. Notre chef vous suggère aussi cette combinaison inattendue de poires et de pommes de terre qui surprendra vos convives.

L'originalité de cette recette tient pour une grande part à la sauce additionnée de café (les grains d'arabica y sont particulièrement recommandés). C'est à Michel Lorrain, qui l'a découverte au Mexique que nous témoignons là notre gratitude.

1. Séparer les filets de la carcasse et les couper en quatre morceaux égaux. Assaisonner avec le genièvre, le thym, le sel et le poivre. Nettoyer les morilles, les faire sauter à la poêle au dernier moment et verser un peu de crème.

2. Pour la sauce, faire revenir les os et les aromates. Faire réduire le vin rouge et le porto, puis ajouter le jus de renne. Laisser réduire à nouveau et faire une infusion avec les grains de café concassés. Passer au chinois et monter au beurre au dernier moment.

au genièvre

3. Éplucher les pommes de terre et les poires, les couper en rondelles et les faire frire dans la graisse d'oie. Déposer sur du papier absorbant, puis reconstituer des poires en alternant rondelles de pommes de terre et de poires. Cuire quelques minutes au four et réserver au chaud.

4. Saisir les filets de renne 10 minutes environ, puis les couper en tranches fines dans le sens de la longueur. Disposer les tranches au centre de l'assiette, ainsi que le fruit reconstitué. Entourer de morilles et de sauce.

Roulade de bœuf aux

Préparation *30 minutes*
Cuisson *5 minutes*
Difficulté ★★

Pour 4 personnes

1 entrecôte de bœuf d'1,2 kg
30 g de pignons de pin
30 g de raisins secs
ail
persil
huile d'olive

Sauce tomate :
1 gousse d'ail
huile d'olive
6 tomates

Garniture :
quelques feuilles de scarole
huile d'olive
20 g de pignons de pin
20 g de raisins secs
ail

Si le restaurant de notre chef s'appelle « Don Alfonso », c'est en hommage à son grand-père, que l'on désignait sous ce nom au début du siècle. Cette recette lui est tout naturellement dédiée, car Alfonso Iaccarino est fort attaché à ses racines.

À cette époque, on ne consommait de viande que le dimanche, car les terres arrides du Sud de l'Italie étaient peu propices à l'élevage bovin. La viande ne faisait pas l'objet d'une grande tradition culinaire. Grillée et accompagnée de raisins et de pignons de pin, on en récupérait le jus pour parfumer les pâtes du souper.

Aujourd'hui que l'on dispose plus facilement de produits d'excellente qualité, cette préparation a gagné en finesse.

L'entrecôte qui se présente ici sera de préférence taillée dans le faux-filet et non dans le train de côtes : d'une belle apparence persillée, tendre et fondante, elle sera d'autant plus savoureuse que vous l'aurez soigneusement aplatie.

Notre chef vénère particulièrement les belles tomates très rouges, qui font ici l'essentiel de l'accompagnement en purée, relevée à l'ail. Pour souligner la douceur des fruits secs, il vous recommande de les faire sauter avec une scarole dont l'amertume offrira un parfait contraste.

Ce plat est réservé aux dimanches ou aux jours de fête. Vous pourrez, en période de chasse, remplacer l'entrecôte de bœuf par un tendre filet de marcassin.

1. Aplatir l'entrecôte de bœuf avec une batte entre deux films alimentaires. Mettre à colorer les pignons de pin dans une poêle à feu vif.

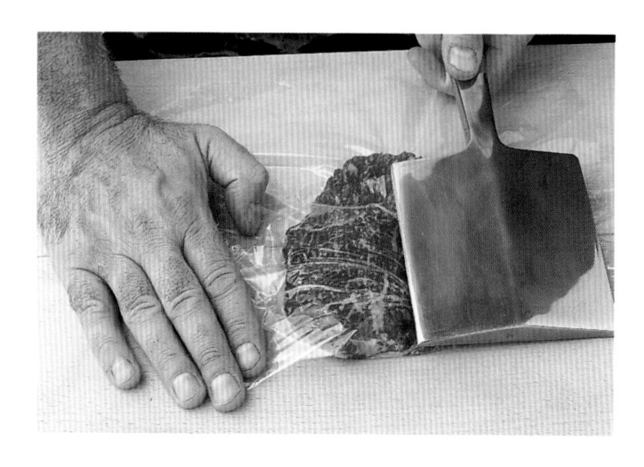

2. Déposer sur la viande 30 g de pignons, 30 g de raisins secs, l'ail et le persil hachés. Rouler la viande et la fixer au moyen d'un pic en bois. Pour la sauce tomate, faire sauter l'ail dans l'huile d'olive. Retirer l'ail, ajouter les tomates concassées et cuire 5 minutes à feu vif.

raisins, pignons et tomates

3. Dans une poêle antiadhésive, verser un peu d'huile d'olive et faire revenir la roulade sur les deux côtés. À mi-cuisson, retirer la viande et verser la sauce tomate. Laisser cuire 5 minutes.

4. Pour la garniture, faire blanchir les feuilles de scarole, puis faire sauter à l'huile d'olive dans une poêle avec les pignons, les raisins et l'ail. Napper l'assiette de sauce tomate, poser dessus les pignons, la scarole, les raisins et la viande taillée en biseau.

Entrecôte de veau,

Préparation *45 minutes*
Cuisson *15 minutes*
Difficulté ★

Pour 4 personnes

1 carré de veau d'environ 600 g
1 petite truffe
8 cuil. à soupe de riz blanc
4 cuil. à soupe de sauce d'huîtres
2 endives
50 ml d'huile d'olive

Brunoise :
2 cuil. à soupe de ciboulette

1 poivron rouge
1 courgette

Marinade :
1 cuil. à soupe de coriandre hachée
1 piment haché
1 gousse d'ail hachée
2 cuil. à soupe de sauce soja
persil ciselé

Vinaigrette (sauce teriyaki) :
1 tomate concassée
1 cuil. à soupe de sauce soja
1 cuil. à soupe d'huile de sésame
1 cuil. à soupe de bouillon

Si l'on dit que les voyages forment la jeunesse, on devrait ajouter que généralement le palais n'y perd rien, tant il est vrai que les parfums et les techniques traditionnelles des pays lointains peuvent renouveler nos habitudes culinaires et affiner notre goût. La sauce teriyaki nous en apporte la preuve : cette préparation à base de sauce soja où marinent des graines de sésame et que l'on passe au chinois (Asie oblige…) est très courante au Japon. Aujourd'hui, son intégration dans nos recettes occidentales est signe d'innovation et de raffinement.

L'entrecôte de veau que propose André Jaeger pèse environ 150 g par personne. La viande gagnera sans doute à séjourner longtemps dans la marinade, depuis la veille par exemple, à condition d'être réservée au frais jusqu'à la demi-heure qui précède la cuisson. La sauce d'huîtres, dont le rôle est majeur, connaît un grand succès en Chine, où elle est cuite et fermentée, puis relevée à la sauce soja. Vous pouvez donner à votre viande un goût plus corsé grâce au piment, dont vous ôterez les pépins avant de le râper (dosez-le avec parcimonie, car son arôme est très fort).

La garniture mérite une mention, ne serait-ce qu'en raison du riz gluant avec lequel on façonne les boulettes aux truffes. Cette appellation n'a rien de péjoratif : c'est un riz d'origine chinoise, à grains ronds et courts, qui présente la curieuse propriété de s'agglutiner à la cuisson. On peut ainsi confectionner des boulettes compactes dont la tenue est suffisante pour être plongées dans la friture.

La même recette conviendrait à du blanc de poulet, finement émincé pour la présentation.

1. Couper quatre entrecôtes de 150 à 200 g environ dans le carré de veau désossé. Couper la truffe en très petits morceaux, la mélanger au riz cuit et former huit boulettes. Préparer la brunoise de ciboulette, de poivron et de courgette.

2. Badigeonner chaque entrecôte à l'aide d'un pinceau imbibé de sauce d'huîtres. Ajouter la coriandre, le piment, l'ail, la sauce soja et le persil ciselé. Laisser mariner ainsi 2 heures minimum. Couper les endives en quatre dans le sens de la longueur et les cuire à la vapeur.

sauce teriyaki et riz frit

3. Pour la vinaigrette, déposer la tomate concassée dans un récipient, puis la mélanger à l'ensemble des ingrédients ainsi qu'aux légumes coupés en brunoise. Huiler les entrecôtes et les faire griller très rapidement.

4. Faire frire les boulettes de riz dans l'huile très chaude. Découper les entrecôtes en lamelles et les dresser harmonieusement sur chaque assiette. Garnir d'une endive nappée de marinade et verser un cordon de vinaigrette sur les pointes de la viande.

Variation de pintade

Préparation — *1 heure*
Cuisson — *20 minutes*
Difficulté — ★★★

Pour 4 personnes

1 pintade
sauce d'huîtres
50 ml de jus de viande

Filets de pintade aux nouilles :
2 filets de pintade avec la peau
8 shiitakés séchés, 1/2 poivron rouge
2 tiges de feuilles de chou chinois
4 épis de maïs
150 g de nouilles fraîches

Marinade des filets de pintade :
coriandre fraîche
1 gousse d'ail, 1cuil. à café de gingembre râpé
2 cuil. à soupe de sauce d'huîtres

Ravioles :
Farce : foie de la pintade
1 cuil. à café de sauce aux haricots noirs
ciboulette hachée
Pâte : 50 ml d'eau, 100 g de farine de blé
1 pincée de sel, huile pour la friture

Boulettes de pintade aux nouilles :
chair des cuisses de pintade
1 cuil. à soupe d'oignons nouveaux
1 cuil. à café de piment sans les pépins
1 cuil. à café d'huile de sésame, coriandre
sel, poivre, 100 g de nouilles fraîches
huile pour la friture

Connue pour son cri strident (elle criaille), la pintade a su depuis le XVIIe siècle se faire une place dans les basses-cours et sur les tables les mieux dressées. Après une courte période de disgrâce, celle que l'on appelait jadis « poule de Numidie » revient en force sur nos marchés et dans nos assiettes, et certaines régions de production se voient attribuer un label de qualité : c'est ainsi que la pintade jaune du Sud-Ouest garantit la qualité que lui confère une alimentation de choix. Rarement très volumineuse, une pintade d'environ 1 à 1,2 kg suffira pour quatre personnes.

Fidèle à ses habitudes culinaires, André Jaeger nous propose une version très exotique de la pintade, et utilise des ingrédients peu familiers de notre univers gastronomique. On devra d'abord lever les filets, décortiquer soigneusement les cuisses, retirer la peau et les tendons, puis parer la graisse.

Les filets marineront toute une journée dans un mélange où figure la coriandre fraîche, c'est-à-dire des feuilles finement ciselées et non les graines, que l'on emploie dans bien d'autres recettes. Cette plante aromatique à laquelle on donne aussi le nom de « persil arabe » ou de « persil chinois » nuance de son parfum raffiné la chair de la pintade. Ayez soin de cuire les filets très rapidement dans une huile très chaude, afin de conserver leur moelleux tout en leur donnant une belle coloration en surface.

Cette recette relativement complexe peut encore s'appliquer à la poularde, au coquelet et à bien d'autres volailles encore, pourvu que leur caractère s'accommode de cet afflux d'arômes asiatiques. Servez très chaud et faites en sorte qu'il n'en reste pas, car ce plat se conserve très mal.

1. Pour la marinade, lever les filets avec la peau et laisser macérer 24 heures avec tous les ingrédients. Lever les cuisses, les désosser, retirer les tendons et la graisse. Tremper les shiitakés dans l'eau. Pour la farce des ravioles, détailler le foie, puis mélanger à la sauce aux haricots noirs et à la ciboulette. Pour la pâte des ravioles, verser l'eau bouillante salée sur la farine. Former une pâte lisse et laisser reposer.

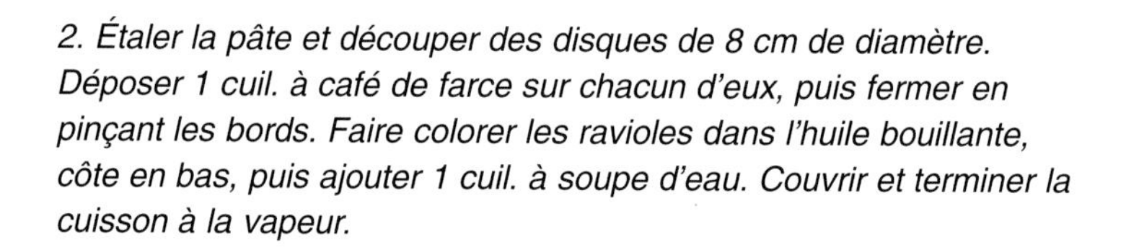

2. Étaler la pâte et découper des disques de 8 cm de diamètre. Déposer 1 cuil. à café de farce sur chacun d'eux, puis fermer en pinçant les bords. Faire colorer les ravioles dans l'huile bouillante, côte en bas, puis ajouter 1 cuil. à soupe d'eau. Couvrir et terminer la cuisson à la vapeur.

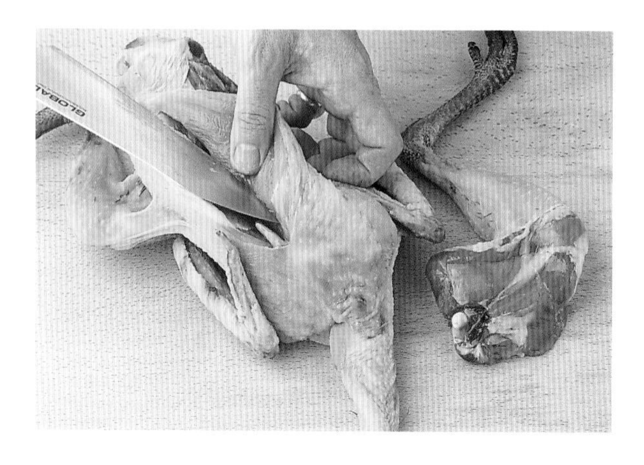

à l'asiatique

3. Pour les boulettes, couper la chair des cuisses en morceaux, hacher les oignons et le piment, puis mélanger le tout aux ingrédients restants. Garnir une petite quantité de nouilles fraîches avec 1 cuil. à soupe de ce mélange. Rouler le tout afin d'obtenir des boulettes et faire colorer dans l'huile bien chaude. Réserver au chaud.

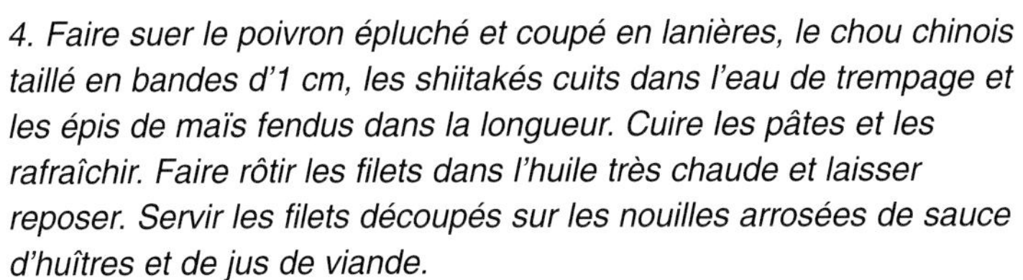

4. Faire suer le poivron épluché et coupé en lanières, le chou chinois taillé en bandes d'1 cm, les shiitakés cuits dans l'eau de trempage et les épis de maïs fendus dans la longueur. Cuire les pâtes et les rafraîchir. Faire rôtir les filets dans l'huile très chaude et laisser reposer. Servir les filets découpés sur les nouilles arrosées de sauce d'huîtres et de jus de viande.

Pigeon en

Préparation *30 minutes*
Cuisson *20 minutes*
Difficulté ★★

Pour 4 personnes

2 pigeons
sel, poivre
1 chou frisé
250 g de beurre

100 g de lard maigre
2 oignons
1 carotte
2 gousses d'ail
thym, laurier
300 g de fond de veau
300 g de pâte feuilletée (*voir* p. 318)
100 g de foie gras
40 g de truffes fraîches
1 jaune d'œuf

Roger Jaloux emploie volontiers de la pâte feuilletée pour ménager à ses hôtes une surprise gourmande : la soupe des bergers et la tourte de foie gras (*voir* Eurodélices Entrées chaudes) reposaient déjà sur ce principe. Amateur de petit gibier à plume, notre chef excelle dans la préparation des cailles, grouses, perdrix et pigeons, pour lesquels il ne cesse d'inventer de nouveaux apprêts.

Tous les pigeons ne conviennent pas à son regard d'expert : il faut que les projectiles meurtriers n'aient pas trop abîmé les chairs, que l'animal n'ait pas l'œil vitreux et qu'il soit soigneusement déplumé. Déplumer ne signifie pas plumer : au lieu d'arracher les plumes avec force, ce qui ne peut manquer de déchirer par endroits la peau du volatile, il faut d'abord dégarnir en douceur la poitrine, puis les ailes et les cuisses. Cette opération est assez longue, mais nécessaire à la bonne conservation du gibier. Le pigeon n'a pas de poche de fiel, mais vous devrez lui ôter le jabot et le gésier, le flamber et lever les suprêmes aussi élégamment que possible.

Pour la pâte feuilletée, deux solutions s'offrent à vous : la faire vous-même et prévoir entre chaque tour un temps de repos suffisant (c'est la technique des professionnels) qui vous garantit pratiquement le succès ou, si le temps vous manque, vous pourrez recourir à une pâte feuilletée vendue surgelée. Malgré certains a priori, on doit reconnaître que sa qualité mérite aujourd'hui bien des éloges. Dans les deux cas, gardez à portée de main une quantité de pâte suffisante pour y tailler à chaque fois le morceau dont vous avez besoin sans avoir à travailler le reste.

1. Flamber et vider les pigeons, puis lever les suprêmes. Désosser les cuisses, saler et poivrer.

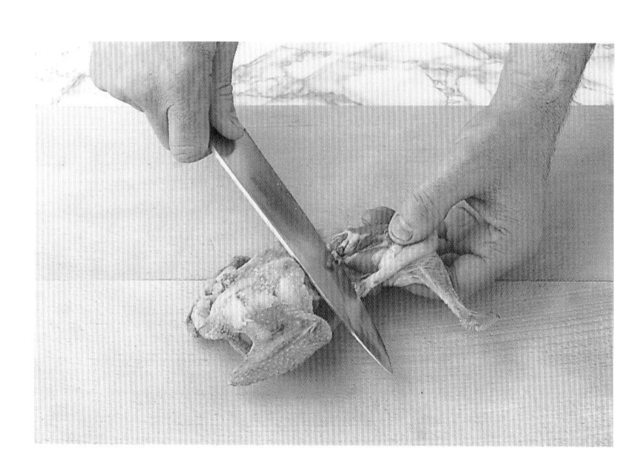

2. Trier et laver les feuilles de chou, les tailler en fines lamelles, les blanchir à l'eau salée et les rafraîchir. Faire tomber les oignons au beurre avec le lard maigre, puis ajouter le chou, la carotte, l'ail, le thym et le laurier. Laisser cuire environ 12 minutes. Avec les os des pigeons, confectionner un petit jus mouillé au fond de veau.

feuilleté

3. Lorsque le chou est froid, placer sur du papier sulfurisé un disque de feuilletage d'environ 50 g. Disposer la cuisse à l'intérieur de façon à refaire une aile, les suprêmes des pigeons, une tranche de foie gras d'environ 50 g et une lamelle de truffe de 10 g. Terminer avec une bonne cuillerée à soupe de chou.

4. Fermer le feuilletage, dorer la pâte avec le jaune d'œuf et enfourner environ 20 minutes à 200 °C. Dresser sur l'assiette en coupant le feuilletage en deux et en l'arrosant d'un peu de jus. Accompagner le cas échéant d'une compote de chou.

Daube de joues de veau et

Préparation *20 minutes*
Cuisson *2 heures*
Difficulté ★★

Pour 4 personnes

8 joues de veau
30 g de graisse d'oie
1/2 tête d'ail
2 oignons
4 carottes
1 l de fond de veau
500 ml de vin blanc sec

sel, poivre
1 chou vert
100 g de lentilles vertes du Puy
1 branche de thym
1/2 feuille de laurier
2 échalotes
1 bouquet de persil
30 g de beurre clarifié

Vinaigrette :
1 filet de vinaigre vieux à l'ancienne
50 ml d'huile d'olive
sel, poivre

Il y a plusieurs explications sur l'origine du mot « daube », que chacun tire à soi selon sa conception personnelle de cette cuisson. Les uns prétendent qu'il dérive de l'espagnol *dobar*, « cuire à l'étouffée », les autres du latin *dealbare*, « blanchir », à cause des bardes de lard dont on pare les morceaux de bœuf. Les deux hypothèses se valent, mais là n'est pas notre sujet.

Bien que faisant partie de la tête de veau, donc des abats, la joue est un beau morceau de viande à braiser, à la chair blanc rosé d'un grain très fin. Elle est moelleuse et doit mijoter longtemps à feu doux. Tel est le secret d'une bonne daube, à condition de retourner régulièrement les joues pour une cuisson bien homogène. Une fois cuites, vous pouvez les conserver deux ou trois jours, et vous les apprécierez davantage si vous les préparez à l'avance et les faites réchauffer juste avant de servir.

Pour enrober chaque joue, il faut laver et faire blanchir autant de feuilles de chou d'une taille adaptée. Évitez toute déchirure, car elles doivent être suffisamment étanches pour contenir un peu de sauce.

Sont-ce vraiment les Maures qui apportèrent les lentilles dans le Velay lorsqu'ils l'envahirent au VIIe siècle ? En tout cas, la lentille verte du Puy (*lens esculenta*), protégée par une appellation d'origine contrôlée, fait la joie des amateurs, qu'ils soient Ponots ou non. On commence toujours par les recouvrir généreusement d'eau froide pour les faire cuire. Comme elles dégagent beaucoup d'impuretés au cours de la cuisson, il faut écumer plusieurs fois. Il suffit d'attendre le délai voulu pour déguster ce plat succulent, à servir bien chaud et de préférence en automne.

1. Faire colorer les joues dans la graisse d'oie en commençant côté graisse. Ajouter l'ail ainsi qu'une mirepoix d'oignons et de deux carottes. Mouiller avec le fond de veau et le vin blanc. Saler, poivrer, couvrir et laisser cuire environ 2 heures dans un four préchauffé à 150 °C.

2. Laver les feuilles de chou à l'eau claire, les blanchir à l'eau salée, rafraîchir et égoutter. Dans une casserole, déposer les lentilles et les couvrir d'eau froide. Ajouter les deux autres carottes taillées en brunoise, parfumer de thym et de laurier, puis laisser cuire 20 à 25 minutes à feu doux.

vinaigrette de lentilles

3. *Après cuisson de la daube, égoutter les joues, passer le jus de cuisson au chinois et le faire réduire à consistance. Envelopper chaque joue d'une feuille de chou avec un peu de sauce réduite. Emballer ces préparations dans du papier sulfurisé pour les réchauffer à la vapeur au moment de servir.*

4. *Pour la vinaigrette, mélanger le vinaigre de vin, l'huile d'olive, le sel et le poivre. Égoutter les lentilles, mélanger avec les échalotes et le persil haché, puis assaisonner de vinaigrette. Dresser les lentilles au centre de l'assiette et déposer par-dessus les daubes de joues réchauffées à la vapeur et lustrées au beurre clarifié. Verser tout autour un cordon de sauce.*

Lapin au jus de carottes,

Préparation *30 minutes*
Cuisson *25 minutes*
Difficulté ★★★

Pour 4 personnes

1 lapin de 1,5 kg environ
sel, poivre
1 cuil. à soupe de graisse d'oie
4 grosses carottes
jus d'1 citron
800 g de pommes de terre de sable
1 bouquet de persil plat
beurre

Fumet de lapin :
parures de lapin
2 gousses d'ail
1 oignon
2 échalotes
1 carotte
1 branche de thym
laurier
4 champignons de Paris
200 ml de vin blanc
250 ml de fond de veau

Le lapin a été introduit en France au Moyen Âge pour compenser une pénurie de gibier. Ce rongeur d'abord dénommé « connil », du latin *cuniculus*, s'est fort bien adapté à nos campagnes et s'y est reproduit avec la vélocité qu'on lui connaît. Au XVIIe siècle est apparu le lapin de garenne, puis le lapin domestique, qui sont aujourd'hui les plus appréciés. Quoi qu'en disent les dessins animés, le lapin ne se nourrit pas de carottes, mais de luzerne et de céréales, par exemple le blé et l'orge.

Un bon lapin pèse de 3 livres à 2 kg. Ses pattes sont flexibles et sa chair d'un joli rose vif, couverte d'une membrane blanche. Il est préférable de l'acheter entier et de le débiter vous-même au couteau suivant les jointures pour éviter les esquilles que laisserait un traitement brutal à la machette. Pour parer tout dessèchement, Patrick Jeffroy vous conseille de faire blanchir légèrement le lapin au préalable dans le fumet : ce procédé gonfle la chair et renforce son moelleux.

Le jus de carottes rend un discret hommage à ce légume-racine riche en carotène et donc en vitamine A. On désigne ses variétés par leur couleur : la rouge demi-longue de Chantenay, la rouge courte de Croissy, etc. Les carottes les plus tendres sont aussi les plus proches de l'orangé.

De fin avril à mi-juin, les pommes de terre de sable, très iodées, font une brève incursion sur les marchés, mais il n'est guère facile d'en trouver. Des charlottes joueront une honorable partie dans ce plat, tout comme les nicolas, dont la chair est légèrement grasse. Pour plus d'originalité, préférez-leur des topinambours, des navets nouveaux ou, pour plus d'exotisme, des crosnes du Japon.

1. Tailler le lapin en portions régulières. Commencer par lever les cuisses, puis les pattes et couper le reste du lapin en huit morceaux. Retirer la peau, parer les portions, saler et poivrer. Réserver les rognons et le foie, et conserver les parures du lapin pour la confection du fumet.

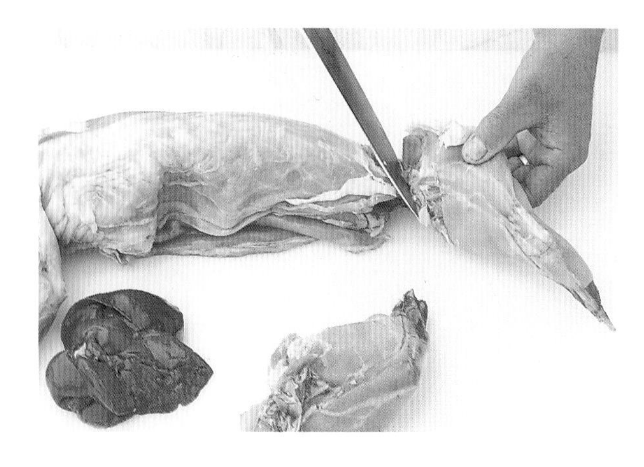

2. Pour le fumet, faire revenir légèrement les parures du lapin. Incorporer une mirepoix de légumes aromatiques, le thym, le laurier et les champignons coupés en quatre. Verser le vin blanc et terminer de mouiller avec le fond de veau. Laisser frémir 20 à 25 minutes et écumer régulièrement. Faire réduire la sauce et la passer au tamis.

pommes de terre et persil

3. Faire colorer le lapin dans la graisse d'oie et saisir quelques minutes les abats. Égoutter le tout et tenir au chaud. Mixer les carottes à la centrifugeuse avec le jus de citron, puis passer au chinois. Laver et peler les pommes de terre, puis les cuire à l'eau en veillant à ce qu'elles restent croquantes.

4. Dégraisser le plat de cuisson du lapin, saler et poivrer. Terminer la cuisson avec le jus de carottes et une partie du fumet. Faire sauter les pommes de terre en les glaçant avec le reste du fumet. Ajouter le persil et dresser sur les assiettes. Napper le lapin de sauce montée au beurre.

Pintadeau rôti à la

Préparation *45 minutes*
Cuisson *1 heure 30 minutes*
Difficulté ★

Pour 4 personnes

1 kg de choucroute crue
100 g de graisse d'oie
1 oignon
2 gousses d'ail
sel, poivre
1 pintadeau d'environ 1,5 kg

quelques baies de genièvre
2 feuilles de laurier
300 ml de riesling d'Alsace
1 poivron rouge
10 g de paprika moulu
200 g de boudin noir

La choucroute est la grande affaire de la gastronomie alsacienne ; Émile Jung a voulu qu'elle connaisse une variante de plus et la conjugue à cette volaille surnommée jadis « poule de Numidie » dont on apprécie la chair fine et savoureuse. Les véritables amateurs la font d'ailleurs faisander 48 heures au minimum avant toute préparation. On ne lui connaît pas de meilleur apprêt que rôtie au naturel, à peine assaisonnée de sel et de poivre.

La véritable choucroute est un émincé de chou blanc salé et fermenté qui tire de ce procédé de conservation, de multiples qualités nutritionnelles. Nombreux étaient jadis les « coupeurs de choucroute » qui dans les campagnes émincaient les choux, que les maîtresses de maison préparaient ensuite pour nourrir leur famille des mois durant. La choucroute elle-même est très digeste, contrairement aux diverses « charcutailles » dont on juge trop souvent devoir l'accompagner, alors qu'elle connaît en Alsace, bien d'autres préparations. On peut donc la consommer toute l'année avec un plaisir égal, pourvu que ce soit sans excès et avec un assaisonnement équilibré.

De nos jours, la choucroute se trouve aisément dans le commerce, crue ou cuite, voire en conserve. Ce dernier conditionnement, qui lui confère de profonds relents de métal, n'est sans doute pas le meilleur… Si vous l'achetez crue, il faut d'abord la rincer à l'eau froide (l'eau chaude cuit les fibres) pour éliminer l'excédent d'acidité, puis la cuire après l'avoir mouillée à hauteur, car trop de liquide pourrait diluer la saveur du chou. L'accompagnement de poivron et de paprika la relèvera tout en l'agrémentant d'une touche pittoresque.

1. Laver soigneusement la choucroute deux fois à l'eau froide. Faire suer dans 50 g de graisse d'oie l'oignon émincé et l'ail haché. Saler et poivrer le pintadeau, puis le faire rôtir au four environ 30 minutes à 200 °C. Réserver au chaud.

2. Lorsque l'oignon et l'ail sont bien revenus, ajouter la choucroute, les baies de genièvre et les feuilles de laurier. Arroser l'ensemble de vin blanc et laisser cuire 1 heure 30 minutes à feu doux.

choucroute et au paprika

3. Couper le poivron rouge en dés et laisser cuire 10 minutes dans 50 g de graisse. Ajouter le paprika, puis mélanger à feu doux. Réserver au chaud. Faire pocher le boudin 15 minutes à feu doux, puis réserver.

4. Avant de servir, incorporer à la choucroute la préparation au paprika. Dresser sur un plat la choucroute et le pintadeau coupé en quatre. Accompagner d'un petit boudin noir et d'une galette de pommes de terre râpées cuite à la poêle.

Baeckeoffe de filet

Préparation *1 heure*
Cuisson *1 heure*
Difficulté ★

Pour 4 personnes

1 filet de bœuf de 600 g
400 g de pommes de terre
100 g de carotte
1 oignon
100 g de blanc de poireau
200 g de navets blancs
200 g de chou frisé

750 ml de fond blanc
250 ml de riesling
gros sel
50 g de raifort râpé

Marinade:
250 ml de riesling d'Alsace
2 oignons
quelques gousses d'ail
2 carottes
1 bouquet garni
poivre blanc en grains

Au XIXe siècle, ce plat traditionnel des campagnes alsaciennes était préparé la veille par les ménagères à partir de trois viandes: agneau, bœuf et porc. Après une nuit de marinade au vin blanc, ce mélange était garni de petits légumes et porté chez le boulanger qui le faisait cuire très doucement dans son four (*baeckeoffe*, en alsacien) pendant 2 heures, de 10 heures à midi. Il était ainsi tout prêt pour le déjeuner.

Émile Jung vous suggère ici d'appliquer cette coutume au filet de bœuf, la partie la plus tendre de l'animal, et plus précisément au cœur du filet, que l'on considère comme son meilleur morceau. La marinade doit durer toute la nuit: cette règle ne peut être en aucun cas transgressée. Le matin, vous ferez mijoter les petits légumes (auxquels on peut ajouter du céleri) jusqu'à les rendre bien fondants. Une poignée de navets nouveaux, riches en vitamines et en sels minéraux, sera très appréciée, en dépit des préjugés défavorables dont pâtit sans raison aucune cet honnête légume. La cuisson au *baeckeoffe* doit ensuite s'accomplir avec beaucoup de douceur pour que la viande reste rosée et soit parfaitement fondante.

Vous renforcerez la couleur régionale de ce plat en y ajoutant du raifort râpé, très apprécié des Alsaciens qui l'emportent volontiers dans tous leurs déplacements hors d'Alsace. D'un caractère très particulier, ce gros radis de la famille des crucifères doit être râpé au dernier moment pour dégager une huile volatile comparable à celle de la moutarde et riche en propriétés médicinales. On appelle d'ailleurs le raifort «moutarde des Allemands», ce qui est parfaitement justifié, vu l'usage très répandu qu'il connaît outre-Rhin.

1. Laisser mariner la viande une nuit dans le riesling avec les oignons émincés, l'ail coupé en deux, les carottes taillées en biseau, un bouquet garni et quelques grains de poivre blanc.

2. Couper les pommes de terre en bouchons, puis en rondelles. Émincer la carotte, l'oignon et le blanc de poireau. Éplucher et couper les navets en rondelles. Faire blanchir le chou et l'émincer. Incorporer le fond blanc, 250 ml de riesling et laisser cuire dans la cocotte pendant 30 minutes.

de bœuf cuit rosé

3. Incorporer le filet de bœuf aux légumes et cuire 30 minutes à couvert. Retirer le filet de bœuf et le laisser reposer 10 minutes avant de le couper en huit tranches égales. Dresser les légumes sur le plat de service en alternant les variétés et les couleurs.

4. Disposer également le chou moulé à la louche. Laisser réduire le jus de cuisson et napper les légumes. Déposer deux tranches de filet de bœuf sur les légumes et saupoudrer l'ensemble de gros sel et de raifort.

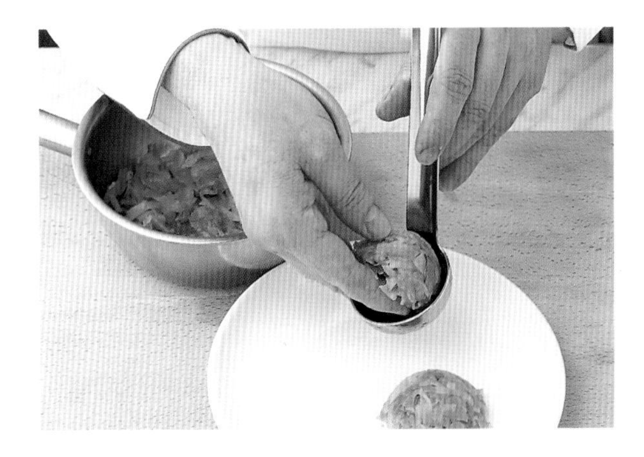

Cochon de lait

Préparation	*2 heures*
Cuisson	*15 minutes*
Difficulté	*★*

Pour 4 personnes

1 mirepoix de carotte, oignon, céleri et poireau
1 selle de cochon de lait de 800 g
blanc d'œuf
500 ml de crème fleurette
200 g de viande de cochon
250 g de beurre

1 chou pointu
sel, poivre
thym, romarin
500 g de pommes de terre
200 g de crépine de porc
20 ml de bière brune
250 ml de fond de volaille

L'association du cochon de lait et de la bière brune, si étonnante qu'elle puisse paraître, est fréquente en Allemagne où elle ravive l'éclat de nombreuses rencontres entre amis.

L'expérience atteste qu'il vaut mieux choisir un cochon de lait très petit (entre 3 et 4 kg) qui puisse rôtir tout entier à la broche. Sa partie la plus savoureuse est la selle, dont vous tirerez le meilleur profit en la préparant quelques jours à l'avance. Pour obtenir une belle coloration de la viande, vous lui ferez subir une cuisson lente, d'une durée minimale de 2 heures à 2 heures 30 minutes pour un cochon entier – et bien sûr nettement moins si vous ne préparez que la selle, à présenter rosée. À défaut de cochon de lait, le filet de porc pourra s'adapter aux exigences de cette recette.

La bière qu'utilise Dieter Kaufmann est une brune légère de Düsseldorf, l'*Altbier*, à faible teneur en alcool. Elle se conjuguera volontiers aux autres éléments de la recette, mais perdra tout son arôme si vous la faites bouillir.

C'est en accord avec les pommes de terre, ici présentées sous forme de quenelles de purée, que la bière brune produit son meilleur effet. Vous aurez choisi de préférence des bintje, mais d'autres variétés comme la B.F. 15 ou les petites nouvelles accompagneront la viande sans en masquer la saveur.

Le cochon de lait pourrait céder sa place à un petit agneau sous la mère, voire un agneau pascal, qui ferait avec la bière brune le régal des gourmands. Le meilleur accompagnement serait alors un plat d'endives gratinées ou de chou.

1. Confectionner la mirepoix de carotte, d'oignon, de céleri et de poireau. Parer les manches du carré de porc. Préparer une farce classique avec le blanc d'œuf, la crème, la viande de porc et 1 cuil. à soupe de mirepoix de légumes cuite au beurre. Faire blanchir les feuilles extérieures du chou, les éponger et enlever la nervure.

2. Assaisonner le carré et le couvrir de farce. Couper le reste du chou en fines lamelles, le blanchir et l'étuver au beurre avec le thym et le romarin. Confectionner une purée de pommes de terre.

au jus de bière brune

3. Enrouler le carré dans les feuilles extérieures du chou, puis dans la crépine. Démarrer la cuisson à feu vif dans une sauteuse, puis enfourner 6 à 7 minutes à 220 °C.

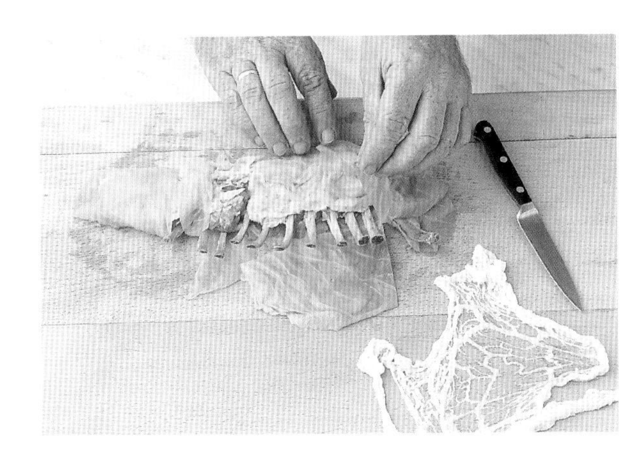

4. Faire revenir les os et les parures du carré avec le reste de mirepoix de légumes. Déglacer à la bière brune, ajouter une louche de fond de volaille, laisser réduire, puis monter avec une noix de beurre. Disposer sur l'assiette la viande, une quenelle de purée de pommes de terre, l'émincé de chou et un cordon de sauce.

Filet de bœuf

Préparation *1 heure 30 minutes*
Cuisson *20 minutes*
Difficulté ★★

Pour 4 personnes

1 filet de bœuf d'1 kg
chou rouge
beurre
1 pincée de sucre
500 g d'os de veau hachés
1 brunoise de carotte et céleri
150 ml de sirop de rave
500 ml de crème fraîche
sel, poivre
250 g de petits raisins

Marinade :
1 l de vinaigre
500 ml d'eau
6 oignons
3 feuilles de laurier
1 cuil. à café de thé
2 à 3 clous de girofle
baies de genièvre
50 g de sel et de sucre

Knödel :
30 g de beurre
1 petit oignon coupé en dés
50 g de lard maigre coupé en petits dés
4 à 6 petits pains rassis
250 ml de lait
cerfeuil
2 œufs
sel, poivre, noix muscade

Cette recette traditionnelle exigeait que la viande marine au préalable une quinzaine de jours et sa préparation durait plusieurs heures. C'est donc une version plus rapide que propose ici notre chef, avec une simple marinade de 6 à 8 heures dans le vinaigre (au-delà, le goût de la viande se trouve masqué par celui du vinaigre) et une cuisson courte qui maintient le filet de bœuf juste à point.

Il est préférable de préparer la sauce à l'avance, car le temps risque de vous manquer au moment de servir. Vous pourrez utiliser des os de bœuf ou de veau pour sa confection, à condition de les avoir suffisamment concassés. L'originalité de cette sauce réside surtout dans l'emploi du *Rübenkraut*, ou sirop de rave, spécialité de Rhénanie dont la production de betterave à sucre est très importante. Dieter Kaufmann se souvient encore d'avoir consommé des betteraves juste après la guerre ; le sirop de rave se dégustait alors sur des tartines de pain beurrées.

Pour conserver mieux encore les traditions, on sert le filet de bœuf avec les indétrônables *Knödel*, dont chaque région d'Allemagne pratique plusieurs recettes. Il s'agit de quenelles de pain dont l'assaisonnement peut varier: vous pouvez remplacer le lard maigre et l'oignon par des ingrédients plus savoureux, en particulier des girolles ou d'autres champignons.

Il était fréquent, dans les familles modestes, d'accommoder ainsi le lapin à la place du bœuf. Vous pouvez essayer cette variante, qui s'avère pleine de finesse.

1. Pour la marinade, faire bouillir le vinaigre et l'eau. Placer le filet de bœuf dans un récipient avec tous les ingrédients de la marinade, et recouvrir avec le vinaigre et l'eau. Laisser mariner 8 heures au réfrigérateur.

2. Pour les Knödel, *faire suer au beurre les oignons et le lard maigre. Hors du feu, ajouter le pain coupé en dés, le lait, le cerfeuil, les œufs, le sel, le poivre, la muscade et mélanger le tout. Laisser reposer 1 heure. Émincer et faire suer le chou rouge dans le beurre avec une pincée de sucre.*

aigre-doux

3. Faire revenir le filet avec les os de veau concassés et les légumes en brunoise, puis cuire 20 minutes environ. Pendant ce temps, confectionner des quenelles de pain perdu de la grosseur d'une balle de ping-pong et les pocher 6 à 7 minutes dans l'eau salée frémissante.

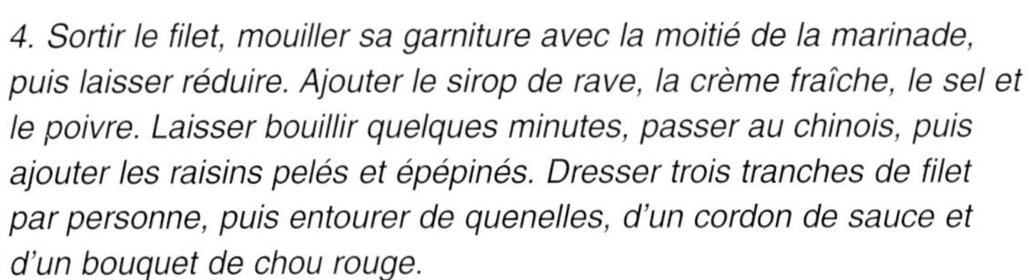

4. Sortir le filet, mouiller sa garniture avec la moitié de la marinade, puis laisser réduire. Ajouter le sirop de rave, la crème fraîche, le sel et le poivre. Laisser bouillir quelques minutes, passer au chinois, puis ajouter les raisins pelés et épépinés. Dresser trois tranches de filet par personne, puis entourer de quenelles, d'un cordon de sauce et d'un bouquet de chou rouge.

Émincé de renne

Préparation *20 minutes*
Cuisson *10 minutes*
Difficulté ★

Pour 4 personnes

12 œufs
100 ml de crème fraîche
sel, poivre
40 g de beurre
thym frais
400 g de renne fumé

Décoration (facultatif) :
œufs d'ablette

Les traditions suédoises voulaient que l'on accueillît dignement les chemineaux, dont le parcours pouvait être long et pénible du fait de l'état des routes et de la rudesse du climat scandinave. Chaque maison tenait prêt un buffet roboratif, l'« aquavitbord », composé de harengs, de pains divers (*tunnbrod, karving, vika*), de fromages et naturellement d'eau-de-vie. Ces buffets ont ensuite pris le nom de « smörgåsbord » et se sont enrichis d'autres préparations, tel cet émincé de renne fumé.

Élevé par les Lapons, le renne domestique est, à lui seul, un patrimoine gastronomique et social. Ce ruminant fournit une viande au goût très prononcé, mais le lait de ses femelles est aussi très apprécié et sert même à confectionner des fromages. On relève pourtant des signes d'amoindrissement du cheptel, dû en grande partie au fait que la traction animale est tombée en désuétude (le renne jouait en Laponie un rôle comparable à celui du cheval ou du bœuf sous nos latitudes).

Les préparations du renne sont multiples : on peut le servir rôti avec une sauce veloutée dont il existe maintes versions, mais aussi tout simplement poêlé, en steak ou en filet, garni de morilles à la crème. Dans le cas présent, les steaks de renne sont fumés avant d'être rapidement poêlés. L'accompagnement d'œufs brouillés permet surtout d'atténuer la forte saveur de cette viande, mais on peut tout aussi bien les remplacer par des pommes de terre ou une compote d'airelles. Si vous avez des difficultés à trouver de la viande de renne, vous pourrez appliquer cette recette au chevreuil fumé, voire à certains morceaux de cheval.

1. Préparer des œufs brouillés en mélangeant dans un récipient les œufs, la crème, le sel et le poivre.

2. Faire fondre le beurre dans une poêle, verser le mélange et remuer avec une spatule en bois jusqu'à ce que les œufs brouillés prennent consistance.

fumé de Laponie

3. *À la fin de la cuisson, ajouter le thym frais. Découper en fines tranches le renne fumé.*

4. *Poêler rapidement les tranches de renne sans adjonction de graisse. Dresser les œufs brouillés au centre du plat, disposer les tranches de renne tout autour et par-dessus une quenelle d'œufs d'ablette.*

Poitrine de bœuf salée

Préparation *45 minutes*
Cuisson *3 heures*
Difficulté ★★

Pour 4 personnes

1 poitrine de bœuf salée d'1 kg
1 bouquet garni
200 g de pommes de terre nouvelles
1 botte de petites carottes
4 petits poireaux
200 g de chou de Milan

200 g de navets blancs
200 g de pois gourmands
200 g de haricots beurre jaune
1 noisette de beurre
pain de seigle
moutarde de Dijon
1 morceau de raifort
1 bouquet de thym frais

Les difficultés de communication en Suède ont jadis rendus obligatoires des systèmes élaborés de conservation comme la salaison des viandes. Notre chef détaille avec précision la procédure idoine: on doit faire mariner le bœuf 4 à 6 jours au frais dans une eau salée à 18 % additionnée de salpêtre. Le morceau est alors rincé, égoutté et déclaré apte à la cuisson. Il est recommandé de goûter l'eau de cuisson et de la changer si elle est trop salée, au cas où le bœuf ait séjourné trop longtemps dans la saumure.

Il est très important de bien choisir la viande: nous disposons de races qui n'ont rien à envier aux suédoises, la limousine par exemple, ou encore les bœufs d'Hereford, originaires d'Angleterre. Si vous n'avez pas le temps de saler vous-même le bœuf, achetez-le déjà préparé et faites-le cuire longuement dans un savoureux court-bouillon pour obtenir au final une viande fondante, à déguster pour ainsi dire à la cuillère. C'est la partie la moins grasse de la poitrine qui vous servira, c'est-à-dire le morceau sur les côtes, dont la forme se prête au découpage en tranches épaisses.

Pour relever l'arôme de la viande, Örjan Klein a recours au raifort, dont le caractère poivré fera merveille... si vous prenez la précaution de le servir à part, car il vaut mieux laisser vos convives doser à leur guise. Jadis «plat du pauvre» et de nos jours appréciée dans les milieux plus aisés, cette poitrine de bœuf est un bel exemple témoignant de l'évolution des sociétés occidentales.

1. Faire cuire la poitrine de bœuf dans l'eau bouillante avec un bouquet garni. Laisser bouillir en écumant régulièrement et continuer la cuisson 2 heures 30 minutes à 3 heures, jusqu'à ce que la viande se détache légèrement en morceaux. Mettre ensuite la viande sous presse au réfrigérateur pendant toute la nuit.

2. Éplucher les légumes, les cuire séparément dans l'eau salée et les rafraîchir. Au dernier moment, réchauffer la préparation avec une noisette de beurre.

aux légumes et raifort

3. Couper la poitrine de bœuf en tranches épaisses, puis les réchauffer dans le bouillon de cuisson.

4. Dresser harmonieusement les tranches de viande ainsi que tous les légumes. Servir avec du pain de seigle, de la moutarde, du raifort râpé et du thym.

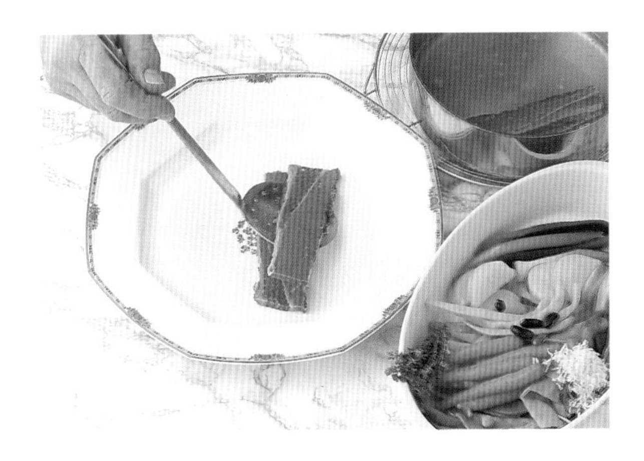

Selle d'agneau aux dattes

Préparation — *1 heure 15 minutes*
Cuisson — *1 heure 15 minutes*
Difficulté — ⁎⁎⁎

Pour 4 personnes

2 selles d'agneau
4 dattes
1 cuil. à soupe de moutarde à l'ancienne
8 échalotes
4 cuil. à soupe de vinaigre de vin rouge
500 ml de porto
1 l de fond d'agneau
4 anis étoilés
quelques feuilles de menthe fraîche
sel, poivre
8 endives
1 cuil. à soupe de beurre
1 cuil. à soupe de sucre

Le mélange d'agneau et de fruits secs est très prisé au Maroc, et s'accommode fort bien en Europe d'un assaisonnement à la moutarde à l'ancienne (ou encore moutarde de Meaux), où les graines grossièrement concassées de diverses variétés de moutardes subsistent à l'état de téguments.

Pour la confection de ce plat, c'est l'agneau d'Écosse qu'a sélectionné notre chef. Mais tout autre agneau de qualité sera le bienvenu, notamment les agneaux de pré-salé qui offrent une viande savoureuse et fondante, fortement iodée par les pâturages marins. La selle désossée, farcie et roulée dans des lambeaux de peau (que l'on appelle panoufles) doit d'abord rôtir une dizaine de minutes à la casserole pour laisser fondre la graisse. La véritable cuisson s'effectue ensuite au four, sur un coussin de pommes de terre : ainsi, la viande ne touche pas le fond du plat et sa cuisson est nettement plus homogène. N'oubliez pas que l'agneau doit reposer quelques instants en fin de cuisson pour recouvrer tout son moelleux.

La datte est originaire d'Afrique du Nord et plus généralement du bassin méditerranéen. Elle apporte vitamines, phosphore et calcium et n'est pas seulement réservé aux desserts mais enrichit également de nombreux plats salés. C'est le deglet nour, le « doigt de la lumière » à la moelleuse chair ambrée, que vous choisirez pour farcir l'agneau. Selon la légende, les ouvriers qui construisaient la cité royale de Marrakech auraient jeté les noyaux qui seraient à l'origine de la palmeraie de dattiers de la ville.

1. Lever les filets d'agneau et les mettre à vif. Retirer la peau des panoufles et les dégraisser. Aplatir légèrement pour obtenir des tranches fines. Réduire les dattes en purée et mélanger avec la moutarde.

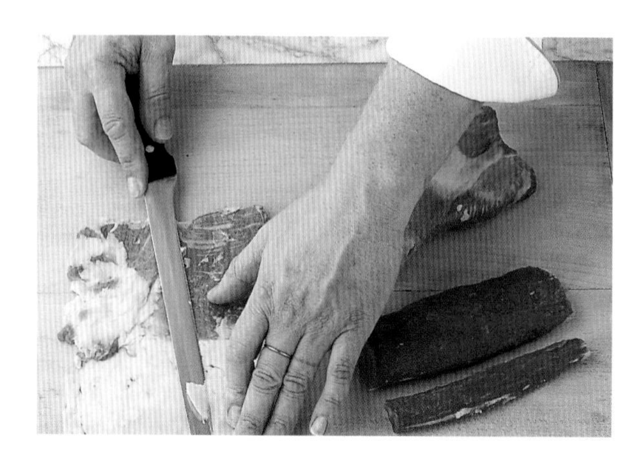

2. Enduire les panoufles de mélange moutardé, enrouler un filet d'agneau dans chaque panoufle et ficeler.

et aux graines de moutarde

3. Faire suer les échalotes émincées, déglacer au vinaigre et faire réduire à sec. Déglacer à nouveau au porto et faire réduire une fois encore. Mouiller avec le fond d'agneau, ajouter les anis étoilés, quelques feuilles de menthe et assaisonner. Laisser infuser à petits bouillons, filtrer, puis réserver au chaud.

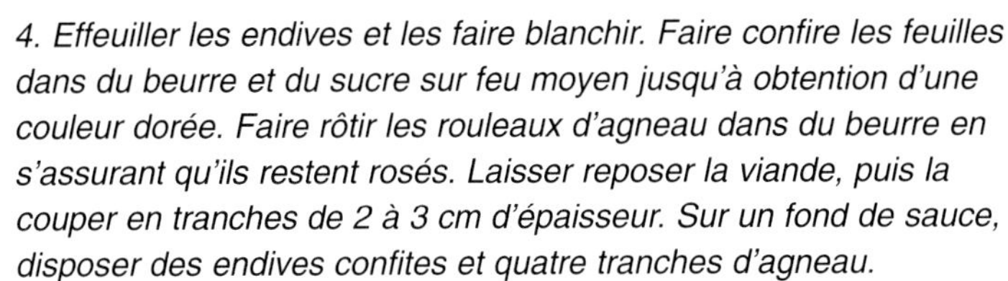

4. Effeuiller les endives et les faire blanchir. Faire confire les feuilles dans du beurre et du sucre sur feu moyen jusqu'à obtention d'une couleur dorée. Faire rôtir les rouleaux d'agneau dans du beurre en s'assurant qu'ils restent rosés. Laisser reposer la viande, puis la couper en tranches de 2 à 3 cm d'épaisseur. Sur un fond de sauce, disposer des endives confites et quatre tranches d'agneau.

Pintade en rognonnade,

Préparation *45 minutes*
Cuisson *20 minutes*
Difficulté ☆☆

Pour 4 personnes

1 rognon de veau
sel, poivre
huile
1 noix de beurre
1 cuil. à soupe d'échalote
200 g d'épinards en branches
1/2 gousse d'ail
4 suprêmes de pintade sans os
100 à 150 g de crépine de porc

Blanquette :
2 raves jaunes
2 carottes
20 g de beurre
1 cuil. à soupe d'échalote
30 g de lardons fumés
100 ml de fond brun de veau
200 ml de crème fleurette
sel, poivre

Très appréciée en Suisse où l'on aime généralement la farcir comme une poularde, la pintade mérite assurément un traitement plus original. Ce gallinacé d'Afrique, bien connu des Anciens qui le nommaient « poule de Numidie » ou « poule de Carthage », sera cuisiné avec un rognon de veau ferme et blanc dans son enveloppe graisseuse. La pintade devra être juteuse et bien dodue, et les suprêmes encore couverts de leur peau. Notre chef vous recommande une pintade fermière ou un pintadeau, dont on juge la qualité à la mollesse de la carcasse. Une tradition largement répandue veut que la volaille soit meilleure après avoir rassis deux jours environ.

Le rognon sera d'abord complètement débarrassé de sa graisse, puis fariné et saisi très rapidement à feu vif. Cette opération doit le raidir et lui donner plus de croquant dans la farce aux épinards – que l'on peut aussi préparer à base de chou vert haché en julienne.

La garniture se compose de raves jaunes très digestes, dont la belle chair orangée reste ferme à la cuisson et se marie sans peine au mélange de carottes et de lardons. La rave jaune est surtout connue en Allemagne et en Suisse, mais on pourra lui substituer des navets à chair jaune, voire des rutabagas.

Cette blanquette de légumes ne peut réussir qu'au prix de beaucoup d'attention : la cuisson s'effectue en deux étapes dont on doit scrupuleusement surveiller la durée, sous peine de mettre en péril la consistance de l'ensemble. Les raves jaunes, élément principal de l'accompagnement, doivent notamment conserver leur fermeté.

1. Dégraisser le rognon de veau, le couper en bandes d'1 cm de large environ, l'assaisonner de sel et de poivre, puis le saisir rapidement à l'huile dans une poêle bien chaude. Réserver. Faire suer au beurre l'échalote hachée, incorporer les épinards, assaisonner et ajouter l'ail. Bien mélanger et réserver.

2. Ouvrir les suprêmes (conserver la peau) en portefeuille, assaisonner, puis les aplatir un peu pour qu'ils prennent plus de volume. Déposer dessus un peu d'épinards cuits, une ou deux bandes de rognons, à nouveau des épinards, puis refermer en collant les bords. Envelopper chaque pièce dans une crépine ayant préalablement dégorgé dans l'eau, puis réserver.

raves jaunes et carottes

3. Pour la blanquette, éplucher les raves jaunes et les carottes, les couper en lamelles de 3 à 4 mm d'épaisseur et les cuire séparément dans l'eau salée (assez fermes, car elles vont cuire encore dans la crème). Égoutter. Faire suer au beurre l'échalote hachée et les lardons. Mouiller avec le fond de veau, laisser réduire un peu, puis ajouter les légumes, la crème, le sel et le poivre.

4. Faire mijoter les légumes encore 10 minutes pour que les saveurs se mélangent. Dans une poêle, faire rôtir les suprêmes dans l'huile, puis les glisser au four 7 minutes à 250 °C. Laisser reposer 5 minutes, puis dresser sur l'assiette de service accompagné de blanquette de légumes.

Pigeonneau rôti à

Préparation	*45 minutes*
Cuisson	*45 minutes*
Difficulté	★★

Pour 4 personnes

2 pigeonneaux d'environ 500 g chacun
140 g de beurre
1 jaune d'œuf
4 pommes de terre moyennes
30 g de truffe
100 g de foie gras

250 g de pâte feuilletée (*voir* p. 318)
200 ml de jus de truffes
100 ml de fond de volaille
sel, poivre fraîchement moulu
100 g de pleurotes

Triste destin que celui du pigeonneau tué à la gave, c'est-à-dire à l'époque où, gavé par ses parents, il s'apprête à quitter le nid. Au bout de 28 jours de sa brève existence, le pigeonneau pèse environ 400 g, poids optimal pour une dégustation. Sa chair est plus délicate fin juin, au moment de la Saint-Jean, mais certaines régions de France en font le plat traditionnel de Noël, en le servant « à la goutte de sang », c'est-à-dire rosé, avec un verre de grand bordeaux.

En Bourgogne et principalement dans le Morvan, sa région d'élevage privilégiée, le pigeonneau consomme à l'instar de ses parents du maïs, du blé et des petits pois. Selon les meilleurs éleveurs, c'est la conjugaison de ces divers aliments qui donne saveur et finesse à la chair du volatile. Il conserve tout de même un bec et des griffes fragiles, et s'avère extrêmement tendre.

Il faut cuire à la poêle la viande rosée pendant 15 minutes avant de l'enrober d'un feuilletage et de la faire cuire à nouveau. Ce laps de temps est indispensable pour une bonne répartition de la chaleur. Le pigeonneau ne supportant pas un excès de cuisson, chacune de ces phases doit être très rapide.

La sauce d'accompagnement peut certainement comporter d'autres parfums que ceux de la truffe : un mélange égal de vins doux, par exemple madère et porto, réduit presque à sec puis monté au beurre, enrichira ce plat d'un arôme profond. Vous gagnerez du temps et de la saveur en préparant cette sauce la veille.

Cette recette connaît une variante intéressante avec des noisettes d'agneau en canons.

1. Après avoir flambé et vidé les pigeons, couper le cou au ras du corps ainsi que les ailerons. Lever les ailes et les cuisses. Chauffer un peu de beurre dans une sauteuse, y ranger les pigeons et les faire colorer doucement en arrosant régulièrement. Retourner sur toutes les faces, puis enfourner 8 minutes à 220 °C.

2. Réserver les cuisses dans un lieu tempéré. Préparer un jaune d'œuf dans un petit plat et, à l'aide d'un pinceau, badigeonner les morceaux de pigeon. Éplucher les pommes de terre, les laver et les creuser à l'aide d'un vide-pomme.

l'émiettée de truffe

3. Rouler soigneusement chaque morceau de pigeonneau dans la truffe finement hachée et cuire à sec dans une poêle pendant 1 minute. Égoutter les pommes de terre, puis les garnir de purée de foie gras et de truffe hachée. Étaler la pâte feuilletée, enrouler les morceaux dans le feuilletage et enfourner 15 minutes à 200 °C.

4. Faire réduire de moitié le jus de truffes, puis ajouter le fond de volaille. Faire réduire à nouveau de moitié, monter avec le beurre restant et assaisonner. Napper de sauce le fond des assiettes. Dresser une aile et une cuisse, les pleurotes poêlés, ainsi que les pommes de terre coupées en deux.

Volaille de Bresse au

Préparation	*45 minutes*
Cuisson	*25 minutes*
Difficulté	★★

Pour 4 personnes

1 volaille de Bresse d'environ 2 kg
12 petits poireaux
50 g de maïs en grains
100 g de beurre
50 g de trompettes-de-la-mort
500 ml de jus d'oignon
100 ml de jus de poulet
sel, poivre
ciboulette

Caramel :
25 g de sucre
50 ml d'eau

Les volatiles et la volaille ont longtemps été considérés comme une viande maigre, au point que l'on a pu autoriser leur consommation les jours d'abstinence, lorsque la viande rouge était interdite. C'est à la Renaissance que les volailles ont vraiment fait leur entrée dans la gastronomie bouleversant radicalement les habitudes culinaires.

La poularde est une jeune poule de 7 à 8 mois qu'on engraisse en cage et dans la pénombre, pour stopper sa maturité sexuelle ; elle donne une chair très fine. La volaille de Bresse est la seule à bénéficier d'une appellation d'origine contrôlée (A.O.C.). Élevée dans de vastes espaces (10 m² pour chaque animal), nourrie au maïs et au lait, la volaille est abattue très jeune et présente les meilleures garanties pour le consommateur.

Les paupiettes farcies de chair et de champignons peuvent être préparées à l'avance, afin que l'enveloppe se gorge du parfum des trompettes-de-la-mort. Malgré leur appellation funèbre (on les nomme aussi « craterelles »), ces petites cornes noires ont un arôme délicat qui s'accorde parfaitement à la volaille. Du fait de leur épaisseur, les cuisses seront précuites dix minutes à la vapeur avant d'être sautées avec les ailes.

L'accompagnement de maïs est tout naturel, puisque les volailles en raffolent. La consistance de l'oignon, cette denrée essentielle, est parfaite pour les fonds de sauce. Confectionner un jus d'oignon permet d'obtenir une sorte de caramel blond, que l'on décuit parfois avec un filet de citron. Pour une saveur plus sauvage, on peut, en période de chasse, remplacer la volaille par un faisan.

1. Lever les filets, les ailes et les cuisses de la volaille, puis les désosser. À l'aide d'une batte, aplatir les morceaux. Cuire les petits poireaux à l'eau salée. Poêler légèrement les grains de maïs dans un peu de beurre et réserver.

2. Hacher les filets et les trompettes-de-la-mort. Garnir les cuisses et les ailes de cette farce, rouler comme une paupiette et ficeler. Envelopper dans un film alimentaire et réserver au frais.

jus d'oignon caramélisé

3. Confectionner le jus d'oignon à la centrifugeuse, laisser réduire de moitié et filtrer. Faire un caramel avec le sucre et l'eau, décuire avec le jus d'oignon et laisser chauffer 15 minutes. Monter au beurre, ajouter le jus de poulet et rectifier l'assaisonnement.

4. Faire cuire les cuisses 10 minutes à la vapeur en arrosant souvent, puis les mettre dans une sauteuse avec les ailes. À l'issue de la cuisson, couper les cuisses et les ailes en tranches. Parsemer de grains de maïs et de petits poireaux, puis napper de sauce. Décorer avec quelques brins de ciboulette.

Ragoût de canard

Préparation *45 minutes*
Cuisson *1 heure*
Difficulté ★★

Pour 4 personnes

1 canard fermier de 3 à 3,5 kg
50 g de bacon
500 g de chou rouge
4 navets
6 pruneaux

3 cuil. à soupe de graisse de canard
1 branche de thym
50 g de farine
400 ml de vin rouge
sel, poivre
vinaigre de vin rouge

Brunoise :
1 oignon
1/4 de céleri-rave
2 gousses d'ail

Au Danemark, on fête le canard le 11 novembre. Rien de comparable à la « Saint-Cochon » que l'on célébrait jadis au moment d'abattre les porcs : le canard aux pommes, ou garni de chou rouge et de pruneaux, est traditionnellement servi lors du repas qui fête le *Morten Gås-Aften*. Pour lui conserver un maximum de saveur, Erwin Lauterbach vous conseille d'acheter un canard entier, avec tous les abats, et non pas un sujet auquel on a, par souci d'hygiène, enlevé les parties les plus gustatives. Vous préparerez dans cette recette la poitrine et les cuisses, en veillant à faire cuire ces dernières plus longtemps.

Notre chef est partisan d'un vin de qualité pour la sauce et considère qu'il vaut mieux en mettre moins que d'adopter n'importe quelle « piquette » sous prétexte qu'elle donnera un arôme plus corsé. Les légumes d'accompagnement n'ont pas été choisis par hasard et l'on doit respecter leur équilibre : le navet absorbera la graisse du canard, ce qui rendra leur sourire aux convives, soucieux de bien digérer cette volaille réputée pour sa générosité. Vous découperez les magrets en morceaux de 50 g environ, pour que la graisse fonde plus facilement, et soumettrez la peau du canard à une cuisson séparée qui la rendra croustillante. Enfin, le bacon apportera la touche fumée chère aux Danois et nuancera agréablement l'ensemble du plat.

Vous pouvez préparer à l'avance le chou rouge au vinaigre, dont la saveur légèrement sucrée sera bien adaptée à ce ragoût. Rappelons enfin qu'il est de coutume, à Noël, d'accompagner ce plat de pommes de terre caramélisées.

1. Couper les magrets et les cuisses du canard. Désosser les cuisses. Dépouiller les magrets et les découper en morceaux de 50 g. Réserver la peau. Découper le bacon en dés. Tailler finement le chou rouge. Éplucher les navets et les couper en 6 morceaux. Dénoyauter et découper les pruneaux en deux ou trois morceaux. Précuire les cuisses de canard pendant 10 minutes.

2. Cuire la peau du canard à la poêle pour la rendre croustillante ; réserver la graisse. Cuire les navets dans un peu d'eau salée et 1 cuil. à soupe de graisse de canard. Ajouter les pruneaux et faire réchauffer doucement jusqu'à évaporation de l'eau. Préparer un fond avec les carcasses et les légumes taillés en grosse brunoise.

et chou rouge

3. Faire revenir les magrets, les cuisses précuites et le bacon dans 1 cuil. à soupe de graisse de canard avec le thym. Retirer la graisse et fariner. Retourner les morceaux, puis déglacer avec le vin rouge et le fond de canard. Laisser étuver 15 minutes à couvert. En fin de cuisson, retirer la viande, passer au chinois et faire réduire. Remettre la viande dans la sauce.

4. Faire revenir le chou dans une poêle chaude avec la graisse de canard restante. Rectifier l'assaisonnement et ajouter un peu de vinaigre de vin rouge. Dresser le chou dans un coin de l'assiette avec les navets et les pruneaux. Servir la viande et verser la sauce.

Tendron de veau sauté

Préparation *1 heure*
Cuisson *1 heure 30 minutes*
Difficulté ★★

Pour 4 personnes

1 tendron de veau désossé d'1,5 kg
1 bouquet garni
1 petit oignon piqué d'1 clou de girofle
1 racine de persil
quelques branches de céleri
sel, poivre
ciboulette

Crudités :
2 betteraves rouges crues moyennes

75 ml d'huile de sésame ou de pépins de raisin
jus d'1/2 citron1 gousse d'ail
1 échalote hachée
sel,
poivre blanc

Sauté aux pommes :
3 pommes à cuire
1/4 de céleri-rave
30 g de beurre
1 oignon haché
1 cuil. à café de curry
1 cuil. à café de graines de moutarde moulues
1 cuil. à soupe de vinaigre
1 cuil. à café de moutarde
200 ml de bouillon de veau

Bien que les Danois soient les premiers consommateurs européens de viande, les élevages de jeunes veaux sous la mère sont limités. Leurs veaux étant généralement plus âgés que les nôtres, ils réclament une cuisson plus longue qui peut dérouter les amateurs français.

Le tendron est le muscle du veau qui a le plus travaillé, ce qui donne une viande ferme et savoureuse ; il faut laisser pour la cuisson la fine pellicule de graisse qui l'enrobe, car elle garantit le moelleux de la chair. C'est naturellement sur la douceur et la durée de cette cuisson que repose tout le succès du plat, mais on ne saurait négliger l'importance du salage et de la mise sous presse, auxquels notre chef procède dès qu'il a sorti la viande du bouillon. À défaut de tendron, et sous réserve de respecter les mêmes consignes, tout autre morceau de la poitrine de veau pourra être accommodé de cette manière.

L'accompagnement relève des traditions allemande et danoise, qui associent couramment dans la même garniture la pomme de terre (vous choisirez une bintje ou une pomme de terre primeur) et la pomme (la boskoop, dont la chair et le goût conviendront parfaitement à ce sauté parfumé de grains de moutarde). Pour qu'il croque à l'unisson, vous ferez cuire le céleri al dente.

Il faut rappeler que, très tôt, le Danemark a entretenu un important commerce d'épices avec les pays d'Europe de l'Ouest, ce qui lui a fait par exemple découvrir les différents ingrédients du curry, traditionnellement employé à Noël.

1. Mettre le tendron de veau à cuire avec le bouquet garni, l'oignon, le persil, le céleri, le sel et le poivre. Recouvrir d'eau et laisser cuire à couvert en écumant de temps en temps.

2. Après 1 heure 30 minutes de cuisson, retirer la viande et la saler légèrement. Couvrir avec une feuille de papier sulfurisé et mettre sous presse. Passer le bouillon au chinois, puis laisser réduire à consistance voulue. Pour les crudités, couper les betteraves en fines lamelles et les faire mariner avec un peu d'huile, le jus de citron, l'ail, l'échalote, le sel et le poivre.

aux pommes et betteraves

3. Pour le sauté, couper les pommes non épluchées et le céleri en dés de 5 mm. Faire suer dans un peu de beurre l'oignon avec le curry et les graines de moutarde. Déglacer avec le vinaigre et la moutarde. Ajouter le bouillon de veau, laisser réduire et passer au chinois. Monter avec le beurre restant et réserver.

4. Réchauffer la viande dans un peu de bouillon, puis la couper en tranches. Poêler à feu vif les dés de céleri et de pommes. Mélanger à la sauce et rectifier l'assaisonnement. Décorer de ciboulette ciselée. Servir les crudités à part.

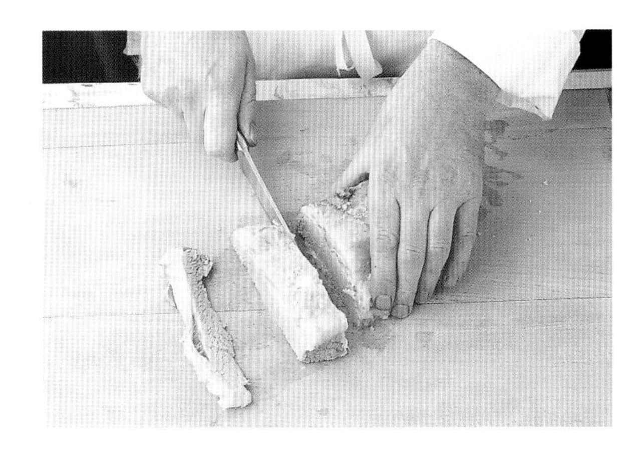

Poulet aux artichauts,

Préparation *30 minutes*
Cuisson *15 minutes*
Difficulté ☆

Pour 4 personnes

2 fenouils
4 artichauts moyens
4 tomates séchées
200 ml d'huile d'olive
1 branche de romarin
4 blancs de poulets

sel, poivre
persil plat
20 ml de vinaigre balsamique

L'art de sécher les tomates se transmet en Italie de génération en génération. Tout d'abord, les paysans déposent au soleil sur de larges filets les fruits coupés en deux. Ensuite, les tomates macèrent dans l'huile d'olive avec des aromates, ce qui leur confère un arôme typique et profond. Dans le cas présent, vous travaillerez des légumes de première fraîcheur : tomates, fenouils, artichauts – de préférence les petits violets du Midi, dont vous arracherez les queues pour dégager les parties fibreuses. Ils se consomment crus ou cuits, dans des préparations plus ou moins complexes.

Les blancs doivent provenir de poulets de qualité, pourvus d'un label fermier qui garantit, grâce à une alimentation saine et à un environnement spacieux, une chair savoureuse.
C'est le fenouil qui doit commencer la cuisson, car il nécessite une préparation plus longue. Ensuite (et dans l'ordre) viennent les artichauts, les tomates et les blancs de volaille, sans jamais laisser colorer la garniture. Après quelques instants de repos sur une plaque, vous poursuivrez la cuisson à four chaud, en respectant les valeurs indiquées.

Les aromates complémentaires méritent une mention : tout d'abord le vinaigre balsamique de Modène, excellent produit veilli en fûts d'essences diverses, dont le goût inimitable anoblira votre plat ; son coût prohibitif suppose un dosage léger. Ensuite le romarin, très méridional ; son goût puissant impose

1. Émincer le fenouil, les artichauts et les tomates séchées. Les faire revenir à l'huile d'olive avec le romarin dans une cocotte sans les laisser colorer. Commencer par le fenouil, puis ajouter les artichauts et les tomates.

2. Assaisonner les blancs de volaille et les ajouter à la préparation précédente. Mouiller avec un peu d'eau, couvrir et laisser cuire 6 à 7 minutes au four à 220 °C.

fenouil et tomates séchées

3. *La cuisson terminée, retirer les blancs de volaille et les détailler au couteau en très fines escalopes.*

4. *Incorporer le persil plat à la garniture et déglacer avec le vinaigre balsamique. Dresser la garniture au centre de l'assiette et recouvrir de tranches de volaille. Napper d'un peu d'huile et décorer avec un brin de romarin.*

Selle d'agneau au fenouil

Préparation *1 heure*
Cuisson *30 minutes*
Difficulté ★★

Pour 4 personnes

3 fenouils moyens
20 g d'anis étoilé (badiane)
200 ml de fond blanc de volaille
1/2 tête d'ail
4 tomates moyennes
150 g de beurre

1 selle d'agneau d'1,5 kg environ
sel, poivre
50 g d'olives noires
1 courgette
200 ml d'huile d'olive
jus d'agneau

Il n'existe pas d'animal davantage pétri de traditions mystiques et religieuses que l'agneau, dont la portée symbolique s'est répandue: l'agneau pascal incarne l'innocence et la pureté de l'« agneau qui vient de naître ». Cela n'empêche pas les hommes de l'abattre sans pitié pour consommer sa chair fine et savoureuse, avec une préférence marquée pour l'agneau de lait élevé au pis de sa mère.

La selle d'agneau, située juste au-dessus des gigots, est une partie charnue dont on apprécie l'arôme et la délicatesse. Ces qualités ne se démentent pas chez les sujets plus âgés qui se nourrissent d'herbe (les agneaux de pré-salé, par exemple, dont le goût se nuance de saveurs marines). Vous devez surveiller attentivement la cuisson de la selle d'agneau.

La badiane est un arbuste d'Extrême-Orient ; c'est en raison de son goût d'anéthol très prononcé et de la forme de ses fleurs qu'on la surnomme « anis étoilé ». Très digeste en infusion, elle forme avec le fenouil légèrement poché une alliance remarquable dont la selle d'agneau tire le meilleur. Il faut dire que l'anéthol, commun au fenouil, à la badiane et à l'aneth, domine ici la garniture et lui donne une très forte cohérence.

Les feuilles de fenouil n'ont peut-être pas été conçues pour servir de barquettes, mais il faut reconnaître qu'elles se prêtent parfaitement à cet emploi. Veillez à l'équilibre exact de leur contenu pour les faire tenir bien droit dans l'assiette : cela flattera le regard de vos convives avant d'enchanter leur palais.

1. Retirer les premières feuilles du fenouil. Laver et utiliser les feuilles du milieu pour la confection des barquettes. Les pocher 10 minutes environ dans l'eau salée avec l'anis étoilé.

2. Faire infuser 15 à 20 minutes dans le fond blanc de volaille les trois quarts de l'ail en chemise et les parures de fenouil. Ajouter les tomates mondées et coupées en pétales. Terminer la cuisson au four avec un peu de beurre. Parer la selle, retirer les panoufles, assaisonner et ficeler.

et tomates, sauce badiane

3. Mettre la selle à rôtir 20 à 25 minutes au four à 230 °C. Laisser reposer à température ambiante. Dénoyauter les olives. Couper la courgette, les olives et les cœurs de fenouil en brunoise. Cuire cette brunoise à l'huile d'olive avec le restant d'ail émincé.

4. Passer le jus au chinois, puis ajouter du beurre. Dresser la farce de légumes dans le fenouil et recouvrir avec les pétales de tomates. Déposer dans un plat avec le fond blanc monté au beurre. Réchauffer au four. Lever la selle d'agneau et la couper en noisettes. Dresser dans l'assiette en étoile avec la garniture. Disposer un peu de jus d'agneau tout autour.

Chicons confits, escalopes

Préparation *1 heure*
Cuisson *40 minutes*
Difficulté ★★

Pour 4 personnes

2 noix de ris de veau
sel, poivre
farine
100 g de beurre
1 mirepoix d' 1/2 oignon et d' 1 carotte
1 branche de thym
1 feuille de laurier

100 ml de porto rouge
200 ml de consommé de bœuf
200 ml de jus de veau
3 chicons (endives)
1 truffe
2 cuil. à soupe de jus de truffes
1 rognon de veau
200 ml de crème fleurette

Sauce hollandaise :
1 jaune d'œuf
beurre clarifié

Les qualités du veau ne se limitent pas à sa chair tendre ni même à sa richesse en minéraux (phosphore et fer notamment). Ses abats sont aussi recherchés pour la finesse de leur goût : le foie, le ris et les rognons font l'objet d'un véritable culte, et leurs amateurs ne se comptent plus.

Situé à l'entrée de la poitrine, le thymus ou ris qui disparaît chez l'adulte se compose surtout d'une partie ronde, appelée selon les cas pomme ou noix. Elle est inodore et sa couleur blanche comporte quelques reflets rosés. Il vous faudra du temps pour ôter les traces de sang et les impuretés que peut encore comporter le ris de veau, c'est pourquoi notre chef conseille de le faire blanchir la veille. Par ailleurs, il vaut mieux des rognons encore enveloppés de graisse : ils se conservent mieux et leur cuisson les garde plus moelleux. Cette consigne est toujours de mise, quelle que soit la manière de les préparer.

Fidèle aux produits de sa Belgique natale, Michel Libotte accorde la vedette aux chicons, que les recherches en agronomie permettent de consommer toute l'année. Ces légumes – que l'on appelle endives hors de Belgique – présentent maintenant des variétés précoces et tardives qui valent bien la production « normale », de septembre à février. Vous apprécierez la délicate alliance entre les chicons, la truffe et le porto rouge.

C'est en hiver que vous servirez plus volontiers cette recette roborative. Si vous craignez l'amertume des chicons (que l'on supprime en coupant le pied), remplacez-les par du céleri-rave.

1. Assaisonner et fariner les noix de ris de veau (les faire préalablement dégorger, blanchir et les dénerver).

2. Faire dorer les ris au beurre, puis ajouter la mirepoix d'oignon et de carotte, le thym et le laurier. Laisser cuire quelques minutes, puis déglacer avec le porto, le consommé et les trois quarts du jus de veau. Braiser au four 15 minutes à 180 °C. Couper les chicons en deux, ôter le pied et les faire revenir dans le beurre.

de ris et rognons

3. *Écraser la truffe et la faire fondre dans le beurre. Déglacer avec le jus de truffes et le jus de veau restant. Incorporer le chicon cuit et faire étuver le tout. Pour la sauce hollandaise, monter un jaune d'œuf avec un filet d'eau tiède et un peu de beurre clarifié. Dégraisser partiellement le rognon et le dénerver au maximum.*

4. *Ficeler le rognon et assaisonner. Faire dorer au beurre et terminer au four 15 minutes à 180 °C, en le retournant une fois. Après quelques minutes de repos, escaloper le rognon et les ris. Faire réduire le liquide de braisage des ris, ajouter la moitié de la crème, monter au beurre et passer au chinois. Ajouter la crème restante légèrement fouettée et 1 cuil. à soupe de sauce hollandaise. Napper la viande de sauce et glacer à la salamandre.*

Cochon de lait à la peau

Préparation *1 heure*
Cuisson *45 minutes*
Difficulté ★★

Pour 4 personnes

1/2 dos de cochon de 3 kg avec son rognon
1 banane
200 ml d'huile de pépins de raisin
jus de citron
2 feuilles de brick
2 pommes golden
20 g de sucre
beurre
150 ml d'huile d'olive
20 g de miel

150 ml de jus de cochon (confectionné avec les os)
100 ml de jus de veau
20 g d'airelles fraîches

Farce:
10 g de poivre vert
50 g de mie de pain
10 g de persil
rognon de cochon

Sauce aux épices:
40 g d'épices (curry, cannelle, cumin, coriandre, gingembre)
200 ml de consommé

Le cochon de lait possède une chair blanche et remarquablement tendre. Âgé de 4 à 8 semaines, il est à point pour cette recette, dont l'apparente complexité ne doit pas vous impressionner. Le cochon de lait est apprécié depuis le Moyen Âge et compte parmi les mets les plus somptueux. Ce véritable «repas sur pattes», dont toutes les parties ou presque sont consommables, offre aux cuisiniers d'innombrables occasions de faire valoir leur talent. Sa viande, bien qu'un peu gélatineuse, est peu calorifique. Même sa peau, sous la forme de fines lamelles rissolées, reste de nos jours un mets succulent.

Désosser le dos du cochon n'est pas une tâche facile: il faut procéder avec minutie pour ne pas perforer la chair avec un os brisé. En badigeonnant la peau d'huile d'olive avant le passage au four, vous faciliterez la répartition de la chaleur et rendrez la cuisson plus homogène. Il faut encore arroser régulièrement l'animal du jus qu'il a rendu, car sa peau sera plus croustillante. Une fois la cuisson terminée, vous le laissez reposer quelques minutes afin de servir une viande onctueuse et pleine de goût.

La farce au poivre peut être assaisonnée de trois façons: au poivre vert frais, assez rare et très corsé, au poivre vert déshydraté, qu'il faut préalablement regonfler dans l'eau, et enfin, plus couramment, au poivre vert en saumure que vous aurez d'abord rincé sous l'eau froide. L'accompagnement de fruits épicés nécessite évidemment des pommes et des bananes très mûres et parfumées. Vous pourrez également ajouter discrètement quelques rondelles d'ananas taillées en bâtonnets: qui donc les verra sous la feuille de brick?

1. Placer le dos du cochon de face et tracer les côtes au couteau. Casser les os. Désosser chaque côte individuellement et lever la colonne vertébrale. Dégager et retirer les filets mignons. Dénerver soigneusement le rognon.

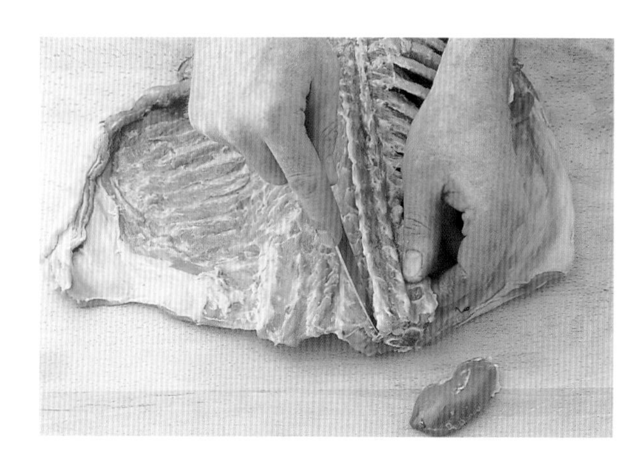

2. Tailler la banane en gros bâtonnets de 4 cm de long. Les faire mariner 30 minutes au moins dans l'huile de pépins de raisin avec un filet de jus de citron. Tailler chaque feuille de brick en quatre et en enrober chaque bâtonnet de banane. Couper les pommes en cubes, sucrer, citronner et faire caraméliser légèrement dans le beurre.

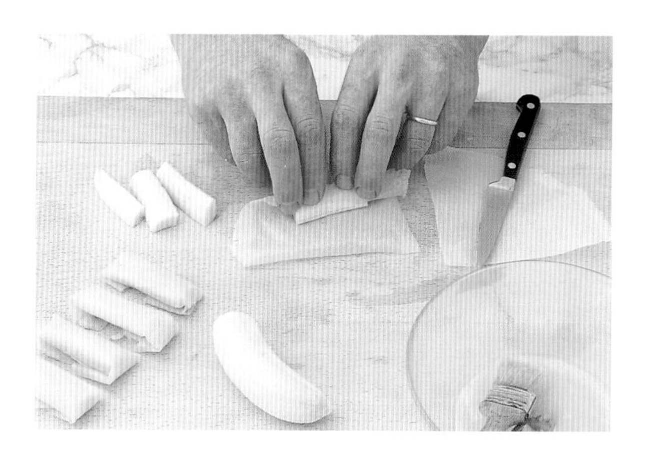

miellée, sauce aux épices

3. Farcir le dos du mélange de poivre, de mie de pain, de persil haché et de rognon, puis ficeler. Faire rôtir au four 45 minutes avec une noix de beurre et un trait d'huile d'olive. Après cuisson, retirer la ficelle. Badigeonner de miel et laisser caraméliser doucement quelques minutes sous la salamandre.

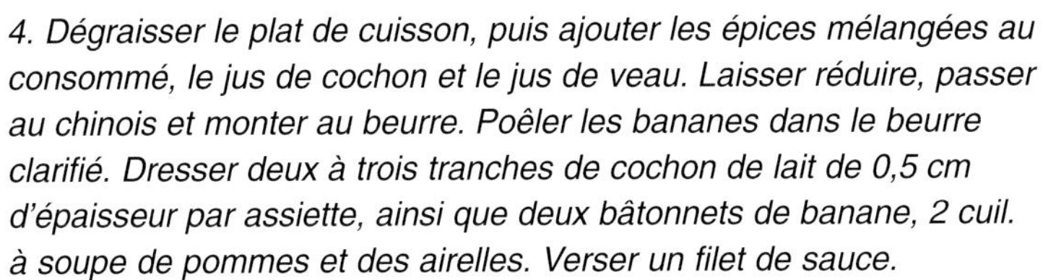

4. Dégraisser le plat de cuisson, puis ajouter les épices mélangées au consommé, le jus de cochon et le jus de veau. Laisser réduire, passer au chinois et monter au beurre. Poêler les bananes dans le beurre clarifié. Dresser deux à trois tranches de cochon de lait de 0,5 cm d'épaisseur par assiette, ainsi que deux bâtonnets de banane, 2 cuil. à soupe de pommes et des airelles. Verser un filet de sauce.

Collet de porc fumé

Préparation *1 heure*
Cuisson *2 heures 30 minutes*
Difficulté ☆☆

Pour 4 personnes

1,5 kg d'échine de porc fumée
1 carotte
1 poireau
1 bouquet garni
100 g de lard gras fumé
500 g de pommes de terre moyennes

2 kg de fèves
1 mirepoix de poireau
thym
laurier
1 couenne
3 gousses d'ail
1 cuil. à soupe de concentré de tomates
sarriette
sel, poivre
50 g de beurre
40 g de farine
persil

Ce plat pourrait presque être considéré comme le plat national du Luxembourg : ce «judd mat galardebonnen» se prépare toute l'année et symbolise admirablement la cuisine rustique et généreuse dont Léa Linster, Bocuse d'or 1989, est une fervente partisane. Étant donné son exiguïté, le territoire a toujours connu une sérieuse pénurie de céréales et l'on a dû les remplacer par d'autres aliments: pommes de terre, fèves, etc.

Les fèves des marais, que l'on reconnaît à leur grande taille, font leur apparition sur les marchés du grand-duché au début du printemps: c'est le meilleur moment pour en préparer quelques conserves à déguster le reste de l'année. Une fois débarrassées de leur peau (au goût très amer), ces fèves tendres et goûteuses font excellent ménage avec la sarriette – le thym, son habituel compagnon de route, peut à défaut la remplacer. On apprécie la sarriette pour ses vertus carminatives, ce qui justifie son emploi dans les plats à base de haricots, de fèves ou de lentilles.

La durée de cuisson du collet de porc ne doit pas vous décourager: on sait que la viande de porc a besoin de s'attarder dans les fourneaux, et notamment ce morceau découpé dans l'échine de l'animal, préalablement fumée et salée.

Naguère, on inscrivait ce plat au menu des lendemains de fêtes, lesquels voyaient défiler en abondance poulardes et pièces de veaux. Le porc faisait figure de plat de pénitence et se trouve toujours à la carte de nombreux restaurants du grand-duché.

1. Dans une casserole, placer le morceau d'échine avec la carotte, le poireau, le bouquet garni et laisser cuire environ 2 heures 30 minutes. Couper le lard gras en tout petits cubes et les faire revenir à la poêle. Éplucher les pommes de terre, les couper en quatre et les cuire dans l'eau salée.

2. Éplucher les fèves, les ébouillanter 3 minutes et ôter la peau. Faire revenir la mirepoix de poireau, un brin de thym, une feuille de laurier, la couenne coupée en morceaux, le lard et l'ail. Mouiller avec le jus de cuisson du collet, puis ajouter le concentré de tomates, une pincée de sarriette, le sel et le poivre. Laisser réduire, passer au chinois et monter au beurre.

aux fèves des marais

3. Faire revenir très doucement la farine sur le feu jusqu'à ce qu'elle se colore d'un joli brun clair.

4. Découper l'échine en tranches et la dresser sur un plat avec les pommes de terre saupoudrées de persil. Parsemer dessus les dés de lard gras grillés. Servir la sauce à part avec les fèves réchauffées au beurre.

Gras-double à la

Préparation *1 heure*
Cuisson *2 heures*
Difficulté ★

Pour 4 personnes

1,5 kg de gras-double (bonnet)
1 bouquet garni
100 g de farine
2 œufs
200 g de chapelure
beurre clarifié
200 g de pommes de terre

Sauce :
parures de gras-double
1 couenne
1 mirepoix d'1 carotte
1 oignon et 1/2 céleri rave
thym, feuille de laurier
250 ml de vin blanc sec
100 ml de madère
500 ml de fond de volaille
1 cuil. à café de concentré de tomates
50 g de beurre
4 cornichons
2 tomates
sel, poivre
persil

Ce gras-double luxembourgeois, *kuddelfleck* en version originale, est un proche cousin du « tablier de sapeur » lillois et nourrit comme lui de fines controverses : le gras-double est-il seulement la panse du bœuf ou se compose-t-il d'autres morceaux de l'estomac ? Auréolée de son Bocuse d'or, Léa Linster se lance dans la bataille en brandissant pour ses préparations tous les morceaux du gras-double traditionnel.

Dans le cas présent, elle recommande le bonnet, la partie la plus épaisse de l'estomac, qu'il faut acheter préalablement blanchi. Deux heures seront indispensables à sa cuisson car les petits morceaux que vous aurez découpés seront ébouillantés puis frits dans une poêle au beurre clarifié. Il faut employer un bonnet de première qualité, car il doit rester moelleux à la fin de la cuisson, et découper ses tranches bien droites, à la façon des escalopes. Si vous n'êtes pas sûr que le bonnet a été blanchi, vous pourrez envisager de doubler le délai de cuisson.

Après cela, vous accommoderez la sauce à votre fantaisie : notre chef la prépare au vin blanc et au madère, car elle obtient ainsi une sauce brune parfumée dont s'imprègnent les pommes de terre (que vous choisirez farineuses).

Ce plat nettement roboratif est recommandé pour l'hiver. C'est d'ailleurs en cette saison qu'on le préparait jadis, avant l'invention du réfrigérateur : la température étant alors mieux adaptée à la conservation, on abattait le bœuf et l'on mangeait en priorité ses morceaux périssables.

1. Pour la sauce, faire revenir les parures du gras-double, la couenne coupée en morceaux, la mirepoix de carotte, d'oignon et de céleri, le thym et le laurier. Déglacer avec le vin et le madère, puis laisser réduire. Mouiller avec le fond de volaille, ajouter le concentré de tomates et faire réduire à consistance. Passer au chinois et monter au beurre.

2. Faire cuire environ 2 heures dans l'eau le morceau de gras-double avec le bouquet garni. Égoutter, laisser refroidir, puis couper en rectangles. Les rouler dans la farine, l'œuf et la chapelure. Couper les cornichons ainsi que les tomates mondées et épépinées en petits cubes.

luxembourgeoise

3. Faire dorer à la poêle à feu moyen dans du beurre clarifié les morceaux de gras-double.

4. Cuire les pommes de terre dans l'eau salée et les passer au presse-purée. Terminer la sauce en incorporant les cubes de cornichons et de tomates. Rectifier l'assaisonnement et conserver au chaud. Dresser dans chaque assiette deux rectangles de gras-double, un peu de purée de pommes de terre et une petite louche de sauce. Décorer avec un brin de persil frit au beurre.

Agneau cuit en croûte,

Préparation *2 heures*
Cuisson *1 heure 30 minutes*
Difficulté ☆ ☆

Pour 4 personnes

1 selle d'agneau d'1,5 kg
sel, poivre
500 g de pâte à pain
1 poignée de foin parfumé
farine
beurre

Estouffade de pommes de terre :
200 g de cèpes séchés
800 g de pommes de terre
2 gousses d'ail
500 ml de crème fleurette, sel, poivre
1 pincée de noix muscade

Poudre au loup :
1 gousse d'ail
10 g de baies de genièvre
zestes d'1 orange séchés
20 g de gingembre
poivre

Légumes (selon la saison) **:**
10 carottes avec leurs fanes
10 navets avec leurs fanes
200 g de petits pois
100 g de haricots verts
300 g de fèves
beurre

Hormis les idées novatrices, ce sont, pour une grande part, les procédés forgés sur des siècles d'expérience qui font autorité en cuisine. Ainsi, c'est en considération d'une tradition locale que Régis Marcon conseille de faire tremper les cèpes une nuit dans l'eau tiède : le lendemain, vous trouverez en dépôt sur le fond du récipient de multiples particules de terre ou de sable rendues par les champignons. Par ailleurs, le jus de trempage ainsi obtenu sera encore plus riche en goût.

Vous choisirez une selle d'agneau de belle tournure, garnie d'une graisse très blanche qui atteste sa fraîcheur. Les très jeunes agneaux sont les meilleurs, notamment les « laitons », nommés ainsi pour exprimer l'importance du lait dans leur consommation quotidienne. Mais d'autres agneaux peuvent offrir des saveurs supplémentaires, par exemple les agneaux de pré-salé, dont le goût iodé réjouit les gourmets. Pour qu'il conserve sa forme à la cuisson, vous aurez soin de ficeler solidement le morceau d'agneau et de le faire colorer uniformément avant de l'enrober de pâte. La viande sera tendre et savoureuse si vous la maintenez rosée.

Pour la cuisson en croûte de pain, vous utiliserez du foin parfumé, qui apporte jusque dans le four un élément du milieu naturel de l'agneau. Cette méthode permet de concentrer les sucs et les arômes de la viande, et de présenter une chair exceptionnellement moelleuse, comme vous pourrez vous en assurer dès l'ouverture de la croûte.

Ce mode original de préparation peut s'appliquer à d'autres viandes dont vous souhaitez préserver ou renforcer le goût.

1. Faire tremper les cèpes 24 heures. Faire colorer la selle d'agneau quelques minutes dans une poêle sans aucune matière grasse. Saler, poivrer et réserver.

2. Étaler la pâte à pain et disposer le foin parfumé au centre. Déposer la selle d'agneau précuite sur le foin et refermer avec la pâte à pain. Saupoudrer de farine et faire cuire 45 minutes dans un four préchauffé à 230 °C.

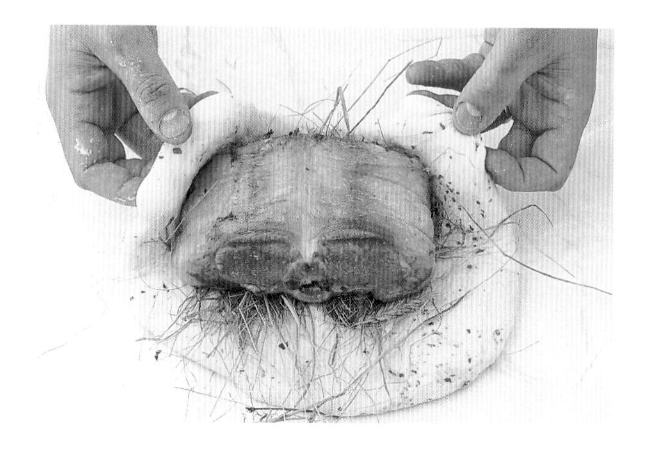

estouffade aux cèpes

3. Pour l'estouffade, éplucher, laver et tailler les pommes de terre en tranches de 4 mm d'épaisseur. Faire réduire de moitié l'eau de trempage des cèpes. Ajouter les gousses d'ail écrasées, la crème, le sel, le poivre et la muscade, puis passer au chinois. Alterner dans un plat à gratin pommes de terre et cèpes hachés, arroser de jus et laisser cuire 1 heure 30 minutes à 210 °C.

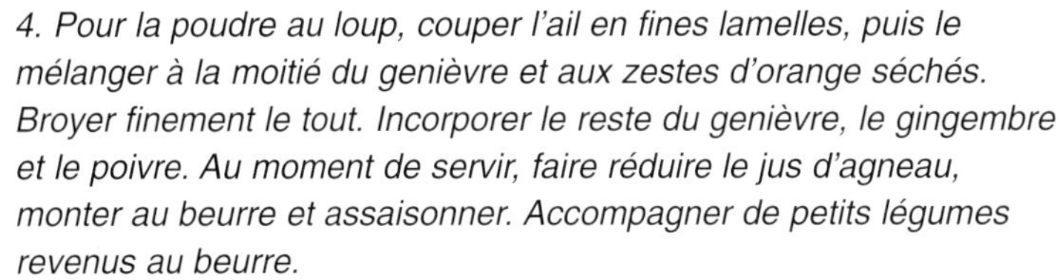

4. Pour la poudre au loup, couper l'ail en fines lamelles, puis le mélanger à la moitié du genièvre et aux zestes d'orange séchés. Broyer finement le tout. Incorporer le reste du genièvre, le gingembre et le poivre. Au moment de servir, faire réduire le jus d'agneau, monter au beurre et assaisonner. Accompagner de petits légumes revenus au beurre.

Canard en deux cuissons

Préparation *1 heure*
Cuisson *1 heure*
Difficulté ✯

Pour 4 personnes

4 cuisses de canards
20 g de sucre
sel, poivre
thym, laurier
1 kg de graisse de canard
400 g de lentilles vertes du Puy
1 bouquet garni

500 ml de jus de volaille
2 cuil. à café de miel
100 ml de vinaigre de vin
zestes d'1 orange
30 g de beurre
8 gousses d'ail
50 g de poitrine salée

Brunoise:
50 g de carotte
50 g de céleri
50 g d'oignon

La cuisson des lentilles revêt une importance capitale. Insuffisante, elle laisse les légumes trop fermes et sans saveur; excessive, elle n'offre plus qu'une bouillie épaisse et indigeste. Il fallait innover dans la préparation des lentilles, ce à quoi vous convie Régis Marcon.

Paradoxalement, ces petites légumineuses d'Asie centrale ont passé durant des siècles pour la nourriture des pauvres, alors qu'elles sont aujourd'hui considérées comme très riches en fer et en cuivre. Leur culture dans le Velay, admirablement secondée par le micro-climat et la spécificité des sols volcaniques, a produit les savoureuses lentilles vertes du Puy, un produit de choix qui bénéficie d'une appellation contrôlée. Elle s'associera sans peine au goût généreux du canard, dont la préparation en deux temps requiert beaucoup de patience.

Pour l'excellence de ses magrets, vous choisirez de préférence un canard de Barbarie, pourvu si possible d'un label «fermier». Cette variété domestique, un peu plus musquée, s'apprête parfaitement à cette recette. Une cuisson longue à basse température vous permettra d'obtenir une viande uniformément rosée, qui aura perdu moins de graisse et moins de poids, et dont la saveur sera plus concentrée. Ce n'est donc pas une perte de temps, comme voudraient le faire croire certaines idées reçues.

Ces principes de cuisson seront identiques pour le pigeon, si vous souhaitez le substituer au canard. Particulièrement apprécié en automne, ce plat, servi chaud, peut se conserver deux ou trois jours.

1. Assaisonner la veille les cuisses de canards avec le sucre, le sel, le poivre, le thym et le laurier. Laisser reposer toute la nuit au frais. Faire chauffer 900 g de graisse de canard et laisser frémir. Ajouter les cuisses et laisser cuire 1 heure à feu doux. Faire tremper les lentilles dans l'eau froide. Confectionner la brunoise de carotte, d'oignon et de céleri.

2. Faire revenir 5 minutes la brunoise dans la graisse restante, puis ajouter le bouquet garni, les lentilles et trois volumes d'eau. Laisser cuire 30 minutes, retirer quasiment toutes les lentilles et ajouter au jus de cuisson la moitié du jus de volaille. Assaisonner, laisser cuire 10 minutes à feu doux, mixer et réincorporer les lentilles.

aux lentilles vertes du Puy

3. Faire caraméliser 1 cuil. à café de miel. Déglacer avec le vinaigre de vin jusqu'à l'obtention d'une consistance sirupeuse. Ajouter le reste du jus de volaille et faire réduire d'un quart. Incorporer les zestes d'orange et monter au beurre hors du feu.

4. Faire blanchir 2 minutes l'ail épluché; répéter l'opération trois fois. Faire caraméliser l'ail 5 minutes avec le restant de miel et une noix de beurre, puis entourer chaque gousse d'une fine tranche de lard. Faire colorer les cuisses à la poêle, puis terminer la cuisson dans un four préchauffé à 120 °C pendant 45 minutes environ.

Carré de veau

Préparation *8 heures*
Cuisson *2 heures 30 minutes*
Difficulté ★ ★ ★

Pour 4 personnes

1 carré de veau (5 côtes)
200 g de mousseline de veau
1 kg de gros champignons de Paris
1 botte de petits poireaux
4 carottes
50 g de morilles noires séchées
12 têtes de cèpes (diamètre 2 cm)
14 têtes de cèpes congelées (diamètre 5 cm)
parures de veau
1 bouquet garni

pieds de veau pour le jus
150 ml de vin blanc
2 kg de pommes de terre à chair ferme (de taille moyenne)
1 rognon, 100 ml de madère
2 navets longs
150 g de foie gras de canard cru
cardamome
1 gros poireau
500 ml de fond de volaille
2 beaux ris de veau
150 g de beurre
500 ml de jus de champignons
clairan
4 blancs d'œufs, chapelure blanche
huile d'olive

C'est avec ce carré de veau « Margaridou » que Régis Marcon a reçu des mains mêmes du maître le Bocuse d'or 1995, consécration du savoir-faire et du talent d'un cuisinier simple et généreux. Pour entrer dans ce club très fermé, il a fallu réunir auprès de son inflexible jury un total de 623 points.

Régis Marcon recommande pour ce carré un veau sous la mère des monts du Velay, élevé en étable sombre et nourri d'œufs tous les matins. La cuisson progressive et très perfectionnée qu'il préconise préserve toutes les particularités de cette viande savoureuse et fondante, et limite ses pertes en eau et en graisse. En contrôlant à la sonde la température à cœur (62 °C), vous éviterez les risques d'erreur.

La richesse de l'accompagnement mérite certainement une mention à part : ce veau en écailles de cèpes est en effet farci d'une mousseline de veau et de champignons, garni d'un foie gras cru de canard glacé au jus de cardamome, et enfin décoré d'une fameuse brochette du Puy qui, sous un manteau de blancs d'œufs frits et de jus de champignons, fait alterner ris de veau et morilles. Si l'on vous présente encore des pommes de terre (stella, de préférence) farcies de rognon rosé, vous conviendrez qu'il est difficile d'imaginer une préparation plus prestigieuse, des mets plus succulents et un cuisinier plus inventif.

C'est à dame Margaridou, cuisinière de talent au dévouement quasi sacerdotal, que Régis Marcon a voulu dédier cette recette, synthèse d'une expérience culinaire approfondie et d'une ferme volonté de promouvoir les produits de sa région.

1. Parer le carré de veau, ôter le talon, manchonner les côtes et percer la noix. Le farcir et le masquer de mousseline de veau et d'une duxelles de champignons de Paris. Décorer de petits poireaux, de deux carottes et de quelques morilles. Recouvrir de mousseline et de quelques lamelles de cèpes. Laisser cuire 15 minutes à 150 °C, puis 2 heures à 100 °C (62 °C à cœur). Glacer régulièrement pendant la cuisson.

2. Faire colorer les parures, puis ajouter le bouquet garni, les pieds de veau et le vin blanc. Tailler les pommes de terre en forme de pieds de cèpes et les creuser. Cuire au four avec les couennes et le jus, puis farcir de dés de rognon rosé revenus dans le madère. Couvrir de têtes de cèpes glacées au beurre.

« Margaridou »

3. Dresser régulièrement des larmes de carottes et de navets dans un moule de 4 cm de diamètre. Disposer un peu de farce au fond du moule et recouvrir d'une tranche de foie gras poêlé glacé au jus de cardamome. Ajouter un peu de julienne de poireau et quelques morilles.

4. Faire blanchir les ris de veau dans le fond de volaille. Confectionner des boudins et les faire colorer au beurre. Monter en brochette avec des disques de morilles, puis masquer avec le jus de champignons lié au clairan. Rouler les brochettes dans les blancs d'œufs montés en neige, puis dans la chapelure et faire frire à 170 °C.

Épaule d'agneau rôtie,

Préparation *30 minutes*
Cuisson *16 minutes*
Difficulté ★★

Pour 4 personnes

1 épaule d'agneau d'1,5 kg environ
300 g de persil plat
30 g de coriandre
30 g de basilic
30 g de cerfeuil
40 carottes avec les fanes

300 ml de jus d'agneau
70 g de beurre
sel, poivre
huile d'olive
2 cuil. à soupe de miel de Savoie
1 grosse pomme de terre

Les roses de pomme de terre sont une véritable tradition familiale en Savoie, où elles constituaient jadis le goûter dominical, très jalousé des enfants. Au XIXe siècle encore, 100 ans environ après sa diffusion dans nos contrées, la pomme de terre cuite au saindoux était un produit de luxe, associé aux repas de fête, dont on appréciait même les épluchures. Ces roses apporteront à votre plat, hormis leur puissant caractère savoyard, une décoration pleine d'originalité.

L'agneau ne saurait déparer votre table lors des grandes occasions : symbole universel de la pureté, il est depuis des siècles chargé de multiples traditions mystiques et les trois grandes religions monothéistes (christianisme, judaïsme et islam) l'associent souvent à leurs fêtes.

L'animal le mieux adapté pour cette recette est incontestablement le jeune agneau de Pauillac, élevé au cœur des vignobles du Médoc, dont le goût surpasse celui de la plupart de ses congénères. Sa viande doit être brillante, dense et bien colorée, douce au toucher. L'épaule est un morceau d'une grande finesse, peu chargé en graisse, facile à travailler et plus économique que le gigot ou le carré. Après la cuisson, vous aurez soin de laisser reposer la viande quelques instants avant de la découper.

Le dosage des herbes aromatiques joue un rôle primordial dans l'équilibre des saveurs : vous emploierez de préférence des herbes fraîches, plus riches en goût. Vous pouvez y ajouter du poivre de Cayenne, voire de la maniguette, si vous souhaitez relever votre plat d'une touche méridionale.

1. Poser l'épaule d'agneau sur le plan de travail et enlever le surplus de graisse. Équeuter les herbes, les laver et les plonger 5 minutes dans l'eau bouillante salée. Bien égoutter, puis mixer, passer au tamis fin. Éplucher les carottes en laissant 2 cm de fanes. Cuire dans l'eau bouillante salée 5 à 6 minutes, puis rafraîchir à l'eau glacée.

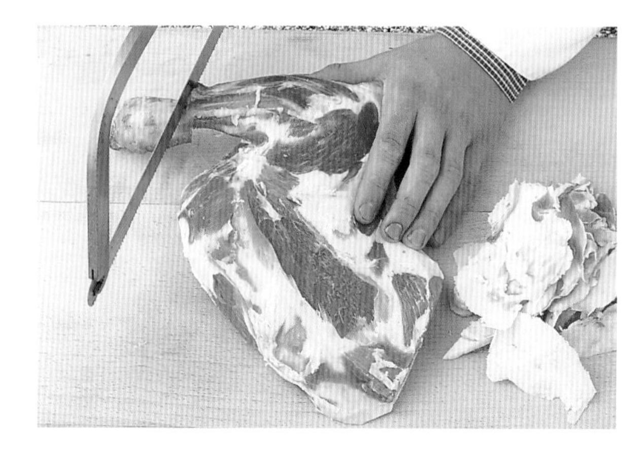

2. Faire réduire le jus d'agneau, le monter au beurre, ajouter la purée d'herbes et rectifier l'assaisonnement. Réserver au chaud. Chauffer un plat allant au four avec un peu d'huile d'olive. Saler et poivrer l'épaule, puis la faire colorer. Enfourner 16 minutes (8 minutes de chaque côté) à 200 °C. Réserver sur une grille, enveloppé dans une feuille d'aluminium.

roses de pomme de terre

3. Mettre le miel dans une casserole, le faire blondir et verser les carottes. Ajouter une noisette de beurre et assaisonner. Dresser sur le plat de service en disposant d'un côté les carottes et de l'autre l'épaule. Napper avec un peu de jus ; servir le reste en saucière.

4. Éplucher une grosse pomme de terre, la laver et la tailler à l'aide d'un économe en formant un long et fin ruban. Rouler le ruban sur lui-même en lui donnant la forme de roses. Plonger dans l'huile à 170 °C jusqu'à belle coloration. Retirer, égoutter et ôter l'excédent d'huile sur du papier absorbant.

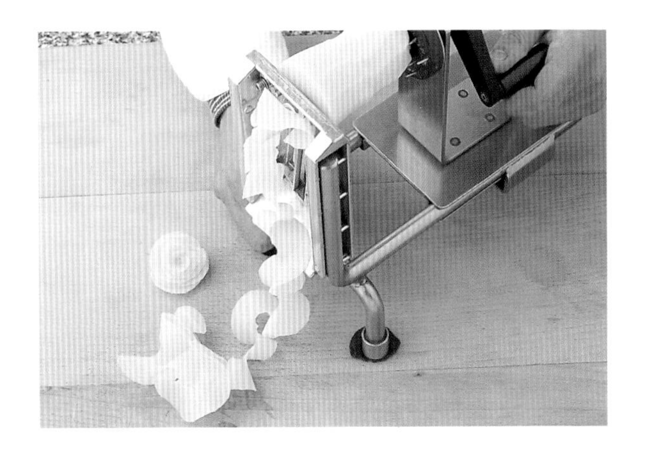

Parmentier de queue

Préparation *30 minutes*
Cuisson *20 minutes*
Difficulté ✮

Pour 4 personnes

2 queues de bœufs
1 garniture aromatique
500 g de pommes de terre charlotte
100 g de beurre
100 ml de lait entier
jus de truffes

sel, poivre fraîchement moulu
150 g de truffes
gros sel de Guérande

De l'aveu même de notre chef, qui l'évoque avec tendresse, ce plat qu'il surnomme le « parmentier de Raymonde » était l'une des spécialités de sa mère. Il renouvelle en tout cas le genre du hachis parmentier, dont les cuisines de collectivité nous ont infligé trop souvent des versions contestables.

Le choix de pommes de terre à chair ferme vous orientera plutôt vers la charlotte dont Guy Martin vante le goût, le moelleux et le fondant. De taille moyenne, sa forme est régulière, sa peau lisse et dorée sous laquelle s'abrite une chair très jaune. Sa tenue est excellente à la cuisson et l'est encore davantage après, puisqu'elle ne noircit pas.

La queue de bœuf est considérée comme un bas morceau, mais qui peut être de noble origine. L'idéal serait qu'elle provienne d'un bœuf de l'Aubrac ou du Limousin, âgé de 5 à 6 ans et nourri exclusivement à l'herbe des pâturages. La viande est d'un beau rouge luisant et la queue assez large pour réserver, une fois désossée, la quantité de chair nécessaire. Vous renforcerez son goût en ajoutant un bouillon corsé dans l'eau de cuisson.

Si vous constatez qu'elle s'effiloche à la cuisson, pressez la viande quand vous l'aurez égouttée : cette précaution garantira la tenue du parmentier, dont les éléments ne seront réunis qu'au moment de servir.

Les lamelles de truffes produiront un bel effet. À défaut de truffes entières, vous pourrez utiliser des truffes hachées ou tout simplement du jus de truffes, dont vous enrichirez la purée.

1. Cuire les queues de bœufs la veille avec la garniture aromatique. Réserver 50 ml de jus de cuisson et faire réduire doucement le reste de moitié. Une fois les queues cuites, séparer la chair des os.

2. Le jour même, faire cuire les pommes de terre et confectionner une purée en ajoutant 80 g de beurre, le lait, la moitié du jus de truffes et le tiers des truffes hachées. Veiller à ce que la purée ne soit pas liquide. Rectifier l'assaisonnement et réserver au bain-marie.

de bœuf aux truffes

3. Couper en fines rondelles le second tiers des truffes et hacher le reste. Verser dans une casserole le jus réduit, le reste du jus de truffes, les truffes hachées et 20 g de beurre. Rectifier l'assaisonnement et réserver au chaud. Faire chauffer la chair des queues de bœufs avec 2 ou 3 cuil. à soupe de jus de cuisson.

4. Disposer sur les assiettes des cercles de 7 cm de diamètre et 3 cm de hauteur. Monter en couches la queue de bœuf et la purée, puis terminer avec les fines rondelles de truffes. Verser 2 cuil. à soupe de jus très chaud et quelques grains de gros sel. Il est possible de confectionner le parmentier dans un plat creux.

Chevreau rôti à

Préparation *1 heure*
Cuisson *50 minutes*
Difficulté ★★

Pour 4 personnes

1/2 chevreau d'environ 3 kg
24 petites pommes de terre
1 botte de petits oignons
2 gousses d'ail
huile d'olive
sel, poivre
50 ml de vin blanc
200 ml d'eau

Pâte au piment doux :
2 gousses d'ail
1 cuil. à café de piment doux en poudre
100 ml de brandy (ou cognac)
100 ml d'huile d'olive
persil
1 feuille de laurier

Épinards :
500 g d'épinards en branches
50 ml d'huile d'olive
3 gousses d'ail
1 cuil. à café de farine de blé
vinaigre

Au Nord du Portugal, les jeunes animaux de boucherie sont des agneaux dans les plaines, des chevreaux et des cabris dans les montagnes. Aux alentours de la Saint-Jean (la São João Porto), on déguste dans les villages le chevreau rôti avec du vinho verde. Mais la plus noble de ses préparations reste la célèbre « chanfana de cabro » de la ville universitaire de Coimbra : c'est un chevreau rôti dont on utilise surtout les cuisses. Si vous lui préférez toutefois un goût moins prononcé, remplacez-le par un agneau laiton.

Ce jeune animal que l'on vient d'arracher à sa mère a besoin de tendresse : vous le soumettrez à une cuisson assez longue et très modérée. Restez à proximité du four pendant toute l'opération, parlez-lui gentiment et n'oubliez surtout pas d'« enrhumer le plat » toutes les 15 minutes environ pour éviter que la viande ne se dessèche. Cette expression courante dans le Nord du Portugal évoque l'ouverture du four à chaque fois que l'on doit arroser le rôti et le courant d'air qui s'ensuit.

En fin de parcours, vous devrez servir à vos convives une viande plutôt bien cuite (la coutume portugaise exige une viande très cuite), couverte d'une peau dorée très croustillante ; la pâte au piment doux parfumée au brandy dont vous l'aurez enduite avant cuisson la rendra particulièrement savoureuse. Ce mets roboratif et très original sera le bienvenu pendant les longues soirées d'été.

Il existe une variante proche de notre navarin d'agneau qui inclut une jardinière de petits légumes printaniers à la place des épinards aillés que vous suggère ici notre chef.

1. Après avoir préparé le chevreau, le découper en quartiers, puis séparer le gigot, le carré, la selle et l'épaule.

2. Pour la pâte au piment doux, hacher finement l'ail, puis le mélanger au piment doux, au brandy et à l'huile d'olive. Ajouter le persil, le laurier et former une pâte. Éplucher les pommes de terre et les oignons, puis les disposer dans un plat. Ajouter l'ail haché, l'huile d'olive, le sel, le poivre et cuire 20 minutes au four.

la mode du Nord

3. Enduire les morceaux de chevreau de pâte au piment doux, puis laisser reposer environ 1 heure au frais. Faire rôtir le chevreau 45 minutes au four à 160 °C. Arroser toutes les 15 minutes avec un mélange de vin blanc et d'eau. Sortir le rôti, déglacer le plat de cuisson avec un peu d'eau pour dissoudre le suc et passer au chinois.

4. Pour les épinards, cuire les feuilles dans l'eau bouillante salée, rafraîchir, égoutter et mixer. Au moment de servir, faire revenir l'huile d'olive et l'ail dans une sauteuse et ajouter les épinards hachés. Fariner, remuer, ajouter un soupçon de vinaigre et servir chaud. Dresser sur une assiette une tranche de chaque morceau de chevreau, la sauce et les garnitures.

Boudin rôti et cuisse de

Préparation *1 heure*
Cuisson *30 minutes*
Difficulté ★★

Pour 4 personnes

1 morceau de boudin de 150 g
2 jaunes d'œufs, 50 g de farine
50 g de chapelure
100 ml de jus de volaille
2 cuil. à café de vinaigre balsamique
4 cailles
50 g de foies de caille
100 g de beurre
1 échalote, persil
sel, poivre

4 fines tranches de foie gras
4 cœurs de cailles, 4 branches de marjolaine
fleurs de bourrache

Purée :
400 g de pommes de terre
20 g de beurre, 80 ml de crème double
60 ml de lait
sel, poivre

Émincé de céleri :
1 pied de céleri-branche
1 échalote
20 g de lardons fumés
1/2 cuil. à café de farine
20 ml de noilly-prat
200 ml de crème double
50 g de beurre
sel
poivre blanc

L'attrait des Allemands pour la charcuterie n'est pas un secret et l'on connaît la diversité des produits qu'ils consomment pour l'*Abendbrot*, ce repas froid du soir traditionnel d'outre-Rhin. Dieter Müller nous a vanté la qualité de son boudin truffé, composé de tête et de ris de veau, légèrement assaisonné de cacao, que l'on sert avec une savoureuse purée de pommes de terre.

La parfaite consistance de cette purée dépendra des pommes de terre utilisées, qui doivent être assez farineuses : la bintje convient parfaitement, mais l'urgenta pourra vous dépanner. Après l'avoir suffisamment travaillée avec le beurre et la crème, vous obtiendrez une substance onctueuse et parfumée, en parfaite harmonie avec les autres éléments du plat.

Si petite que soit la caille, elle est pleine de ressources et notre chef vous invite à toutes les exploiter : la cuisse, le cœur, le foie, tout l'animal apporte une profusion de saveurs subtiles et raffinées.

La garniture ne saurait être qu'allemande : Dieter Müller souhaite la composer à partir d'un seul légume, selon votre goût le poireau, l'épinard ou le céleri. Vous présenterez ainsi une composition haute en couleurs et d'un goût très recherché, rehaussée avec le vinaigre balsamique, dont quelques gouttes suffiront à transfigurer le plat. S'il est vrai que le coût du « vrai » vinaigre balsamique incite à la mesure, il serait tout à fait regrettable de réduire les portions de caille et le boudin : vos convives apprécieront sûrement d'être généreusement servis.

1. Paner les disques de boudin avec les jaunes d'œufs, la farine et la chapelure. Pour la purée, éplucher, laver et cuire les pommes de terre. Passer au moulin à légumes, bien travailler au beurre, ajouter en plusieurs fois la crème et le lait bouillant, puis assaisonner. Confectionner une sauce en réduisant à l'état sirupeux dans une sauteuse le jus de volaille et le vinaigre balsamique.

2. Pour l'émincé, bien laver le céleri-branche ; n'émincer que les feuilles les plus tendres. Faire blanchir, rafraîchir et essorer. Faire revenir l'échalote hachée et les lardons fumés, puis ajouter la farine, le noilly-prat et la crème double. Cuire 4 à 5 minutes jusqu'à consistance, puis monter au beurre. Ajouter l'émincé de céleri et assaisonner.

caille, sauce balsamico

3. Lever les cuisses, récupérer les foies et les couper en dés. Faire sauter les dés de foies dans le beurre avec l'échalote et le persil haché. Lier avec un peu de fond de volaille, laisser cuire 2 à 3 minutes et assaisonner. Poêler les cuisses au beurre clarifié et les garnir de dés de foie. Passer à la salamandre. Assaisonner les escalopes de foie gras et les poêler.

4. Cuire dans du beurre clarifié les disques de boudin et poêler les cœurs de cailles. Garnir l'assiette d'une cuillerée de purée de pommes de terre et d'une cuillerée d'émincé de céleri. Disposer un disque de boudin, une escalope de foie gras, une cuisse et un cœur de caille. Napper de sauce. Décorer de marjolaine et de fleurs de bourrache.

Crépinette de chevreuil,

Préparation *2 heures*
Cuisson *30 minutes*
Difficulté ⁎⁎

Pour 4 personnes

Farce :
20 g de morilles, 20 g de shiitakés
20 g de chanterelles, 30 g de foie gras d'oie
100 g de chair de chevreuil
20 g de lard gras, 10 ml de porto
40 ml de crème fleurette, thym, romarin

Crépinettes :
4 médaillons de chevreuil de 100 g chacun
1 crépine de porc, huile d'arachide

Sauce au pain d'épices :
500 ml de fond de chevreuil
40 ml de porto, 250 ml de vin rouge
thym, 6 baies de genièvre
50 g de pain d'épices

Chou rouge :
1 chou rouge
2 pommes (golden delicious)
2 clous de girofle, 4 baies de genièvre
1 piment oiseau, 500 ml de vin rouge
2 échalotes, 20 g de beurre
1 cuil. à soupe de sucre, sel

Spätzle aux épinards :
100 g de pousses d'épinards
160 g de farine, 3 œufs
1 cuil. à soupe d'eau
sel, beurre

En Allemagne, le pain d'épices est une friandise que l'on déguste à la Saint-Nicolas et que l'on retrouve dans les contes pour enfants : qui ne se souvient du petit bonhomme en pain d'épices ? Dieter Müller ne déroge pas à cette tradition et l'enrichit même, en créant cette sauce au pain d'épices et au porto.

Pour réussir à coup sûr, il faut un pain d'épices peu ou pas sucré, ce qui n'est pas très difficile à trouver. Si vous êtes amateur de porto, vous pourrez comparer les vertus du ruby (le plus jeune, reconnaissable à sa couleur), du vintage millésimé (le plus vieux, des années en bouteille) et du tawny, « roussâtre » en anglais. Notre chef apprécie particulièrement ce dernier pour son bouquet raffiné et ses reflets ambrés.

Mais le protagoniste de la recette est le chevreuil, pour lequel les chasseurs allemands éprouvent une sorte de respect. La chair d'un chevreuil assez jeune se consomme sans avoir faisandé et encore moins mariné. Votre choix se portera sur la selle, dont on tire les noisettes de filet, à déguster telles quelles. Ce sont les parures que vous associerez à la crème et aux divers champignons parfumés pour réaliser une farce compacte et savoureuse, à rouler dans la crépinette de porc. Le chevreuil n'est disponible qu'en saison de chasse, mais vous pouvez le remplacer par un lièvre ou un pigeonneau.

Les *Spätzle*, pâtes sonabes, se déclinent en diverses couleurs : ici en vert, grâce aux épinards. Quand Dieter Müller racle la pâte à *Spätzle*, c'est le souvenir de M. Adomeit, son maître, qui lui revient en mémoire.

1. Pour la farce, faire sauter les champignons émincés avec les dés de foie gras. Mixer la chair de chevreuil et le lard gras. Tamiser, puis ajouter les champignons, le foie gras, le porto, la crème fouettée, le thym et le romarin. Pour les crépine, saisir les médaillons de chevreuil des deux côtés. Laisser refroidir. Déposer sur chaque carré de crépinette un médaillon, masquer de farce sur 0,5 cm d'épaisseur, enrouler le tout et faire revenir dans l'huile.

2. Pour la sauce au pain d'épices, mélanger le fond de chevreuil, le porto, le vin rouge, le thym, les baies de genièvre et le pain d'épices écrasé. Laisser réduire de moitié, puis passer au chinois. Remettre sur le feu et laisser réduire jusqu'à obtenir une consistance sirupeuse. Faire blanchir les grandes feuilles du chou rouge et réserver.

sauce au pain d'épices

3. Tailler le cœur du chou en fine julienne. Éplucher les pommes, les couper en lamelles, puis les mélanger au chou avec les clous de girofle, les baies de genièvre et le piment oiseau réduits en poudre dans le vin. Laisser mariner 48 heures. Faire suer les échalotes dans le beurre, puis ajouter la marinade et le sucre. Saler, couvrir et laisser cuire 25 à 30 minutes au four. Rouler ce mélange dans les feuilles de chou.

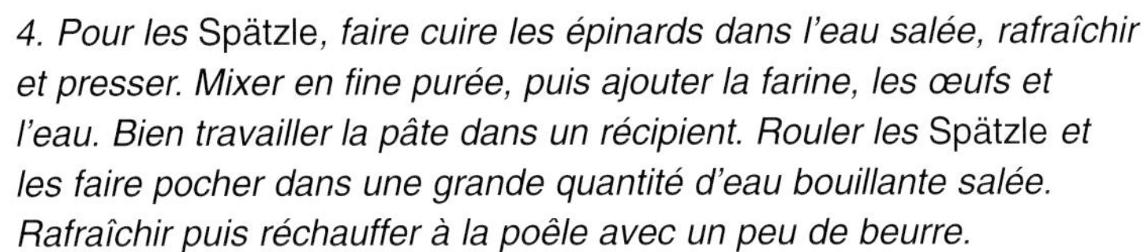

4. Pour les Spätzle*, faire cuire les épinards dans l'eau salée, rafraîchir et presser. Mixer en fine purée, puis ajouter la farine, les œufs et l'eau. Bien travailler la pâte dans un récipient. Rouler les* Spätzle *et les faire pocher dans une grande quantité d'eau bouillante salée. Rafraîchir puis réchauffer à la poêle avec un peu de beurre.*

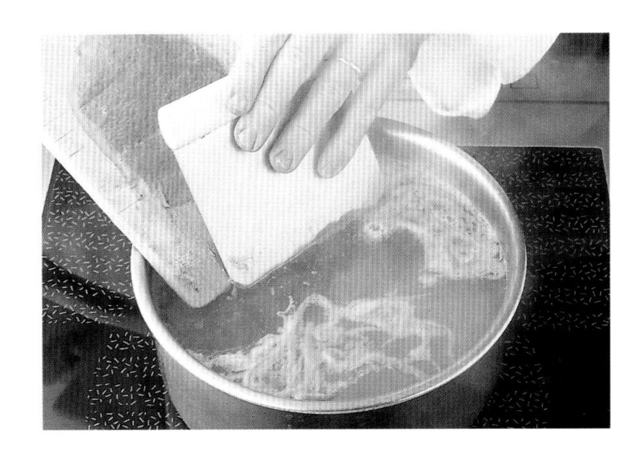

Filet de chevreau rôti

Préparation *45 minutes*
Cuisson *45 minutes*
Difficulté ★★

Pour 4 personnes

1 selle de chevreau
250 g de cèpes
3 grosses pommes de terre
1 aubergine
huile d'olive
ail en chemise
300 g de champignons sauvages
(selon la saison)
1 tomate, basilic
sel, poivre

Farce aux herbes et à l'ail :
100 g d'ail
250 ml de lait
1 pincée de sel
500 g de duxelles de champignons de Paris
30 g de chapelure
4 filets d'anchois
herbes hachées : ciboulette, sauge, basilic, thym frais, romarin, estragon, sarriette, persil
huile d'olive
poivre en mignonnette

Le chevreau connaît dans les Pyrénées une faveur constante. Farci aux truffes ou rôti aux herbes, il sait faire valoir l'exceptionnelle tendreté de sa chair, surtout s'il n'a été nourri qu'au lait. C'est d'ailleurs toute la difficulté du choix du chevreau : il faut un animal qui ne soit ni trop gras ni trop grand, car un chevreau plus âgé possède un goût déjà très marqué. Le chevreau de Provence, dûment labellisé, doit vous mettre à l'abri des mauvaises surprises. Le meilleur morceau est en l'occurrence le plus épais, c'est-à-dire la selle.

Pour la farce aux herbes et à l'ail, il faut employer l'ail avec prudence : faites-le blanchir plusieurs fois pour lui ôter toute amertume avant de l'incorporer à la mie de pain. Ensuite, il faudra composer un assortiment des différentes herbes. La sauge est par exemple nettement plus forte que l'estragon et le basilic, dont les saveurs sont assez complémentaires. Si l'on ajoute à cela, ciboulette et persil, le dosage parfait s'avère ardu.

Jean-Louis Neichel reconnaît que la farce aux filets d'anchois se pratiquait autrefois pour l'agneau de lait, puisqu'il en a trouvé la trace dans des livres de cuisine datant du XVIIIe siècle. Rien ne vous empêche d'ailleurs de suivre cet usage et de remplacer le chevreau par un agneau laiton.

Le procédé du paillasson rappelle à notre chef son passage chez Alain Chapel, lorsqu'il en préparait des individuels aux truffes. Sa vocation s'est tournée depuis vers la cuisine méditerranéenne, ce qui explique ces paillassons enrichis d'aubergine et de thym.

1. Pour la purée d'ail, blanchir 3 ou 4 fois l'ail émincé dans l'eau. Le faire cuire 30 minutes dans du lait avec du sel. L'égoutter, en faire une purée. Ajouter le reste des ingrédients avec un peu d'huile, de poivre en mignonnette et du sel. Mélanger et laisser refroidir. Dans la selle, lever les filets de chevreau.

2. Tailler les cèpes en julienne. Râper les pommes de terre à la mandoline, essorer dans un torchon et mélanger avec la julienne de cèpes. Confectionner un paillasson. Couper l'aubergine en dés d'1 cm et les faire sauter à l'huile d'olive avec l'ail en chemise. Conserver au chaud.

dans sa croûte d'herbes

3. *Dans une poêle antiadhésive, verser un peu d'huile d'olive et faire colorer le paillasson sur les deux faces. Laver et faire sauter les champignons sauvages. Peler et couper la tomate en dés, puis la faire revenir dans une sauteuse avec de l'huile d'olive, de l'ail, le basilic, du sel et du poivre.*

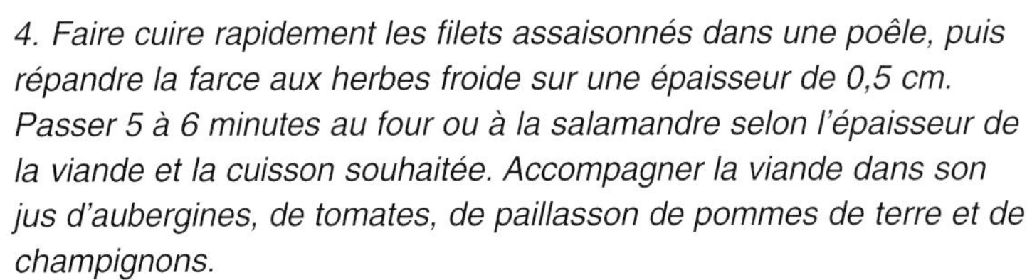

4. *Faire cuire rapidement les filets assaisonnés dans une poêle, puis répandre la farce aux herbes froide sur une épaisseur de 0,5 cm. Passer 5 à 6 minutes au four ou à la salamandre selon l'épaisseur de la viande et la cuisson souhaitée. Accompagner la viande dans son jus d'aubergines, de tomates, de paillasson de pommes de terre et de champignons.*

Poulet de Prat à la catalane,

Préparation *1 heure 15 minutes*
Cuisson *1 heure 10 minutes*
Difficulté ★★

Pour 4 personnes

1 poulet de Prat de 2,5 kg
huile d'olive
100 ml de vin blanc du Penedes
250 ml de consommé de poule (sans sel)
1 tomate
4 têtes de crevettes
8 espardenyes (concombres de mer)
8 gambas
corail de 2 oursins

1/2 cuil. à soupe de poivron grillé coupé en dés
sel, poivre
50 ml de crème double

Légumes et herbes pour le braisage :
1 tomate
1 oignon
1 poireau
1 branche de céleri
1 gousse d'ail
laurier
thym
8 stigmates de safran

Accompagnement (facultatif) :
120 g de pâtes fraîches

Ce ménage à trois combine une volaille, un crustacé et un fruit de mer des moins ordinaires, puisqu'il s'agit de l'espardenye, ou concombre de mer, que l'on pourrait prendre pour un légume. En réalité, l'holothurie (son nom savant) est un échinoderme des grandes profondeurs, de forme allongée et presque cylindrique. On la rencontre dans toutes les mers, mais on la consomme surtout en Asie et dans le Pacifique. En Chine, les holothuries fumées sont vendues sous le nom de trépang. Vous les ferez ici rapidement sauter à l'ail, pour éviter que l'eau qu'elles contiennent ne se répande.

Comment célébrer à sa juste mesure la volaille de Catalogne ? À Prat, non loin de Barcelone, on élève des poulets fermiers dodus, en tout point comparables à leurs homologues landais (Jean-Louis Neichel précise qu'ils se sont illustrés à l'issue d'une dégustation anonyme). Il convient de préparer conjointement la crête de la volaille, dont la couleur et la texture donnent un caractère personnel à ce plat.

Quant aux gambas, elles seront servies à la catalane, c'est-à-dire que seule la queue sera décortiquée au grand soulagement de vos convives qui s'éviteront ainsi cette tâche déplaisante.

Les temps de cuisson des divers éléments sont variés, et vous les respecterez scrupuleusement : 1 heure pour le poulet de Prat, tandis que les gambas, passées au fumet, n'auront besoin que de 3 minutes. Enfin, la forte saveur iodée des langues d'oursins nuancera d'une touche marine ce délicieux poulet.

1. Couper le poulet en huit à dix morceaux et séparer la crête. Faire revenir les légumes et les herbes dans une sauteuse suffisamment grande pour y cuire le poulet, puis réserver.

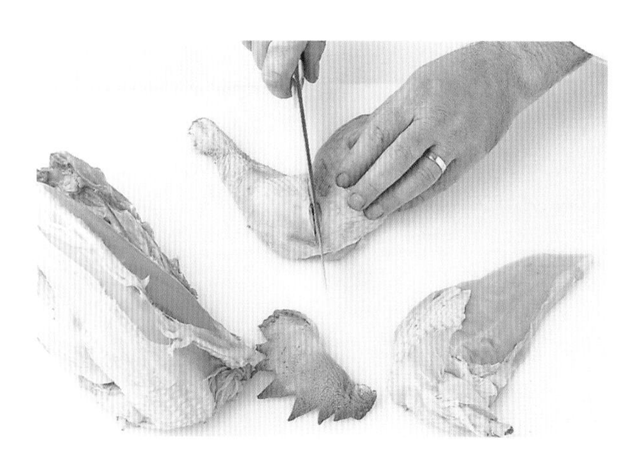

2. Faire colorer les morceaux de poulet dans l'huile d'olive, puis ajouter la totalité des légumes ainsi que la crête.

espardenyes et gambas

3. Ajouter le vin blanc et faire réduire de moitié. Incorporer le consommé, la tomate et les têtes de crevettes, puis laisser mijoter à couvert 1 heure environ.

4. Faire revenir les espardenyes 4 minutes avant de servir. Réserver le jus de cuisson pour y plonger les espardenyes, les gambas (tête conservée et queue décortiquée), le corail d'oursin et le poivron. Passer le jus réduit au chinois, rectifier l'assaisonnement et ajouter la crème pour obtenir une sauce. Accompagner de pâtes fraîches.

Volaille de Bresse aux

Préparation *45 minutes*
Cuisson *15 minutes*
Difficulté ☆☆

Pour 4 personnes

1 poulet de Bresse d'1,5 kg environ
1 verre de vin blanc sec
250 ml de fond de volaille réduit
500 ml de crème fleurette
120 g de pointes d'asperges vertes
50 g de beurre

sel de Guérande
poivre du moulin
farine
400 g de morilles
2 échalotes grises
2 gousses d'ail
brins d'estragon

Les Romains avaient leurs poulets sacrés dont ils surveillaient soigneusement l'appétit, qui déterminait les augures. Un beau poulet est toujours de bon augure et vous apportera bonheur et prospérité.

De nos jours, les élevages performants se sont multipliés et le poulet de Bresse, entre Saône et Jura, jouit d'un grand prestige. On le reconnaît à la bague en aluminium qu'il porte à la patte ou encore à l'étiquette « volaille de Bresse » qui atteste son appartenance à l'appellation d'origine contrôlée – donc sa provenance d'aires géographiques strictement limitées. Ce poulet d'exception doit être préparé avec brio ; vous lui choisirez donc un plat de cuisson adapté, par exemple une cocotte en fonte, excellent conducteur de chaleur, qui n'a pas son pareil pour faire mijoter un plat.

À défaut de poulet de Bresse, il existe d'autres labels tout à fait recommandables de poulets fermiers élevés au grain, en plein air, en liberté, etc. Dans tous les cas, préférez la crème fleurette, qui supporte bien la chaleur et dont le goût ne tranche pas.

Des morilles fraîches, de préférence de la variété noire de montagne, apprêteront ce plat à merveille. Elles sont malheureusement très rares, même en pleine saison, et vous devrez probablement vous contenter de morilles lyophilisées ou séchées. Il faut dans ce cas les faire tremper assez longtemps, 24 heures environ, pour qu'elles reprennent volume et moelleux. Conservez leur eau de trempage après l'avoir passée au chinois pour en éliminer les impuretés : elle s'est gorgée du parfum des morilles et constituera la meilleure base pour un fond de champignons.

1. Flamber, vider et désosser la volaille, puis la couper en quatre. Faire revenir les morceaux dans la graisse entourant le gésier. Laisser colorer au four, puis prélever l'excédent de graisse. Déglacer au vin, ajouter le fond de volaille, laisser réduire et mouiller avec la crème. Cuire les asperges dans l'eau salée, puis les rafraîchir. Passer au beurre chaud, assaisonner, puis réserver au chaud dans le four.

2. Dans une cocotte contenant la graisse de volaille, faire à nouveau colorer les morceaux de poulet assaisonnés et légèrement farinés. Laisser dorer côté peau 10 minutes à 180 °C, retirer les ailes et réserver le poulet au chaud. Faire rôtir les cuisses 10 minutes de plus.

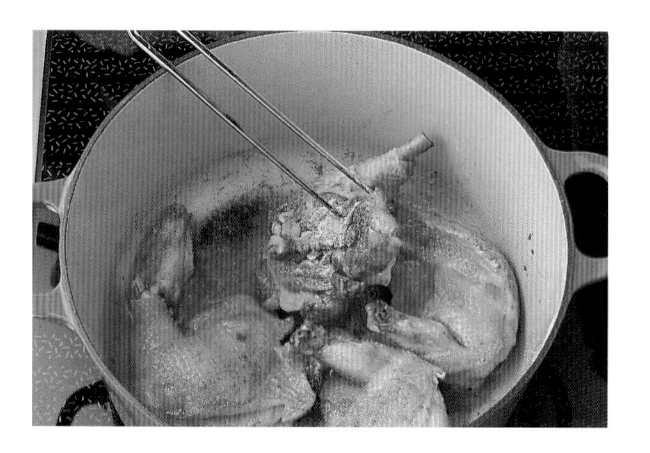

morilles et aux asperges

3. Laver soigneusement les morilles et les égoutter. Dans une cocotte, verser la graisse de cuisson de la volaille, les échalotes hachées, l'ail et les morilles. Laisser revenir doucement, saler et poivrer. Mouiller à hauteur avec la sauce à la crème et laisser cuire 5 minutes à feu doux.

4. Incorporer les morilles dans la cocotte contenant la volaille, laisser mijoter quelques minutes et rectifier l'assaisonnement. Déposer dans chaque assiette chaude un morceau de volaille entouré d'asperges chaudes et de morilles entières. Napper de sauce à la crème et décorer de brins d'estragon.

Cuisses de poulettes et de

Préparation *30 minutes*
Cuisson *20 minutes*
Difficulté ☆☆

Pour 4 personnes

4 cuisses de poulettes
sel, poivre
3 échalotes
2 verres de porto blanc
3 cubes de bouillon de volaille dégraissé
200 g de gros sel

12 gousses d'ail non épluchées
10 paires de cuisses de rainettes
1 botte de ciboulette
200 g de beurre

La grenouille rousse est fréquente en Auvergne, en Alsace et en Bretagne ; elle vit dans les lieux frais et humides, et parfois dans les vignes. Mais c'est à sa cousine la rainette, ou grenouille verte, au dos marqué de trois bandes plus foncées, que va nettement la préférence des amateurs. Celle-ci vit dans les arbres – aux feuilles desquels de petites ventouses lui permettent de s'accrocher – et pousse fréquemment des cris d'une intensité exceptionnelle par rapport à sa petite taille. On ne consomme que l'arrière-train de ce batracien, dont la chair possède une saveur très légère qu'il faut relever sans masquer.

Vous trouverez toute l'année des cuisses de grenouilles chez les poissonniers, parfois en brochettes. Il vaut mieux se les procurer de taille moyenne, car elles sont plus onctueuses et plus riches en nuances. Une cuisson trop forte leur serait fatale : la chair pourrait se défaire, perdre son goût et produire sur l'esthétique du plat un effet désastreux.

Veillez à respecter les consignes de cuisson (durée, température) quand vous passez au four l'ail en chemise : comme il doit garder tout son parfum, un excès de cuisson serait catastrophique. Contrairement à certaines idées reçues, l'ail préparé de cette manière se consomme facilement et ne compromet pas la digestion. La pulpe étant sérieusement ramollie par la cuisson, il suffit de presser la peau durcie pour l'en extraire tout en laissant le germe indigeste à l'intérieur.

Les cuisses de poulettes ou de poulets peuvent être remplacées par un magret de canard ou même un osso-buco de dinde.

1. Découper chaque cuisse de volaille en deux pour obtenir un pilon et un gras de cuisse par personne. Saler et poivrer les morceaux, puis les faire colorer dans une sauteuse. Ajouter les échalotes hachées.

2. Éliminer le restant de gras de la sauteuse et déglacer avec le porto blanc. Ajouter 100 ml d'eau, les cubes de bouillon de volaille dégraissé et laisser cuire 12 minutes.

rainettes, ail en chemise

3. Tapisser de gros sel le fond d'un plat, y déposer les gousses d'ail non épluchées et enfourner à 180 °C. Réserver. Faire sauter les cuisses de grenouilles assaisonnées, puis ajouter la ciboulette hachée.

4. Décanter les morceaux de volaille et les réserver au chaud. Faire réduire la sauce et terminer en la montant au beurre. Passer au chinois fin et rectifier l'assaisonnement. Dresser les morceaux de volaille au centre d'un plat et former un cercle autour en alternant cuisses de rainettes et gousses d'ail.

Crépinette de pintade

Préparation *2 heures*
Cuisson *15 minutes*
Difficulté ☆☆

Pour 4 personnes

1 pintade fermière
2 tranches de pain de mie trempées dans du lait
150 g de beurre
1 échalote
sel, poivre
1 crépine
2 branches de céleri
4 petits navets avec les fanes
huile

Brunoise :
3 carottes
1 fenouil
1 branche de céleri

Fond brun :
carcasse de pintade
1 mirepoix de carotte, oignon et céleri
sel, poivre

La pintade tient son nom de l'espagnol *pintada*, « peinte ». On la reconnaît à son cri si déplaisant (le criaillement) qui la fait repérer à des dizaines de mètres à la ronde. Sa chair fine, d'un rouge sombre, s'accommode volontiers de tant de préparations. Ce paisible volatile, qui ne demandait qu'à vivre en paix avec le monde, se retrouve aujourd'hui dans notre assiette, haché menu pour les besoins de la cause.

La pintade est rarement très grosse, guère plus d'1 kg, et convient pour quatre personnes. Nous avons en France des élevages fermiers de grande qualité, produisant des volailles nourries en plein air et dans le respect des normes, si bien que l'on peut les choisir les yeux fermés. Après avoir désossé la pintade, vous hacherez très finement la chair de ses cuisses, car il faut une chair de consistance assez légère.

En fidèle nantais, notre chef insiste sur la qualité des petits légumes de sa région, notamment des navets primeurs, dits encore naveaux ou naviaux en Bretagne, dont il recommande d'employer aussi les fanes. Comme beaucoup de légumes nouveaux, ces petits navets n'ont besoin que d'être brossés, sont très digestes et d'un goût délicat. Vous pouvez même envisager d'en faire pousser chez vous : il leur faut un sol frais et léger sous un climat humide.

N'oubliez pas de faire dégorger la crépine avant son utilisation pour en éliminer toutes les impuretés. Elle enrobera sans peine les fines escalopes de pintade farcie et cuira simplement à la poêle, à condition que vous la retourniez assez souvent.

1. Désosser la pintade. Hacher les cuisses ainsi que le pain de mie préalablement trempé dans le lait. Pour la brunoise, tailler les carottes, le fenouil et la branche de céleri. Faire suer au beurre la brunoise de légumes avec l'échalote hachée, puis saler et poivrer.

2. Confectionner un fond brun avec la carcasse de la pintade, ainsi qu'une carotte, une branche de céleri et un oignon taillés en mirepoix. Après cuisson, passer le fond au chinois et le faire réduire. Assaisonner de sel et de poivre. Découper dans les deux filets de pintade 32 escalopes et les aplatir.

aux légumes nantais

3. Déposer à la douille sur chaque escalope de pintade 1 cuil. à café de farce et envelopper le tout dans la crépine préalablement dégorgée de façon à confectionner de petits paquets.

4. Confectionner 32 bâtonnets de céleri, les cuire dans l'eau salée et réserver. Cuire les navets à la vapeur. Cuire les crépinettes avec une goutte d'huile et une noix de beurre dans une sauteuse en les retournant souvent. Déposer la sauce dans le fond de l'assiette et au milieu les navets lustrés au beurre. Alterner autour bâtonnets de céleri et crépinettes.

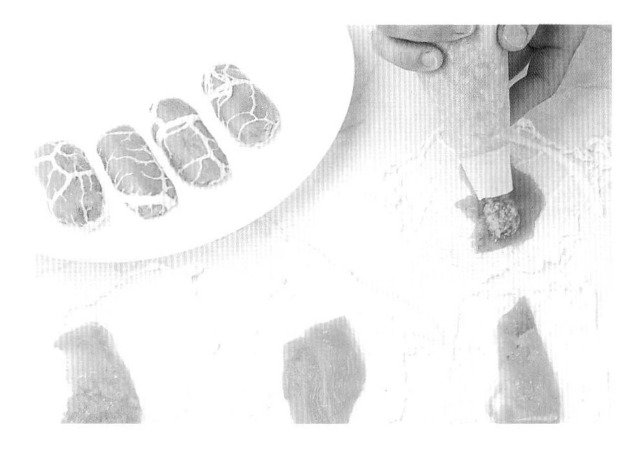

Grouse sur chou frisé

Préparation *1 heure 10 minutes*
Cuisson *45 minutes*
Difficulté ☆☆

Pour 4 personnes

2 grouses d'Écosse
sel, poivre, 4 fines bardes
40 ml d'huile de pépins de raisin
3 baies de genièvre écrasées
5 grains de poivre écrasés
1 feuille de sauge, 1 brin de thym
1/4 de feuille de laurier
120 g de mirepoix (céleri, carotte, échalote, champignons de Paris)
100 ml de vin rouge, 20 ml de porto

300 ml de fond de gibier
30 g de beurre
1 cuil. à café de grains de poivre vert

Légumes :
800 g de chou vert frisé
1 échalote, 100 g de lardons
beurre, sel, poivre
1 pincée de noix muscade
1 citron, 100 ml de fond de légumes
200 ml de crème double

Pommes caramélisées :
4 pommes acidulées
2 cuil. à soupe de sucre
100 ml de riesling
100 ml de gewurztraminer
20 stigmates de safran

On apprécie beaucoup la grouse en Écosse et en Angleterre, où le « Glorious 12 », le 12 août, jour de l'ouverture de la chasse, est un événement d'envergure nationale auquel rendent hommage d'innombrables cérémonies traditionnelles dans tout le Royaume-Uni. Toutefois, et malgré cet engouement de nos voisins d'outre-Manche, on connaît relativement peu en France les différents types de tétras et de lagopèdes auxquels les Anglais donnent ce nom, au point qu'il faut parfois leur substituer des canards ou des pintades.

La grouse authentique se consomme non pas faisandée, mais préalablement lavée dans du lait, selon les traditions anglaise et écossaise. Vivant au milieu des landes sauvages, ce volatile se nourrit surtout de bruyère (on l'appelle aussi coq de bruyère) ; son goût de gibier très prononcé rappelle cependant celui du faisan ou du perdreau et ne supporte pas une cuisson trop longue (18 minutes environ). Vous prendrez garde à conserver la chair bien rosée, mais assez cuite. Un repos de quelques minutes s'impose à la sortie du four, dans le plat de cuisson.

La garniture de chou frisé s'accommodera fort bien d'un chou de Milan très frais, que vous plongerez dans l'eau froide après blanchiment : ce traitement est nécessaire si vous souhaitez faire disparaître le léger goût de soufre que lui reprochent certains gourmets. Le chou doit être bien lourd et très volumineux, car il réduit presque de moitié pendant la cuisson.

Il convient de dresser à l'avance la garniture de légumes dans les assiettes et de réserver le découpage de la grouse au dernier moment. Ce plat se déguste très chaud, discrètement nappé de sauce.

1. Pour les légumes, débiter le chou en fines lanières, faire blanchir dans l'eau salée et laisser refroidir. Faire revenir le hachis d'échalote et les lardons au beurre. Ajouter le chou, saler, poivrer, puis ajouter une pincée de noix muscade et quelques gouttes de citron. Mouiller avec le fond de légumes et cuire à couvert jusqu'à ce que tout soit tendre. Ajouter la crème en fin de cuisson.

2. Saler et poivrer l'intérieur et l'extérieur des grouses prêtes à rôtir. Couvrir la poitrine de barde et ficeler. Chauffer l'huile de pépins de raisin dans une cocotte, puis faire sauter rapidement les condiments et la mirepoix coupée menu. Poser les grouses sur le côté, et les légumes par-dessus.

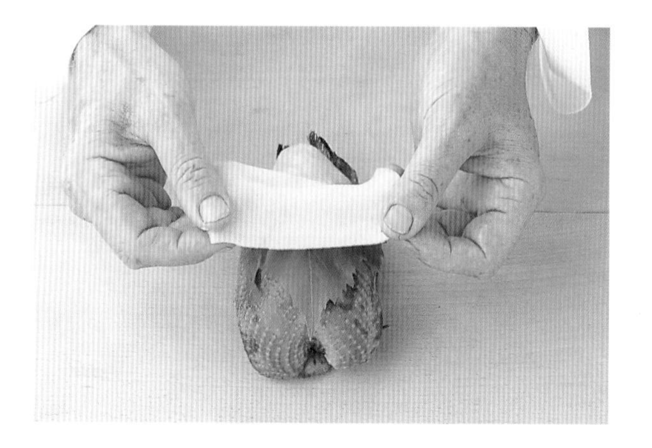

et pommes caramélisées

3. Mettre les grouses au four préchauffé à 200 °C et retourner au bout de 8 minutes. Asperger de vin et de porto, puis couvrir. Laisser braiser 15 minutes (la chair doit rester rose). Tourner les grouses sur le dos 5 minutes avant la fin de la cuisson. Ajouter le fond de gibier et faire cuire à gros bouillons. Filtrer le jus et monter avec le beurre. Ajouter le poivre vert rincé et rectifier l'assaisonnement.

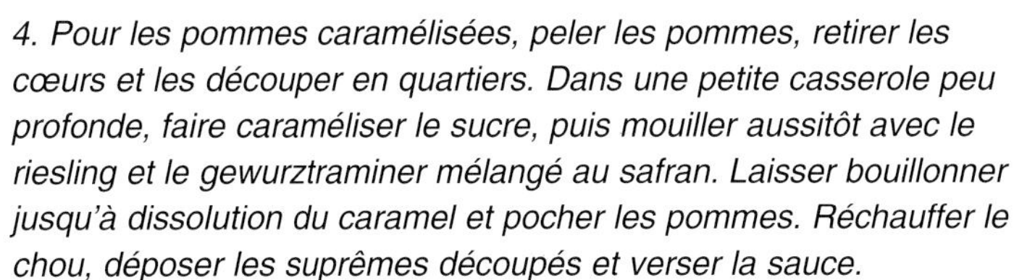

4. Pour les pommes caramélisées, peler les pommes, retirer les cœurs et les découper en quartiers. Dans une petite casserole peu profonde, faire caraméliser le sucre, puis mouiller aussitôt avec le riesling et le gewurztraminer mélangé au safran. Laisser bouillonner jusqu'à dissolution du caramel et pocher les pommes. Réchauffer le chou, déposer les suprêmes découpés et verser la sauce.

Salade de chevreuil aux

Préparation *45 minutes*
Cuisson *50 minutes*
Difficulté ★★

Pour 4 personnes

800 g de selle de chevreuil (filet)
beurre
2 choux-raves (ou gros navets)
20 ml d'huile de noisette
20 ml de vinaigre balsamique
1 bouquet de thym
persil, sel, poivre du moulin
50 g de noisettes décortiquées
75 g de mesclun
(ou mâche selou la saison)

Pochage de la truffe:
1 truffe de 50 g
50 ml de consommé
50 ml de vin rouge

Fond de gibier:
100 g de carotte et de céleri-branche
2 échalotes
20 g de champignons de Paris
200 ml de cognac
200 ml de madère
100 ml de vin rouge corsé
6 baies de genièvre hachées
6 grains de poivre noir
1/2 feuille de laurier
100 ml de fond de gibier

Il arrive qu'en cuisine on ne distingue pas le cerf du chevreuil, bien qu'ils soient deux espèces bien différentes. Le chevreuil est considéré comme le plus gracieux des animaux sylvestres. On l'appelle faon jusqu'à six mois, puis chevrillard pendant quelques temps. Ensuite, on distingue le mâle, brocard, de la chevrette femelle. Ce sont les jeunes bêtes entre 10 et 12 mois qui sont les plus savoureuses et que l'on consomme en période de chasse, de septembre à décembre.

Notre chef, qui demeure non loin de la Forêt-Noire, bénéficie du privilège suisse de chasser aussi le chevreuil en été. Son expérience lui fait considérer le filet comme le morceau le mieux adapté à cette préparation truffée, judicieusement accompagnée de chou-rave. La chair du jeune chevreuil, d'un beau rouge sombre, peut mariner un jour ou deux avec des grains de genièvre écrasés et un filet d'huile d'olive qui lui apportent respectivement une saveur poivrée et davantage de moelleux. On découpe cette viande assez maigre avec soin, en tranches fines, à l'aide d'un couteau très effilé.

L'accompagnement de truffes et de chou-rave dégage un arôme profond qui complète admirablement le goût du gibier. Il faut choisir une belle truffe bien fraîche, lourde et ferme, que vous pèlerez au besoin sans l'avoir lavée. Le chou-rave se caractérise par une couleur verte ou violette. En France, il n'est pas très fréquent sur les marchés et peut être remplacé par des navets.

Si vous souhaitez préparer cette recette hors saison, notre chef vous recommande d'utiliser des volailles: le pigeon ou la pintade, par exemple, s'y prêteront volontiers.

1. Désosser la selle de chevreuil, dénerver entièrement les filets et réserver au frais. Débiter les os en tronçons.

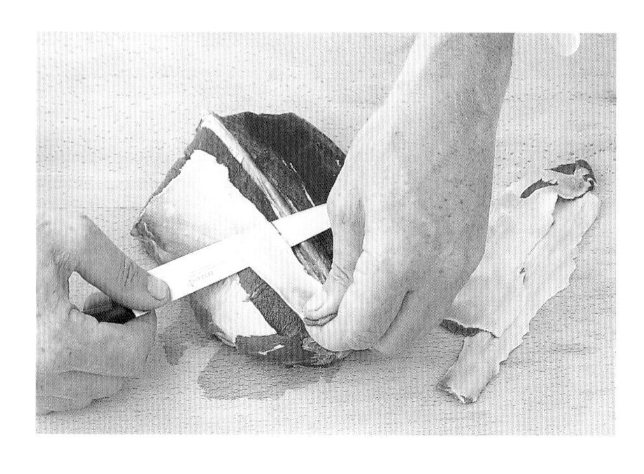

2. Pour le fond de gibier, faire revenir les os cassés dans une sauteuse, puis ajouter une mirepoix de carotte, de céleri, d'échalotes et de champignons. Flamber au cognac, puis mouiller avec le madère et le vin rouge. Ajouter les condiments et le fond qui doit recouvrir le tout, puis laisser frémir 45 minutes à feu doux. Passer au chinois et dégraisser avec soin.

truffes et au chou-rave

3. Faire rôtir les filets 5 minutes au beurre dans une sauteuse ; les garder saignants. Réserver au chaud. Faire pocher la truffe dans le consommé et le vin rouge, puis la débiter en fines lanières. Peler les choux-raves, les cuire dans l'eau salée jusqu'à ce qu'ils soient croquants et les couper en fines lamelles.

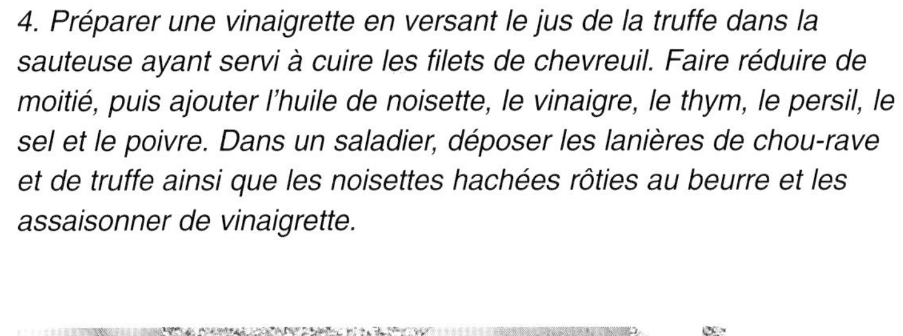

4. Préparer une vinaigrette en versant le jus de la truffe dans la sauteuse ayant servi à cuire les filets de chevreuil. Faire réduire de moitié, puis ajouter l'huile de noisette, le vinaigre, le thym, le persil, le sel et le poivre. Dans un saladier, déposer les lanières de chou-rave et de truffe ainsi que les noisettes hachées rôties au beurre et les assaisonner de vinaigrette.

Filet de lapin aux

Préparation *1 heure*
Cuisson *1 heure*
Difficulté ☆ ☆

Pour 4 personnes

1 blanc de poireau
3 grosses carottes
2 échalotes
2 râbles de lapins
250 g de lentilles vertes du Puy
2 cuil. à soupe de crème fleurette
90 g de beurre
1 bouquet garni
persil plat
sel, poivre fraîchement moulu

Jus de lapin :
350 g de carcasse de lapin
huile
1 oignon
1/2 carotte
1 gousse d'ail
1 cuil. à soupe de concentré de tomates
300 ml d'eau
300 ml de vin blanc

Le lapin, qui peut s'accompagner tout au long de l'année de la lentille du Puy, séduira les plus réticents. Généralement présenté comme une viande sèche, le « lapin de France » sélectionné et contrôlé s'avère très moelleux, à condition qu'on le cuise avec douceur, en le « touillant » seulement, dans une grande quantité de beurre, sans tolérer le moindre grésillement.

Afin de rendre au lapin ses lettres de noblesse, vous porterez une attention particulière à la confection de son jus – et surtout à sa réduction, dont la proportion est gage du succès de l'entreprise. Sa saveur doit être corsée ; quelques aromates pourront éventuellement relever une certaine fadeur.

À tant célébrer les vertus de la lentille verte du Puy, on pourrait craindre de lasser le gourmet. Il n'en est rien, car cette légumineuse a redoré depuis des lustres le blason des lentilles. Amoureusement cultivée sur la terre volcanique du Velay, sélectionnée avec soin, dotée d'une exceptionnelle teneur en fer et en vitamines, la lentille verte – d'appellation contrôlée – a suffisamment de qualités pour faire oublier de vilains souvenirs de cantine dûs à l'épaisseur de certaines peaux ainsi que la consistance insipide et farineuse des variétés courantes. Dans le cas présent, vous ne chercherez pas une cuisson « al dente », mais vous amènerez plutôt la lentille à se défaire dans l'eau de cuisson et à rompre son enveloppe pour devenir moelleuse. Elle contrastera avec les autres légumes, carottes et poireau, dont la julienne doit par contre demeurer croquante.

1. Couper en rubans d'1 cm de large les feuilles du blanc de poireau. Les cuire dans l'eau bouillante salée, rafraîchir et égoutter. Peler les carottes, en tailler une en dés et les autres en boules, puis les faire cuire dans l'eau salée. Hacher très finement les échalotes.

2. Parer et couper en cubes les râbles de lapins. Pour le jus de lapin, couper la carcasse et l'avant du lapin en petits morceaux, puis faire colorer dans l'huile. Ajouter l'oignon et la carotte coupés en morceaux, puis l'ail. Laisser colorer tout en remuant, éliminer le gras et remettre sur le feu. Ajouter le concentré de tomates, puis mouiller avec l'eau et le vin blanc.

lentilles et carottes

3. Faire cuire à feu doux 30 minutes, laisser refroidir et passer au chinois. Faire suer le hachis d'échalotes, puis ajouter les carottes, les lentilles cuites, la crème, 2 cuil. à soupe de jus de lapin, 30 g de beurre, le bouquet garni et le persil. Laisser mijoter doucement jusqu'à ce que la liaison prenne, puis rectifier l'assaisonnement.

4. Assaisonner les morceaux de lapin, les faire revenir dans 20 g de beurre et faire cuire 6 minutes à feu très doux en remuant sans laisser colorer. Faire sauter au beurre les boules de carottes et les rubans de poireau. Faire bouillir 1 minute à feu vif le reste du jus de lapin, incorporer au fouet 40 g de beurre et assaisonner.

Filet de veau à la ficelle,

Préparation	*1 heure*
Cuisson	*1 heure*
Difficulté	☆☆

Pour 4 personnes

400 g de cœur de filet de veau (ou de carré désossé)
1 l de bouillon de volaille
4 os à moelle
gros sel

Vinaigrette :
1 botte de cresson
3 échalotes

2 brins de persil
1 branche de basilic
2 brins d'estragon
1 cuil. à soupe de câpres capucines
4 cornichons au vinaigre
2 filets d'anchois à l'huile
4 cuil. à soupe d'huile de noix
2 cuil. à soupe de vinaigre de vin
sel, poivre fraîchement moulu

Garniture :
4 fonds d'artichauts
4 carottes moyennes
2 brocolis
bicarbonate de soude

Le choix du veau débute par l'examen poussé des différents labels. Rien n'est plus distinct en effet que le « veau fermier », le « veau de lait fermier » et le « veau sous la mère », qui vous sont proposés par les bouchers selon les provenances. Tous trois confirment que le contrôle de qualité de l'alimentation des animaux et de leur viande est effectué selon les règles. En matière de consommation du veau, les Français occupent la première place en Europe.

C'est un « veau sous la mère » que Roland Pierroz a choisi pour cette recette, dont il prélève le morceau le plus tendre, le cœur du filet, qu'il faut servir saignant, rosé dans l'épaisseur. Cette pièce de choix n'est pas facile à trouver et il faut parfois se contenter d'un carré désossé.

La sauce est une vinaigrette généralement prévue pour le pot-au-feu, à la manière italienne. Elle se compose des câpres capucines et des cornichons, qui lui confèrent déjà une allure de sauce gribiche et des nuances acidulées. Les filets d'anchois dont on l'enrichit forment un savoureux contraste avec la viande fondante, tandis que l'huile de noix, avec charme et distinction, liera dans l'assiette ces éléments disparates. L'huile de noix produira le meilleur effet sur le cresson (ou à défaut, des épinards), cette plante assoiffée qui porte le surnom d'« ail d'eau », et dont la teneur en fer et calcium est remarquable. Prenez garde à ne pas le conserver trop longtemps, car il flétrit dès qu'il n'a plus sa ration d'eau. Enfin, d'autres légumes du pot-au-feu pourront avantageusement figurer dans ce plat : poireaux pochés, choux-fleurs ou navets.

1. Parer et ficeler le filet de veau. Pour la garniture, extraire les fonds d'artichauts, parer les carottes en olives et les faire cuire séparément à la vapeur. Faire blanchir les brocolis 4 à 5 minutes à l'eau bouillante salée additionnée d'une pointe de bicarbonate. Rafraîchir et réserver. Pour la vinaigrette, faire blanchir 5 minutes le cresson dans l'eau bouillante salée, essorer et rafraîchir.

2. Passer le cresson au mixeur, puis au tamis. Peler les échalotes, les couper grossièrement, puis passer au mixeur avec le persil, le basilic, l'estragon, les câpres, les cornichons et les anchois. Réduire en purée, puis monter avec l'huile, le vinaigre, le sel et le poivre. Terminer en incorporant la purée de cresson pour obtenir une couleur verte.

vinaigrette aux herbes

3. Verser le bouillon dans une casserole, assaisonner et amener à ébullition. Faire pocher 5 minutes les os à moelle taillés en biseau dans l'eau frémissante. Plonger le filet de veau dans le bouillon en ébullition ; compter 10 à 12 minutes de cuisson sans bouillir afin d'obtenir une viande juteuse et rosée.

4. Réchauffer à la vapeur les fonds d'artichauts recouverts de carottes et de fleurs de brocoli, puis assaisonner. Découper le filet de veau en tranches de 2 cm d'épaisseur. Disposer la viande ainsi qu'un os à moelle au centre de l'assiette, et un fond d'artichaut à côté. Napper la viande de vinaigrette et saupoudrer de gros sel.

Filet de canard rôti

Préparation *1 heure*
Cuisson *20 minutes*
Difficulté ★★

Pour 4 personnes

2 pommes reinettes
30 g de beurre
1 petit céleri-rave
sel, poivre blanc
200 g de pois gourmands
2 coffres de canards

Sauce :
1 cuil. à soupe de miel
1 cuil. à soupe de vinaigre de xérès
300 ml de jus de canard
2 graines de cardamome
2 morceaux de macis
1 pincée de muscade
1 pincée de curry
30 g de beurre

Le canard, apprécié depuis l'Antiquité, règne sur les basses-cours dans sa version domestique, mais subsiste encore à l'état sauvage. On le nourrit au grain, on le gave, on en fait du foie gras, du confit, du saupiquet, des demoiselles – et pourquoi pas des charlottes, des ravioles, du salpicon ? Multiples sont les canards d'élevage : le canard de Barbarie, le mulard bien gras, le nantais et le duclair que l'on pratique en Normandie. C'est en hiver que la viande de canard, très riche en calories, produit le meilleur effet sur le moral des gourmands.

Cette recette exige des coffres de canards bien charnus, dont les filets sont assez consistants. Ils devront d'abord cuire assez longtemps côté peau, afin de se colorer et de faire fondre la graisse tout contre la chair : ce sera nettement plus croustillant et surtout plus digeste. Vous pouvez ensuite servir le canard entier ou seulement la chair délicatement émincée.

Les frères Pourcel pratiquent une cuisine créatrice, mais forte de ses racines. La ville de Montpellier dont ils constituent l'un des fleurons a jadis servi de comptoir d'épices pour tout le bassin méditerranéen, ce qui explique certainement le subtil mélange d'aromates qu'ils vous proposent en accompagnement. On ne sait pas toujours que le macis n'est autre que l'arille, le tégument qui, sous l'écorce, entoure imparfaitement la noix muscade. Pour provenir du même fruit, le macis et la muscade n'en ont pas moins des saveurs distinctes. Le complément que leur apportent curry et cardamome confirme la savoureuse science des épices qui fait tout l'intérêt de cette préparation.

1. Éplucher les pommes reinettes, les épépiner et les tailler en gros dés. Cuire avec un peu d'eau et 15 g de beurre, réduire en compote, puis réserver au chaud. Éplucher le céleri-rave, le tailler en fines tranches et les faire frire comme des chips classiques. Assaisonner et réserver.

2. Trier les pois gourmands, les cuire dans une grande quantité d'eau bouillante salée et rafraîchir. Faire revenir les pois gourmands dans 15 g de beurre. Passer les chips de céleri au four.

sur l'os, jus aux épices

3. Faire rôtir les coffres de canards dans une sauteuse en prenant soin de bien les faire colorer côté peau. Retourner et poursuivre la cuisson au four 10 minutes environ.

4. Pour la sauce, dégraisser la sauteuse, puis la remettre sur le feu avec le miel. Faire légèrement caraméliser, déglacer au vinaigre, puis laisser réduire presque à sec. Ajouter le fond de canard et les épices, laisser réduire, monter avec le beurre, puis assaisonner. Dresser les garnitures sur l'assiette ainsi que le canard et napper de sauce.

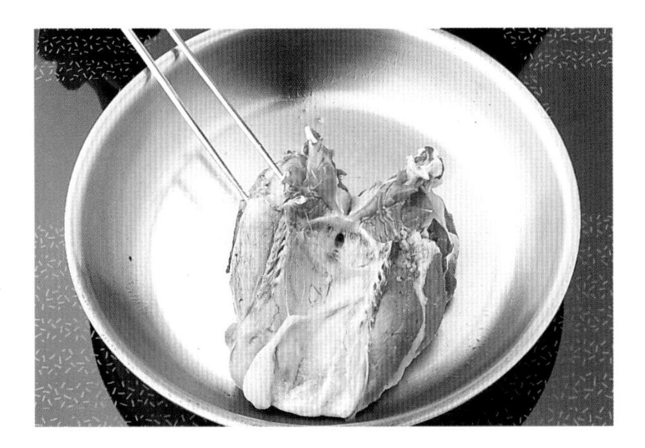

Aile de pintadeau

Préparation *2 heures*
Cuisson *30 minutes*
Difficulté ★★★

Pour 4 personnes

2 pintadeaux
1 blanc d'œuf
persil plat
estragon

Panisses :
1 l d'eau
1 cuil. à soupe d'huile d'olive
sel, 250 g de farine de pois chiche
huile d'olive et beurre pour la friture

Sauce :
120 g de beurre
ail, ciboulette
30 g de morceaux de sucre
frottés de zeste de citron
100 ml de jus de citron
100 ml de vin blanc
200 ml de fond de volaille
100 ml de fond brun de veau

Finition :
40 g de quartiers de citron
15 g de zestes de citrons confits au sel
20 g de tomate séchée
7 g d'estragon
7 g de poivre vert

C'est par un discret emprunt au domaine des arts plastiques que ce volatile à la chair rouge et au plumage bleuté s'appelle pintade, puisque ce mot viendrait de l'espagnol *pintada*, « peinte ».

On aura soin de choisir pour cette recette des pintadeaux fermiers, dont les qualités sont trop souvent méconnues. Ils ont des pattes lisses, la carcasse molle et la chair sombre ; leur peau tire sur le jaune, ce qui les différencie nettement du poulet. Si l'on reconnaît la qualité du goût très prononcé du pintadeau, on craint parfois que la cuisson ne le dessèche. Notre chef pallie cet inconvénient par une cuisson en deux phases : un premier passage à la vapeur, un second sur le gril. La chair demeure ainsi tendre et savoureuse, surtout si l'on a pris la précaution d'envelopper les suprêmes dans un film avant de les exposer à la vapeur.

La sauce aux citrons confits demande une longue préparation : Stéphane Raimbault utilise exclusivement des fruits de la région de Menton, qu'il fait confire pendant trois à quatre semaines.

Vous reconnaîtrez le caractère provençal de cette recette aux panisses, qu'elle élève ici au rang de patrimoine gastronomique. Proches des panizze corses, ces galettes de farine de maïs ou de pois chiche se consomment salées ou sucrées. Vous les ferez revenir juste avant de servir dans un mélange d'huile d'olive et de beurre.

La plupart des autres volailles se prêtent volontiers à cette préparation : notre chef les fait alterner tout au long de l'année, puisque ce plat figure à demeure sur la carte de son établissement.

1. Pour les panisses, faire bouillir 500 ml d'eau avec l'huile et le sel. Délayer la farine de pois chiche dans les 500 ml d'eau restants. Verser dans l'eau bouillante et cuire en remuant environ 10 minutes. Mouler en terrine, laisser refroidir et détailler en triangles d'1,5 cm d'épaisseur. Avant de servir, les poêler à l'huile d'olive et au beurre.

2. Flamber et vider les pintadeaux, lever les cuisses et les réserver. Lever les suprêmes et les ouvrir en portefeuille. Dénerver les petits filets, les tremper dans le blanc d'œuf, puis les rouler dans le mélange de persil et d'estragon hachés. Farcir les ailes de ce mélange et les envelopper dans un film alimentaire. Cuire à la vapeur, puis passer sur le gril.

grillée aux citrons

3. Pour la sauce, concasser la carcasse et la faire colorer au beurre. Ajouter l'ail écrasé, la ciboulette ciselée, les morceaux de sucre frottés et le jus de citron. Mouiller la gastrique au vin blanc, puis avec le fond de volaille après réduction d'un quart de fond brun. Passer au chinois, puis ajouter la finition et le beurre sans trop mélanger.

4. Sur l'assiette de service, déposer une aile de pintadeau coupée en trois morceaux. Disposer les panisses sautées à l'huile et au beurre, puis répartir la sauce tout autour.

Boulangère de filet de

Préparation *1 heure 30 minutes*
Cuisson *1 heure*
Difficulté ★★

Pour 4 personnes

1 filet de porc d'environ 600 g
sel, poivre
40 g de poitrine fumée
ail, persil plat
100 g de jus de porc brun
40 g de zestes de citrons confits
à la marocaine et hachés
sauge
huile d'olive

Garniture :
150 g de petits oignons
50 g de beurre
500 g de pommes de terre
ail
250 ml de fond blanc de volaille
1 bouquet garni
safran
persil plat haché
6 artichauts poivrades
1 citron
huile d'olive
2 cuil. à soupe de tomates
cuites concassées
sel, poivre

Cette préparation pourrait faire penser à une réunion de famille, tant le porc, la pomme de terre, l'artichaut et la sauge ont tissé d'étroits cousinages au fil des recettes.

Le porc a conquis ces derniers temps de véritables quartiers de noblesse et la qualité des élevages ne fait plus de doute aujourd'hui. Vous choisirez de préférence un porc fermier dont vous réserverez le filet mignon. La viande crue doit être rose clair, et la graisse blanche, sans goutelette suspecte. Le veau peut aussi fournir un filet mignon très tendre.

Le rôti prendra toute son ampleur arrosé d'un fond de volaille dans lequel auront infusé plusieurs plantes aromatiques. Les exemples donnés ici ne sont évidemment pas limitatifs.

Vous apprécierez particulièrement le montage de la viande entre l'artichaut, la tomate et les pommes boulangères. La qualité du filet mignon, qui produit des tranches fines et d'un seul tenant, confère à l'ensemble une solidité digne d'éloges. Il faudra mettre en valeur le goût pointu de la petite sauge de Provence, parfaitement adapté à l'accompagnement de viandes blanches.

Cette recette est aussi l'occasion de préparer l'artichaut poivrade de Provence, très différent de son cousin breton, et que l'on peut consommer cru, «à la croque-au-sel» ou sur une sauce poivrée qui lui vaut aujourd'hui ce surnom. Il servait autrefois de baromètre en Provence, cloué sur une porte – car il s'ouvre largement par beau temps et resserre ses feuilles raides à l'approche de la pluie.

1. Pour la garniture, émincer finement les oignons et les faire fondre en compote avec le beurre. Incorporer les pommes de terre émincées, puis disposer ce mélange (1,5 cm d'épaisseur) dans un plat sabot frotté d'ail. Mouiller à hauteur avec le fond de volaille infusé (ail, bouquet garni et safran). Cuire au bain-marie au four à 200 °C et saupoudrer de persil en fin de cuisson.

2. Extraire les fonds des artichauts poivrades et les cuire dans une eau bouillante citronnée. Les escaloper, puis les faire sauter à l'huile d'olive et au beurre avant de les lier avec la tomate cuite concassée. Assaisonner.

porc aux artichauts

3. Parer et ficeler le filet de porc. L'assaisonner et le faire rôtir en cocotte avec la poitrine, l'ail, le persil et la tomate concassée. Une fois cuit, réserver au chaud pendant 10 minutes. Déglacer la cocotte avec le jus de porc, passer au chinois, puis ajouter les zestes de citrons confits hachés, la sauge hachée et l'huile d'olive parfumée.

4. Le montage de l'assiette se fait en cercle en superposant, tel un gâteau, les artichauts, le filet de porc tranché dressé en rosace et le gratin de pommes boulangères découpé à l'emporte-pièce de même diamètre. Dresser au centre d'une assiette et répartir tout autour le jus résultant du découpage.

Confit de canard

Préparation *35 minutes*
Cuisson *3 heures 30 minutes*
Difficulté ★★

Pour 4 personnes

4 cuisses de canards
graisse de la carcasse de canard
125 ml de bouillon de canard

Marinade :
4 cuil. à soupe de gingembre frais
2 gousses d'ail hachées
2 cuil. à soupe de grains de poivre blanc
1 cuil. à café d'anis étoilé en poudre
8 cuil. à soupe de gros sel de mer

Décoration :
1/2 concombre
1 botte de ciboulette

Sauce :
2 échalotes hachées
2 cuil. à café de gingembre
250 ml de bouillon de canard
4 anis étoilés entiers
2 cuil. à café de miel
2 cuil. à café de sauce hoisin
1 pincée de flocons de piments
sauce soja à volonté

C'est en Asie que Paul Rankin a fait la mémorable connaissance des épices fraîches, ainsi que des subtilités dont s'entoure volontiers la cuisson du canard. Les rôtisseurs, qui occupent dans la société chinoise une place respectée, l'ont initié au four à bois qu'ils alimentent d'essences précieuses, tel le pêcher, l'abricotier ou les sarments de vigne. La chaleur y est telle que la viande est rapidement saisie : la cuisson doit être brève et vigilante.

Pour appliquer ces mêmes principes, vous choisirez un canard fermier bien gras dont vous surveillerez le comportement dans le four : il faudra cesser la cuisson dès que la chair se détachera de l'os. Veillez cependant à ce que la graisse de canard recouvre totalement les cuisses, en ajoutant au besoin de la graisse en conserve ou de l'huile d'arachide.

Si vous ne possédez pas de gril pour faire croustiller la peau du canard, vous pourrez obtenir un effet sensiblement comparable en passant les cuisses 5 minutes à four chaud (220 °C) dans un poêlon épais sur le fond duquel vous aurez retourné la peau. Enfin, vous les découperez au niveau de l'articulation pour une présentation plus harmonieuse.

Le choix des épices chinoises résulte d'une longue expérience. L'anis étoilé et le gingembre constituent la base minimale de ce bouquet de saveurs exotiques, que vous pourrez tempérer d'un peu de sauce soja, bien connue pour sa teneur réduite en graisse.

La ciboulette utilisée pour le décor, que l'on nomme aussi « oignon de Galles », était cultivée par les Chinois déjà plusieurs siècles avant notre ère.

1. Mettre à mariner 24 heures les cuisses de canards, en répartissant les ingrédients de façon égale par-dessus. Découper de gros morceaux de graisse de canard. Ajouter 125 ml de bouillon et laisser mijoter 2 heures dans une casserole jusqu'à ce que la graisse paraisse claire. Passer au chinois et réserver pour la cuisson des cuisses.

2. Pour la décoration, éplucher le concombre et confectionner des rubans à l'économe. Émincer la ciboulette en lamelles. Pour la sauce, faire suer les échalotes et le gingembre dans un peu de graisse de canard, faire légèrement brunir, puis ajouter le reste des ingrédients. Laisser mijoter jusqu'à consistance et rectifier l'assaisonnement avec la sauce soja.

aux épices de Chine

3. Bien rincer les cuisses pour enlever tout résidu d'épices et de sel. Les plonger dans la casserole de graisse de canard et laisser cuire à feu doux 1 heure 30 minutes environ. Laisser tiédir dans la graisse. Avant de servir, placer les cuisses sous le gril, la peau tournée vers le haut pour la rendre croustillante.

4. Disposer les rubans de concombre sur des assiettes chaudes. Placer les cuisses confites par-dessus et répartir la ciboulette. Entourer le tout d'un cordon de sauce.

Irish

Préparation *20 minutes*
Cuisson *1 heure 30 minutes*
Difficulté ☆

Pour 4 personnes

1,5 kg d'épaule ou de collier d'agneau
225 g de pommes de terre
225 g de carottes
225 g de poireaux

225 g d'oignons grelots
sel, poivre
1 bouquet de persil frais
2 brins de thym frais
1 cuil. à café de beurre
250 ml de crème double

Ce traditionnel « ragoût de mouton à l'irlandaise » se prépare de nos jours avec de l'agneau, dont la finesse est plus appréciée des gourmets. Jadis réservée aux pauvres, cette préparation se cuisait dans une seule marmite et se voyait assortir de légumes variés, selon les moyens de chaque ménagère.

Le meilleur agneau est sans doute l'agneau de pays, ou agneau d'herbe, âgé au plus de 5 mois et dont le goût est déjà prononcé. L'épaule ou le collier, qui gardent avec l'os un contact étroit, sont des morceaux très savoureux qui supportent une cuisson lente, jusqu'à ce que l'eau frémisse à la surface de la viande.

Le sol irlandais est fertile en pommes de terre qui jouent dans l'irish stew un rôle essentiel. Leurs premières plantations dans l'île remontent au XVIe siècle, lorsque les premiers colons se procurèrent des germes en pillant les vaisseaux espagnols. La pomme de terre est en Irlande un aliment de base et les Irlandais passent pour les plus gros consommateurs. Pour ce plat, Paul Rankin vous recommande la roseval, qui conserve sa fermeté à la cuisson.

Le poireau, qu'Anatole France qualifiait d'« asperge du pauvre », s'est fait reconnaître des gastronomes et contribue au succès de ce ragoût qu'il enrichit de son arôme. C'est aussi l'emblème du pays de Galles, ce qui vaut à la garde personnelle du prince de Galles le surnom d'« hommes du poireau ».

Ce plat roboratif et typiquement irlandais se prête parfaitement au dîner d'hiver. Vous pourrez même remplacer l'agneau par du veau ou du lapin.

1. Parer et découper la viande d'agneau en cubes. Jeter la fine membrane de graisse recouvrant la viande. Mettre l'agneau dans une cocotte épaisse avec de l'eau et un peu de sel. Porter à ébullition, enlever l'écume et le gras à la surface, puis laisser mijoter 30 minutes.

2. Éplucher et couper en gros morceaux les pommes de terre. En incorporer la moitié dans la casserole et laisser mijoter à nouveau 30 minutes. Remuer le contenu de la marmite assez vigoureusement pour briser les pommes de terre.

stew

3. Ajouter le reste des légumes coupés en rondelles épaisses et laisser cuire 30 minutes supplémentaires jusqu'à ce que la viande et les légumes soient entièrement cuits. Assaisonner.

4. Parsemer de persil haché et de thym frais. Blanchir la crème et le beurre, incorporer au ragoût, réchauffer rapidement et servir.

Géline de Touraine

Préparation *45 minutes*
Cuisson *45 minutes*
Difficulté ☆

Pour 4 personnes

1 carotte
1 poireau
1/2 branche de céleri
200 g de pleurotes
20 g de beurre
sel, poivre

1 échalote
1 géline de 2 kg
1 barde de lard
200 ml de vin blanc
400 ml de crème fleurette

La géline est une race de poule fermière à pattes noires qui résulte d'un croisement entre une poule noire de Touraine et une langshan, autre poule noire originaire de Chine. Elle est spécialement élevée dans cette région, où sa consommation fait des adeptes depuis la fin du Moyen Âge. Nulle part mieux qu'au pays de Rabelais on ne pouvait célébrer cette volaille ancienne, fort goûtée dans les plantureux banquets que multipliaient les bons géants du maître François.

La géline accepte une cuisson de 220 à 240 °C, mais il faut la protéger de tout excès par une barde de lard dont le goût imprègne au passage les chairs de la volaille. Un léger temps de repos après cuisson permet d'attendrir la géline et la rendra plus délicate.

La géline s'accompagne de champignons toute l'année, puisque le pleurote est aujourd'hui disponible en toute saison sur nos marchés : il est en effet possible de planter en continu ce champignon charnu qui pousse sur le bois. Des bûches « plantées » en terrain favorable font rapidement naître de nouveaux champignons, sur couche ou sur paille. Pour éviter toute difficulté pendant la cuisson, choisissez de préférence des petits champignons moins riches en eau.

Vous récupérez soigneusement le contenu du chinois pour en extraire toute la matière nécessaire à la sauce. Utilisez plutôt de la crème double, plus épaisse et qui restitue plus exactement la saveur des aliments. À défaut de géline, cette recette conviendra sans peine à une pintade.

1. Tailler en brunoise la carotte, le poireau et le céleri. Cuire les pleurotes dans un peu de beurre, saler, poivrer et mélanger avec l'échalote ciselée.

2. Préparer la géline pour la cuisson, saler et poivrer. L'entourer d'une barde de lard avant de la ficeler. Cuire 40 minutes à four chaud, puis laisser reposer 15 minutes en étuve.

aux pleurotes

3. Faire suer 10 minutes la brunoise de légumes dans le jus de cuisson de la géline. Dégraisser et déglacer avec le vin blanc. Réduire presque à sec, mouiller avec la crème et laisser réduire.

4. Passer la sauce au chinois et vérifier l'assaisonnement. Lever la géline, la découper en morceaux et dresser au milieu de l'assiette. Napper de sauce et entourer de pleurotes.

Ris de veau braisé

Préparation *45 minutes*
Cuisson *20 minutes*
Difficulté ☆ ☆

Pour 4 personnes

4 pommes de ris de veau de 150 g chacune
beurre
sel, poivre
100 ml d'infusion de verveine
1 kg d'asperges vertes
12 feuilles de verveine
2 cuil. à soupe de demi-glace de viande

Le ris de veau présente en principe une parfaite couleur blanche, sans membranes suspectes ni taches de sang. Si tel n'est pas le cas, vous le ferez dégorger dans l'eau fraîche le plus longtemps possible et vous le réserverez au frais quelques instants (l'idéal serait de procéder la veille). De la sorte, cet abat de printemps, à la saison des jeunes veaux, gardera tout son moelleux dans la cuisson.

Profitez de cet intermède pour laisser infuser les feuilles de verveine, très odorantes et même légèrement poivrées, qui dégagent après ébullition un arôme subtil et puissant. Il ne faut pas utiliser la variété officinale, qui est presque inodore, mais bien la verveine qui sert de base aux fameuses liqueurs du Puy. Son rôle est d'assurer la liaison entre le ris de veau et les asperges vertes, dont elle doit magnifier le goût sans le masquer tout à fait. C'est bien sûr une question de dosage, que vous aurez à cœur de mesurer précisément.

Nul besoin de vous recommander ensuite la prudence pour la préparation des asperges. Elles seront très fraîches, raides et cassantes; vous les ferez pocher dans l'eau quelques minutes seulement pour conserver tout leur croquant, puis sauter au beurre avec précaution. Si vous ne trouvez pas d'asperges, la même préparation conviendra à de belles girolles délicatement poêlées.

La glace de viande est un concentré de fond de viande généralement obtenu par réduction. On l'ajoute à des sauces dont on veut relever le caractère et son arôme soutenu remplit assez bien cette mission. La demi-glace n'est autre qu'un fond partiellement réduit qui garde une consistance sirupeuse.

1. Blanchir, rafraîchir les pommes de ris de veau et bien les dénerver. Dans une sauteuse, faire dorer au beurre les ris de veau et les assaisonner.

2. Mouiller la préparation précédente avec l'infusion de verveine après ébullition et cuire au four à couvert durant 10 minutes.

au beurre de verveine

3. Cuire les pointes d'asperges dans l'eau bouillante salée en les tenant légèrement croquantes. Égoutter et passer au beurre avec les feuilles de verveine.

4. Faire colorer à nouveau les ris dans du beurre. Faire réduire la cuisson avec la demi-glace et monter avec le restant de beurre. Dresser les asperges en tête d'assiette et napper les ris de sauce après avoir vérifié l'assaisonnement.

Pavé de filet de bœuf au

Préparation *30 minutes*
Cuisson *10 minutes*
Difficulté ★★

Pour 4 personnes

4 pavés de bœuf de 170 g chacun
sel, poivre à queue
50 ml d'huile
50 g de beurre
4 os à moelle de 3 x 6 cm
4 canons de moelle sans os

Sauce:
80 g de beurre
1 oignon, 1 carotte, 4 échalotes

1 branche de thym, 1 feuille de laurier
poivre mignonnette
50 g de farine, 750 ml de vin rouge

Mousseline de pommes de terre aux truffes:
200 g de pommes de terre
70 ml de crème
50 g de beurre
30 ml de lait
sel, poivre
10 g de truffe

Galettes de pommes de terre:
200 g de pommes de terre
100 g de beurre, sel

Décoration:
fleurs de thym
feuilles de laurier

La chair du charolais est universellement reconnue comme l'une des plus fines du monde. Notre chef, d'origine ardéchoise, ne fait pas exception à la règle et s'est empressé d'imaginer une recette adéquate, dans laquelle la moelle joue un rôle principal.

Les bœufs de charolais sont réputés pour leur corpulence: le filet peut aller jusqu'à 4 kg, ce qui promet de luxueux pavés à la découpe. Mais vous pouvez aussi bien les tailler dans le rumsteck ou l'entrecôte, tant cette viande est exquise et tendre, pourvu que vous disposiez de morceaux bien épais, soigneusement ficelés et parés. Déposez-les d'abord sur un torchon pour qu'ils soient bien secs, assaisonnez-les et faites-les cuire à la poêle, à feu vif pour saisir l'extérieur, puis plus doucement pour terminer la cuisson. Comme son nom l'indique, le pavé se rapproche du cube: il faut donc le saisir sur tous les côtés et même l'arroser de sa propre graisse pour lui conserver son caractère tendre. Une dernière précaution avant de servir: vous devrez sûrement détendre les fibres en réchauffant quelques instants les pavés dans le four, entre deux assiettes.

Le poivre à queue n'est pas une variété féline de poivre. Ce sont des grains originaires de la Jamaïque formés d'une petite boule ronde garnie d'un bourgeon, dont le goût particulier rehaussera votre sauce d'une saveur étonnante. Encore faut-il y avoir intégré un vin riche en tanin, par exemple une capiteuse mondeuse de Savoie, âpre et tonique. Dans ce festival d'arômes, on peut craindre que le goût discret de la moelle ne passe presque inaperçu: elle fait office, il est vrai, de distraction.

1. Pour la sauce, faire revenir au beurre dans une casserole l'oignon, la carotte et les échalotes coupés en fine brunoise. Ajouter le thym, le laurier, le poivre et la farine. Cuire 2 minutes et mouiller avec la bouteille de vin rouge. Laisser cuire et réduire doucement jusqu'à 200 ml.

2. Éplucher et laver les pommes de terre (400 g au total). Utiliser 200 g pour la confection d'une purée classique additionnée à la fin d'une brunoise de truffe. Tailler les 200 g restants en bouchons, puis les couper en fines lamelles.

poivre à queue et moelle

3. Pour les galettes de pommes de terre, former dans une poêle antiadhésive des rosaces de pommes de terre et les cuire au beurre clarifié. Cuire les pavés de bœuf assaisonnés de sel et de poivre à queue dans l'huile et le beurre.

4. Pocher à l'eau les os à moelle et poêler dans une sauteuse avec un peu de beurre les canons de moelle assaisonnés. Poser les pavés de bœuf sur l'os à moelle et disposer harmonieusement le restant de la garniture. Terminer par la sauce. Décorer de fleurs de thym et de feuilles de laurier.

Poitrine de canard rôtie

Préparation *30 minutes*
Cuisson *1 heure 30 minutes*
Difficulté ⭑⭑

Pour 4 personnes

4 figues
sel, poivre, 50 g de miel
4 cuil. à soupe de vinaigre de xérès
2 g de curry en poudre
2 g d'anis étoilé en poudre
2 g de quatre-épices
200 ml de fond de canard ou fond brun
50 g de beurre
4 poitrines de canard de 250 g chacune
gros sel

Gratin savoyard :
400 g de pommes de terre
50 g de cèpes
50 g de girolles
20 ml d'huile d'arachide
200 ml de lait
200 ml de crème fleurette
2 gousses d'ail
50 g de beaufort

Décoration :
sauge, ciboulette

En arrivant en Savoie en 1963, Michel Rochedy y a trouvé de nombreuses similitudes avec son Ardèche natale, notamment l'aridité de la terre. Malgré cette pauvreté du sol, les communautés montagnardes ont développé des usages culinaires communs qui ont suggéré à notre chef la préparation d'un gratin savoyard.

La qualité de la pomme de terre prime : il faut des belles de Fontenay, à moins de trouver la pomme de terre locale – de production très limitée – dont on apprécie le petit goût sucré en friture autant que dans d'autres apprêts, et même en purée. Mais d'autres variétés conviennent aussi : la roseval, la ratte de Savoie, etc. Veillez avant tout qu'elle s'accomode bien des champignons, en l'occurrence du tandem girolles-cèpes. Selon Michel Rochedy, la girolle toute fine et douce apporte à l'union sa féminité, le cèpe un peu plus rude sa virilité – quel dommage que nous n'ayons pas encore des rejetons de ce couple idyllique ! Mais si vous n'avez que pleurotes, chanterelles ou champignons de Paris, réservez-leur le même sort : saisissez-les à l'huile d'arachide, égouttez-les, puis épongez-les pour éliminer la graisse.

C'est le beaufort qui donne à ce gratin son caractère savoyard. N'oublions pas que cette variété de pâte cuite à rainures est protégé par un label « haute montagne ».

Que dire encore du canard et de son mariage avec la figue ? Nul besoin de préciser qu'il faut un magret bien généreux et que les épices orientales (une longue tradition savoyarde) vont transfigurer l'ensemble ? Bon appétit !

1. Pour le gratin, éplucher et laver les pommes de terre, puis les tailler en rondelles. Éplucher, laver les champignons et les poêler dans l'huile d'arachide. Chauffer le lait, la crème et l'ail écrasé, ajouter les pommes de terre et cuire doucement 30 minutes. Incorporer le beaufort et les champignons, puis verser dans un plat. Cuire 30 minutes à 160 °C, parsemer de beaufort râpé et laisser gratiner.

2. Tailler les figues en deux, les poêler au beurre et les assaisonner. Après coloration, ajouter le miel et laisser légèrement confire.

aux épices, figue confite

3. Caraméliser le miel à feu très vif dans une sauteuse. Déglacer avec 20 ml de vinaigre de xérès, puis ajouter le curry, la badiane, et le quatre-épices. Laisser cuire 1 minute, ajouter le fond, laisser réduire à nouveau, puis assaisonner. Monter avec le beurre.

4. Cuire les poitrines dans une sauteuse sans beurre, 10 minutes côté peau et 5 minutes côté viande. Laisser reposer 5 minutes au chaud. Placer le magret coupé en deux au bas de l'assiette et le gratin au-dessus, surmonté d'une figue. Décorer d'une feuille de sauge et de ciboulette. Napper de jus et parsemer la viande de gros sel.

Tête de veau à l'ancienne

Préparation *30 minutes*
Cuisson *2 heures*
Difficulté ★★

Pour 4 personnes

Tête de veau :
1/2 tête de veau
1 oignon, 1 clou de girofle
1 carotte, 1 poireau
1 branche de céleri
3 branches de persil
1 branche de thym
1 feuille de laurier, sel, poivre
100 ml de vinaigre d'alcool blanc
200 ml de vin blanc

Tortellini à la savoyarde :
80 g de pâte à ravioles
80 g de tripes cuites, 40 g de beaufort
1/4 de bouquet d'ache
1/4 de bouquet d'hysope
sel, poivre

Garniture et sauce :
2 carottes, 1 poireau
2 échalotes, 1 œuf
8 g de truffe
40 ml de jus de truffes
20 ml de vinaigre de xérès
100 g de beurre, 40 g de câpres
sel, poivre

Décoration :
1/2 bouquet de ciboulette ciselée
12 brins de cerfeuil

Fils d'aubergiste, Michel Rochedy a hérité de multiples savoir-faire : son père était fin connaisseur de légumes, et sa mère, le meilleur cordon-bleu qu'il ait connu, lui a transmis son goût pour la cuisine raffinée son habileté culinaire. Ainsi pourvu, notre chef ne saurait négliger les traditions gastronomiques dont il est l'héritier.

C'est ainsi qu'il veut préparer la tête de veau comme il la goûtait jadis chez Monsieur Pic à Valence, avec les saveurs acidulées que lui confère la cuisson à l'ancienne, c'est-à-dire mitonnée. Pour lui, les meilleurs veaux sont les laitons élevés sous la mère dans son Ardèche natale. Ils offrent un abat juteux et savoureux dont vous contrôlerez comme il se doit la cuisson à l'aide d'une aiguille. Ne faites pas blanchir ni cuire les tripes vous-même : il suffit de vérifier que vous avez en main des parties assez croquantes et d'autres gélatineuses, afin que le contraste soit notable dans le mélange. L'effet qu'y produira le beaufort ne pourra manquer de vous séduire et témoigne de l'intérêt que porte notre chef à sa patrie d'adoption.

La légende veut que les tortellini soient nés de l'amour brûlant d'un marchand de pâtes pour l'une de ses employées : alors qu'il regardait la jeune fille dans sa chambre par le trou de la serrure, ce dernier ne vit d'elle que son nombril, qui lui parut assez charmant pour servir de modèle à de nouvelles pâtes. L'histoire ne dit pas si la jeune fille en fut flattée… L'ache et l'hysope, deux plantes vivaces de montagne, réveilleront cette composition tant originale que traditionnelle.

1. Pour la pâte à ravioles, former un puits avec la farine, puis ajouter les œufs battus. Travailler jusqu'à ce que toute la farine soit incorporée aux œufs. La pâte doit être molle, mais non collante. La pétrir en l'écrasant avec la paume avec la main tout en la repoussant vers les bords du plan. Recommencer plusieurs fois. Recouvrir de film alimentaire et laisser reposer 1 heure.

2. Faire dégorger la tête de veau dans l'eau pendant toute une nuit, puis la couper en morceaux de 4 cm. Blanchir, rafraîchir et mettre à cuire avec tous les ingrédients. Pendant la cuisson, couvrir d'un torchon pour qu'ils ne s'oxydent pas. Laisser cuire doucement pendant 2 heures.

et tripes à la savoyarde

3. Pour la garniture, éplucher et laver carottes et poireaux, puis les tailler en fine julienne. Ciseler les échalotes et faire durcir l'œuf. Hacher le blanc et le jaune séparément. Tailler quatre belles lamelles de truffe et hacher le reste. Étaler la pâte, faire fondre les tripes, puis ajouter le beaufort, l'ache et l'hysope ciselées, le sel et le poivre. Confectionner et pocher les tortellinis.

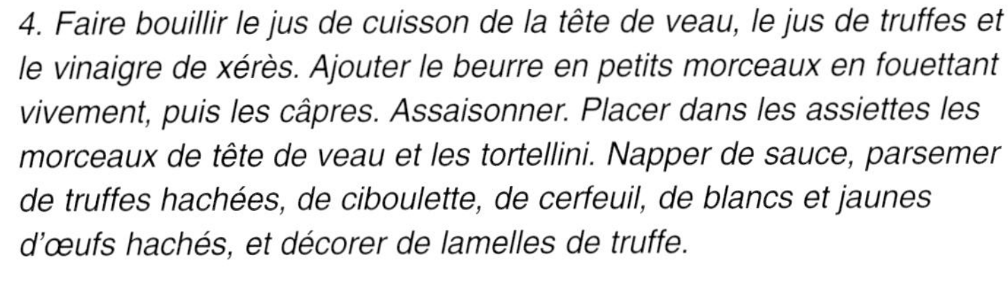

4. Faire bouillir le jus de cuisson de la tête de veau, le jus de truffes et le vinaigre de xérès. Ajouter le beurre en petits morceaux en fouettant vivement, puis les câpres. Assaisonner. Placer dans les assiettes les morceaux de tête de veau et les tortellini. Napper de sauce, parsemer de truffes hachées, de ciboulette, de cerfeuil, de blancs et jaunes d'œufs hachés, et décorer de lamelles de truffe.

Râble de lapereau

Préparation *15 minutes*
Cuisson *20 minutes*
Difficulté ★

Pour 4 personnes

4 râbles de lapereaux entiers avec les rognons
100 ml de jus de lapin
500 g de rhubarbe
20 petits oignons nouveaux
150 g de beurre
sucre

sel, poivre
huile
vinaigre de xérès

Les variétés de lapins sauvages très prisés des connaisseurs portent des noms d'athlètes de foire: « fauve de Bourgogne » ou « argenté des champs ». Plus modestement, le lapin de garenne, aujourd'hui domestiqué, fournira une chair tendre et savoureuse, d'autant que vous aurez choisi des lapereaux pour prélever leurs râbles. Ces animaux doivent être de belle taille (1,5 kg environ), car un lapereau trop jeune risque d'être un peu fade, même si sa viande est blanche et ferme.

Joël Roy s'est donné pour règle de privilégier les produits du jour et d'offrir en permanence une carte d'une étonnante fraîcheur. C'est ce qui explique la présence des oignons nouveaux, bien connus des méridionaux qui les dégustent crus ou rapidement accommodés. Leur goût prononcé réveille le palais dont le plat tire tout l'avantage.

La compote de rhubarbe a de quoi déconcerter les amateurs de tartes et de confitures. Il est vrai que cette plante à feuilles ornementales est utilisée de préférence dans des préparations sucrées, après avoir connu en pharmacie le succès que méritent ses vertus astringentes, toniques et laxatives. Mais pour notre chef, la rhubarbe accompagne à merveille les poissons blancs (brochet, turbot), et les viandes fines et délicates. Encore faut-il que les tiges soient fermes et cassantes, pas trop filandreuses: vous obtiendrez alors une compote homogène, onctueuse et d'un goût subtil.

Il est préférable de réaliser ce plat au printemps, lorsque la rhubarbe est encore jeune. Sachez que les tiges de rhubarbe, coupées en gros tronçons, se conservent sans peine au congélateur.

1. Désosser les râbles de lapereaux et réserver les quatre filets: deux gros et deux petits. Réserver les rognons. Avec les os, confectionner un jus de lapin.

2. Éplucher la rhubarbe et la couper en morceaux. Éplucher les oignons nouveaux et les faire cuire 5 minutes dans un mélange d'eau, de beurre et de sel.

à la rhubarbe

3. Mettre la rhubarbe à fondre dans une sauteuse, avec un beau morceau de beurre, un peu de sucre en poudre et du sel jusqu'à ce qu'elle compote. Écraser à la fourchette.

4. Poêler 5 minutes les filets de lapereaux salés et poivrés dans un mélange d'huile et de beurre. Au dernier moment, ajouter les rognons. Faire réduire le jus de lapereau, le monter au beurre et ajouter quelques gouttes de vinaigre de xérès. Servir bien chaud.

Perdreau en escabèche

Préparation *30 minutes*
Cuisson *50 minutes*
Difficulté ★★★

Pour 4 personnes

4 perdreaux
8 échalotes
300 g de navets de Cerdagne
1 crépine de porc
beurre
sel, poivre
persil

Beurre de tripes:
tripes de perdreaux (cœur et foie)
1 échalote
25 g de beurre
sel, poivre, curry

Escabèche:
250 ml de vin blanc
1 l d'huile d'olive
500 ml de vinaigre de xérès
250 ml d'eau, 10 g de sel gris
5 g de poivre en grains

Sauce:
os de perdreaux concassés
huile d'olive, 1 oignon moyen
25 g de persil
75 g de vert de poireau
100 g de navets de Cerdagne
250 ml de vin blanc
1 l d'eau ou de fond de volaille
sel, poivre

Les Espagnols apprécient le perdreau dès que revient la saison de la chasse, avec une prédilection pour la perdrix rouge. En fait, ces distinctions de vocabulaire sont françaises: le perdreau désigne ce volatile depuis l'ouverture de la chasse jusqu'au 11 novembre, et la perdrix au-delà. Il existe des perdrix grises dans le Nord et dans le centre, des perdrix rouges au Sud.

Malgré ses origines catalanes, notre chef a été séduit par la saveur sauvage de la grouse d'Écosse. Il la recommande particulièrement dans cette recette inspirée d'un procédé très ancien, l'escabèche. Ce mot français et son verbe «escabécher», d'un usage certes peu courant, désigne précisément cette marinade à l'huile et au vinaigre. Un élément nouveau vient lui apporter un goût spécifique: le navet de Cerdagne, dont notre chef apprécie la consistance et la personnalité. Chargé de dynamiser la préparation, ce légume d'hiver à chair très dense, qu'il faut choisir dur, sans taches ni flétrissures, sera escabéché. La Cerdagne, région très rustique et mal connue, cernée de montagnes entre la France et l'Espagne, produit en abondance viandes et légumes.

Santi Santamaria n'apprécie guère la crépine: il ne l'emploie que le temps nécessaire, puis en dégarnit aussitôt les suprêmes. C'est que, dit-il, la graisse qu'elle contient s'ajoute à celle des autres ingrédients et l'ensemble devient alors beaucoup trop gras. Il est vrai qu'avec son goût très intense et l'agrément certain qu'il apporte, le beurre de tripes suffit à pourvoir en calories ce délicieux plat de résistance.

1. Plumer les perdreaux, détacher les cuisses et les désosser en gardant les deux suprêmes attenants. Pour le beurre de tripes, faire tremper les tripes, foie et cœur, la veille au soir. Égoutter, bien nettoyer, faire sauter à la poêle avec l'échalote hachée, puis passer au tamis. Travailler avec le beurre, saler, poivrer et ajouter un peu de curry pour obtenir le beurre de tripes.

2. Faire confire 40 minutes à feu doux les composants de l'escabèche, les échalotes non épluchées, les navets et les cuisses, puis égoutter. Faire sauter les navets et réserver au chaud. Pour la sauce, concasser les os et les faire revenir dans l'huile avec l'oignon, le persil, le vert de poireau et les navets. Déglacer au vin, mouiller avec l'eau, saler, poivrer et cuire à feu doux.

et navets de Cerdagne

3. Assaisonner l'intérieur des poitrines et les enduire de beurre de tripes en en réservant suffisamment pour lier la sauce. Passer la sauce au chinois, faire réduire de moitié et lier avec le reste de beurre de tripes. Passer à nouveau au chinois.

4. Reformer les poitrines et les envelopper dans la crépine. Faire revenir au beurre et cuire au four 7 minutes à 190 °C. Saler et poivrer les cuisses, puis les dorer à la poêle. Enlever la crépine des suprêmes et des escalopes. Les placer au centre de l'assiette avec les échalotes confites et les navets sautés. Entourer de sauce et saupoudrer de persil.

Saucisse de porc aux truffes

Préparation *1 heure*
Cuisson *2 heures*
Difficulté ★★

Pour 4 personnes

200 g de haricots blancs de Ganxet
1 chou
huile d'olive
sel, poivre
jus de truffes
25 g de beurre

Saucisses de porc :
1 kg de ris de veau
750 g de poitrine de porc fumée fraîche
100 g de foie gras de canard
10 g de truffe
boyau

Cette saucisse de porc est une démonstration des traditions culinaires catalanes que Santi Santamaria sublime à sa façon : le classique boudin noir aux haricots est anobli par un ris de veau crémeux, l'incomparable foie gras et la truffe, qui en font une charcuterie subtile et raffinée.

Il faut présenter le haricot de Ganxet, un petit blanc rond et parfumé qui séduit par son ineffable douceur. Il devra tremper depuis la veille dans l'eau fraîche et s'il vous en reste après la dégustation (rien n'est moins sûr), vous pourrez en faire une délicieuse soupe onctueuse.

Ensuite, il vous faudra contrôler la qualité des ris de veau. Cette glande ne doit présenter aucune trace de sang, ni de zone nerveuse ou jaunâtre, et manifester une fraîcheur parfaite.

Pour conserver tout le moelleux et la finesse de leur goût, vous veillerez à faire cuire sans excès les ris de veau. Dans le même ordre d'idée, vous piquerez la peau de la saucisse pendant sa cuisson pour obtenir une répartition bien homogène de la chaleur.

Comme on le voit, l'intérêt de cette recette est de marier des produits très populaires (le porc, le chou et les haricots) et d'autres qui le sont nettement moins, comme les ris de veau et le foie gras. C'est une belle occasion de montrer vos talents de cuisinier en faisant coexister ces ingrédients au sein d'une succulente préparation. Quelques variantes pourraient évidemment vous faciliter la tâche : une herbe de votre choix remplacerait par exemple la truffe, dont la récolte est souvent difficile et le coût sur les marchés prohibitif.

1. Pour les saucisses de porc, faire blanchir les ris de veau, les rafraîchir, les nettoyer et les couper en morceaux. Mélanger à la poitrine de porc fumée coupée en morceaux, au foie gras de canard en mirepoix et à la truffe hachée.

2. Faire tremper les haricots de Ganxet la veille. Cuire 2 heures à feu doux dans une grande quantité d'eau en laissant frémir. Réserver sans égoutter. À l'aide d'un entonnoir à boudin et d'un boyau, confectionner avec la farce des saucisses de 15 cm de long, puis réserver au frais.

et haricots de Ganxet

3. Effeuiller le chou, le laver, le faire blanchir, le rafraîchir et le couper en julienne. Faire sauter à l'huile dans une poêle, puis assaisonner.

4. Faire pocher 8 à 10 minutes les saucisses dans une partie du jus de cuisson des haricots. Confectionner la sauce en faisant réduire le jus de truffes et le jus de cuisson des haricots. Passer au chinois et monter au beurre. Disposer une saucisse par personne dans une assiette creuse, puis compléter avec les haricots et le chou.

Canard au

Préparation *20 minutes*
Cuisson *10 minutes*
Difficulté ★

Pour 4 personnes

1 échalote
150 g de beurre
quelques cuillerées à soupe de court-bouillon
400 g de potiron
2 poitrines de canards
romarin

1/2 verre de cognac
jus d'1/2 citron
1/2 verre de vin rouge
sel, poivre
quelques gouttes de vinaigre balsamique

Le vinaigre balsamique, originaire de Modène – dans la province italienne d'Émilie – détermine le succès de cette recette. Le véritable vinaigre balsamique est fort coûteux, car sa fabrication demande plusieurs années. Le moût de raisin blanc subit tout d'abord un processus naturel de fermentation, complété par une très longue conservation dans de petits tonneaux composés de sept essences de bois différentes. À l'arrivée, le vinaigre balsamique présente une belle robe brun foncé, un arôme persistant et une saveur aigre-douce très équilibrée. À Modène et dans sa région, on organise chaque année le *pali degli aceti*, une véritable compétition des plus grands crus qui détermine le meilleur producteur de vinaigre balsamique.

Pour apprécier pleinement les qualités de ce vinaigre exceptionnel, on choisira d'en assaisonner sans excès une viande savoureuse: une canette ou un colvert, dont la chair est plus tendre que celle d'autres canards, seront les bienvenus. La cuisson des poitrines à la poêle pendant une dizaine de minutes permettra de les conserver dans leur jus avec une belle couleur rosée.

La confection de la sauce n'est pas très aisée: les différentes phases (assaisonnement au cognac et au vin, adjonction du vinaigre balsamique, réduction) doivent être réalisées en douceur et avec la plus grande attention. Il faut donc prévoir le temps nécessaire à cette préparation.

D'autres volailles pourront faire l'objet de cette recette, à chair rouge (le pigeon notamment) ou blanche (caille, pintade), avec toutefois quelques nuances de goût.

1. Mettre l'échalote entière à cuire dans une sauteuse avec du beurre et le court-bouillon. Couper le potiron en petites tranches et les poêler au beurre.

2. Inciser le gras des filets de canard. Dans une sauteuse, faire chauffer du beurre avec un peu de romarin. Saisir les deux poitrines sur toutes les faces pour empêcher le sang de s'échapper.

vinaigre balsamique

3. Déglacer avec le cognac (ne pas flamber), ajouter le jus de citron, le vin rouge, le sel, le poivre et laisser réduire.

4. Ajouter le vinaigre balsamique et laisser réduire aux trois quarts environ. Sortir la viande de la sauteuse, passer la sauce au chinois et rectifier l'assaisonnement. Servir avec les tranches de potiron et la sauce.

Pieds de cochon

Préparation *45 minutes*
Cuisson *2 heures*
Difficulté ★

Pour 4 personnes

8 pieds de cochon
1 bouquet garni
50 g de beurre
huile d'olive extra-vierge
1 carotte
2 oignons

1 côte de céleri-branche
2 gousses d'ail
100 ml de vin blanc sec
1 petit chou vert
1 cuil. à soupe de jus de tomate
1 l de court-bouillon
noix muscade
cannelle, épices
sel, poivre

Cette succulente recette d'origine paysanne accompagnée de polenta était servie aux ouvriers après une longue journée de labeur. Très apprécié des familles nombreuses et surtout très fortifiant, le porc jouait un grand rôle en milieu rural.

Aujourd'hui, les vertus de cet animal n'ont rien perdu de leur charme et les catégories sociales plus aisées à la recherche de sensations inédites découvrent ces traditions qu'elles renouvellent en les simplifiant.

Les pieds de porc doivent être de taille moyenne, car ils sont plus savoureux. Leur préparation commence par un lavage à l'eau froide, puis un passage à l'eau bouillante avec oignons et céleri, et enfin un dernier passage à l'eau froide; on procède ensuite à un grattage minutieux afin de séparer la viande des os.
L'accompagnement de chou vert et de céleri suppose que ces deux légumes soient convenablement liés par la sauce. Le chou vert sera de petite taille. Vous lui aurez fait subir deux lavages successifs à l'eau vinaigrée, puis un rinçage feuille à feuille à l'eau froide afin de dégager toutes les qualités de ce légume jadis considéré comme le «médecin des pauvres». Il n'est cependant pas prouvé, comme le prétendent certains dictons populaires, qu'il soit un remède contre l'ivresse.

Sur les conseils de Nadia Santini, vous pourrez appliquer cette recette aux pieds de veau ou à la queue de bœuf, bien que le résultat risque d'être plus gélatineux. À défaut de polenta, elle propose un accompagnement de pâtes fraîches, penne ou rigatoni.

1. Dans une grande casserole d'eau, mettre les pieds de cochon bien nettoyés au préalable avec le bouquet garni. Laisser cuire à léger frémissement pendant environ 1 heure. Passer sous l'eau froide une fois la cuisson terminée.

2. Dans une grande sauteuse, faire suer dans du beurre et de l'huile la carotte, les oignons et la branche de céleri coupés en mirepoix.

en cassoëula

3. Ajouter l'ail, le vin blanc, les feuilles de chou et le jus de tomate, puis porter à ébullition.

4. Ajouter les pieds de cochon désossés, le court-bouillon, toutes les épices et laisser mijoter jusqu'à ce que tout soit cuit. Présenter dans un plat de service.

Canard

Préparation *45 minutes*
Cuisson *1 heure 30 minutes*
Difficulté ★★

Pour 4 personnes

2 canards
100 g de beurre
4 gousses d'ail
300 g de riz

Marinade :
500 ml de vin blanc
1 orange
1 citron
1 oignon
1 bouquet de persil
6 grains de poivre noir
sel

Cuisson du canard :
1 chorizo doux
100 g de poitrine demi-sel (ou de bacon)
5 grains de poivre noir
sel
1 poireau
1 branche de céleri

Cette façon traditionnelle et populaire d'accommoder le canard est typique du Portugal. Quelle que soit la variété, le canard a toujours nourri l'imagination des cuisiniers portugais et l'on a créé en son honneur des centaines de recettes.

Pour éviter que sa chair ne se dessèche, Maria Santos Gomes choisit de le désosser à mi-cuisson et de l'intercaler entre deux couches de riz. Cette alternance produira le meilleur effet ainsi que les échanges de saveurs et de substances qui doivent en résulter : le canard sera un peu moins gras, plus savoureux, et sa cuisson plus douce. Afin de conserver tout son goût à chaque bouchée, vous veillerez à l'accompagner de condiments discrets : le chorizo et la poitrine demi-sel seront allégés en graisse. Vous prendrez un chorizo pas trop piquant, car des variétés plus pimentées seraient ici catastrophiques. Leur saveur fumée renforcée par la chaleur de la cuisson produira une délicieuse nuance.

Afin que le riz ne dépare pas cette préparation, il faut choisir du riz américain à longs grains non collant et le faire cuire al dente. Rappelons que l'appellation « riz américain » ne signifie pas forcément qu'il nous vient d'outre-Atlantique, mais qu'il se rattache à cette catégorie de légumineuses. Il s'agit bien de riz blanc et non du riz américain sauvage de couleur brune qui a fait depuis longtemps sur les marchés européens une percée fulgurante. Le riz à longs grains, de cuisson sèche, peut être préparé en pilaf ou à la créole et doit rester croquant.

1. Après avoir flambé, vidé et bridé les canards, les mettre à mariner 3 heures environ dans le vin blanc et de l'eau avec des tranches d'orange et de citron, l'oignon en rondelles, le persil, le poivre et le sel. Placer ensuite les canards dans une casserole, ajouter le chorizo, la poitrine demi-sel, les grains de poivre noir, le sel, le poireau et le céleri, couvrir d'eau et laisser cuire 1 heure 30 minutes.

2. La cuisson terminée, sortir les canards, les badigeonner d'un mélange de beurre et d'ail pressé, puis enfourner 30 minutes pour les faire dorer. Faire cuire pendant ce temps le riz dans le jus de cuisson des canards.

au riz

3. À la sortie du four, laisser refroidir les canards et les désosser entièrement. Couper les poitrines en lamelles.

4. Garnir le fond d'un récipient allant au four d'une couche de riz, puis d'une couche de canard désossé, à nouveau d'une couche de riz et ainsi de suite jusqu'à épuisement des ingrédients. Recouvrir de tranches de chorizo doux et de fines tranches de poitrine demi-sel. Enfourner à nouveau 10 minutes pour faire dorer. Servir très chaud.

Duo de poulet et d'écrevisses

Préparation *15 minutes*
Cuisson *30 minutes*
Difficulté ★★

Pour 4 personnes

2 blancs de poulet
sel, poivre
100 ml d'ouzo
150 g de pistaches d'Égine
1 œuf
200 ml de crème fraîche

16 écrevisses
1 oignon
1 bouquet garni
100 g de riz
100 g de beurre
100 ml de vin blanc

Important centre économique du VIIIe au Ve siècle avant J.-C., l'île d'Égine est aujourd'hui réputée pour ses pistaches. Située face au Pirée, l'avant-port d'Athènes, Égine a suscité d'innombrables recettes, puisque ses pistaches garnissent à l'envi potages, entremets, farces et gâteaux. Très énergétiques, mais fragiles à la cuisson – et donc à manipuler prudemment –, elles apportent en toute circonstance un croquant savoureux, une fine nuance colorée et un subtil arrière-goût.

Ici, on pourra verser des pistaches concassées dans le fond d'écrevisses en cours de cuisson, mais il faudra prendre garde alors à ne plus faire bouillir, ce qui impose de les ajouter au dernier moment et de les laisser infuser quelque temps avant de passer au chinois. Pour le reste, il est courant de parsemer les préparations de pistaches grossièrement hachées, que ce soit un poisson (le mérou, par exemple) ou une viande.

La Grèce est aussi un pays d'élevage, bien qu'il n'existe pas encore de poulets grecs labellisés. Vous choisirez un coquelet à chair tendre et le ferez cuire avec mesure : le blanc trop cuit devient coriace. Pour exécuter au mieux les différentes phases de la recette, il est conseillé de préparer la farce la veille, de laisser reposer au frais le poulet farci (qui s'imprègne ainsi de la garniture) et de procéder à sa cuisson juste avant de servir.

La sauce à l'ouzo (ou parfumée de grains d'anis) sera très appréciée pour son effet rafraîchissant. Quelques substituts pourront être employés si besoin : le lapin à la place du poulet ou les amandes à la place des pistaches d'Égine.

1. Ouvrir les blancs de poulet, les aplatir et réserver les petites parures pour la mousse. Après les avoir salés et poivrés, faire mariner 10 minutes dans l'ouzo. Concasser les pistaches.

2. Mixer les parures avec l'œuf, 100 ml de crème fraîche, le sel et le poivre. Étaler la mousse obtenue sur les blancs de poulet. Nettoyer les écrevisses. Préparer un fumet avec huit têtes d'écrevisses, les carapaces, l'oignon émincé et le bouquet garni.

aux pistaches d'Égine

3. Déposer sur chaque blanc de poulet deux queues d'écrevisses décortiquées et parsemer d'une partie des pistaches concassées. Enrouler le tout dans un film alimentaire et faire pocher 15 à 20 minutes. Pendant ce temps, cuire le riz et réserver.

4. Terminer la sauce en incorporant le reste des pistaches au fumet. Laisser réduire, ajouter le reste de crème, faire réduire à nouveau, parfumer à l'ouzo et passer au chinois. Faire sauter au beurre les huit écrevisses restantes et déglacer au vin. Dresser des rondelles de blancs farcis nappées de sauce et garnir d'un dôme de riz.

Filet de porc au graviera,

Préparation *45 minutes*
Cuisson *40 minutes*
Difficulté ★★

Pour 4 personnes

200 g de graviera (fromage)
100 ml de vin blanc de Samos
100 g de noix
80 g de raisins secs
800 g de filet de porc
sel, poivre
50 ml d'huile d'olive
30 petites échalotes
cannelle

8 pommes de terre moyennes
brins de cerfeuil

Sauce :
1 kg d'os de porc
100 g de carotte
100 g de poireau
100 g de céleri
100 g d'oignon
1 cuil. à café de concentré de tomates
150 ml de vin rouge
1 bouquet garni
sel
poivre
200 ml de vin de Samos

Samos est une île de la mer Égée, sur la côte occidentale de l'Asie Mineure. Si son nom est plus connu que celui des autres îles de l'archipel, c'est sans doute en raison du muscat de Samos qui durant des siècles lui a servi d'ambassadeur à travers toute l'Europe. Il devait évidemment figurer dans cet échantillon de gastronomie grecque et notre chef a choisi de l'associer au filet de porc, dont la force rustique traduit bien cette cuisine raffinée aux accents de terroir.

Intégré à la sauce au dernier moment, la douceur du muscat saura équilibrer l'acidité des autres ingrédients, notamment celle des tomates bien fermes dont l'arôme se conserve après que l'on a passé la sauce au chinois. Le filet de porc devra, pour sa part, garder un peu de graisse en surface. Ainsi, lorsque vous le saisirez dans la poêle, il se formera une légère croûte que le passage au four fera durcir : ce croustillant séduira vos convives.

Pour nuancer ce duo, on a introduit un ingrédient de caractère : le graviera, fromage à pâte dure et fruitée que l'on déguste généralement avec des olives et des raisins secs de Corinthe ou de Smyrne. D'une texture qui rappelle le parmesan, le graviera est un fromage mixte (vache et brebis) qui se reconnaît aux multiples yeux dont se pare sa croûte. Sa fusion dans le vin, puis sa reconstitution truffée de fruits secs en font une excellente garniture dont la saveur vous surprendra. Attention toutefois à la cuisson du filet farci au cours de laquelle il n'est pas rare qu'une partie du fromage s'échappe : pensez donc à bien ficeler la viande.

1. Faire fondre le fromage dans le vin avec les noix et les raisins. Mouler dans une forme cylindrique, réserver une nuit au frais, puis détailler en tranches. Ouvrir le filet dans le sens de la longueur et l'assaisonner. L'arroser de vin de Samos, puis répartir les noix concassées, les raisins et une tranche de graviera.

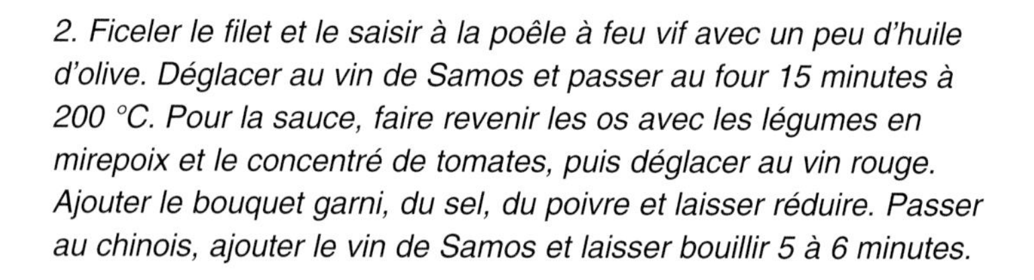

2. Ficeler le filet et le saisir à la poêle à feu vif avec un peu d'huile d'olive. Déglacer au vin de Samos et passer au four 15 minutes à 200 °C. Pour la sauce, faire revenir les os avec les légumes en mirepoix et le concentré de tomates, puis déglacer au vin rouge. Ajouter le bouquet garni, du sel, du poivre et laisser réduire. Passer au chinois, ajouter le vin de Samos et laisser bouillir 5 à 6 minutes.

sauce au vin de Samos

3. Faire sauter les échalotes à l'huile d'olive, mouiller avec un peu de sauce, ajouter la cannelle et laisser réduire 20 minutes à feu doux. Parer les pommes de terre et les cuire à l'anglaise. Au dernier moment, les faire sauter à l'huile d'olive. Ajouter un peu de sauce pour terminer la cuisson.

4. Découper le filet en tranches et les dresser sur les assiettes avec la sauce, les échalotes fondues et les pommes de terre. Décorer de brins de cerfeuil.

Chevreau en sarriette

Préparation *3 heures*
Cuisson *1 heure 30 minutes*
Difficulté ★★

Pour 4 personnes

gigot, carré et selle d'1 chevreau
sel, poivre
feuilles de basilic
300 g de mirepoix
375 ml de vin blanc sec
fond de volaille
100 ml d'huile d'olive
120 g de foie, rognons et
1/2 cœur de chevreau
romarin

Farce :
20 g de chair de poularde
40 g de chair de chevreau
1/2 blanc d'œuf, 30 ml de crème double
sel, poivre, ail, 3 feuilles de basilic, romarin

Panaché de haricots :
100 g de haricots blancs secs
50 g de borlotti, 200 g de haricots verts
2 échalotes, 100 g de fèves
2 tomates
1/2 poireau
1 carotte
2 branches de céleri, 4 gousses d'ail
20 ml d'huile d'olive
4 feuilles de sauge
2 feuilles de laurier
sarriette, persil plat, sel, poivre

Polenta :
300 ml de fond blanc de volaille
1 petite branche de thym et de laurier
200 g de semoule de maïs
parmesan, sel, poivre, noix muscade

Ce sont les souvenirs d'une enfance à la ferme, marquée par l'omniprésence des chèvres et la récolte du maïs, qui inspirent aujourd'hui à Fritz Schilling cette savoureuse recette.

Le chevreau qui fournit la viande est généralement un jeune mâle, la chevrette étant réservée à la production laitière. La viande de cet animal est assez tendre et savoureuse, tout comme celle de l'agneau et quel que soit le morceau choisi : si l'on marque ici quelque préférence pour la selle et le gigot, l'épaule ou le cou sont tout aussi délicieux. Vous utiliserez également les abats, sous la forme d'une succulente brochette au romarin.

Il faut avant tout préserver ce qui fait justement la finesse de cette chair et son exceptionnelle tendreté. Notre chef insiste sur le besoin d'une cuisson « protectrice », longue et délicate, avec beaucoup de légumes dont la saveur parfumera celle du chevreau. Il en résulte une certaine quantité de jus de viande et de légumes, qu'un peu de vin blanc en fin de cuisson rendra légèrement acidulé.

Les accompagnements sont également tendres et consistants. La polenta se prépare avec des grains de maïs déjà travaillés, ramollis à la vapeur, qui donneront une semoule moelleuse. Les haricots du panaché sauront affronter l'ébullition sans perdre la face et s'avéreront nettement plus digestes après un trempage de 24 heures dans l'eau fraîche. Et pour lier définitivement ce bouquet de saveurs, une émulsion à l'huile d'olive achèvera de vous conquérir.

1. Fendre le chevreau ; n'utiliser que le carré, la selle et un gigot. Désosser le gigot pour le farcir. Désosser la selle et manchonner le carré sans ôter la panoufle. Assaisonner de sel et de poivre. Pour la farce, mélanger la chair de poularde et de chevreau, le blanc d'œuf, la crème, le sel, le poivre, l'ail et les herbes hachés.

2. Pour le panaché, cuire séparément les haricots et couper les verts en tronçons. Faire suer les échalotes hachées, ajouter les haricots et les fèves cuites à l'anglaise, puis les autres ingrédients sués à l'huile d'olive. Terminer par les herbes hachées. Pour la polenta, faire réduire le fond de volaille avec les herbes. Ajouter la semoule et laisser gonfler 5 minutes. Incorporer le parmesan, le sel, le poivre et la muscade. Étaler sur une plaque, laisser refroidir, puis couper en losanges.

et panaché de haricots

3. Poêler la polenta avec du thym. Recouvrir la viande du carré et de la selle de feuilles de basilic blanchies, et la panoufle de farce de volaille. Mouler, ficeler et faire rôtir 40 minutes environ avec une mirepoix de légumes. Sortir la viande, dégraisser, puis déglacer avec le vin blanc et le fond de volaille. Laisser réduire, passer au chinois, émulsionner à l'huile et rectifier l'assaisonnement.

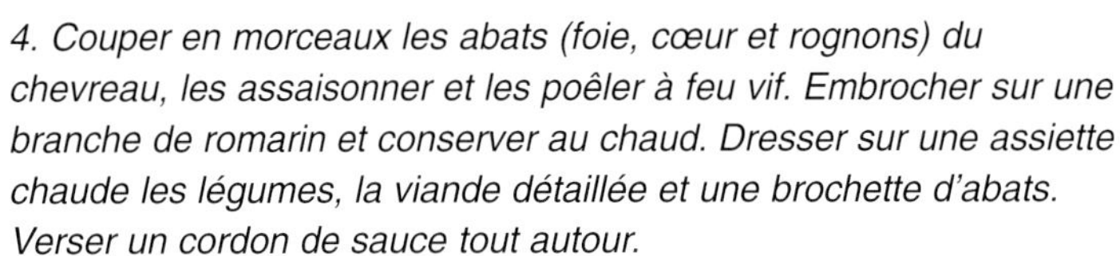

4. Couper en morceaux les abats (foie, cœur et rognons) du chevreau, les assaisonner et les poêler à feu vif. Embrocher sur une branche de romarin et conserver au chaud. Dresser sur une assiette chaude les légumes, la viande détaillée et une brochette d'abats. Verser un cordon de sauce tout autour.

Selle de chevreuil avec

Préparation *3 heures*
Cuisson *1 heure 30 minutes*
Difficulté ★★★

Pour 4 personnes

1 selle de chevreuil d'1 kg, 50 g de beurre
1/2 pomme reinette, 10 baies de genièvre

Sauce au poivre blanc:
2 oignons émincés, 20 g de beurre
10 g de poivre blanc concassé
1 petite branche de thym, 20 ml de noilly prat
50 ml de fond blanc de volaille
80 ml de crème fraîche
40 ml de crème double, sel, poivre

Sauce au poivre noir:
250 g de mirepoix
500 ml de crozes-hermitage rouge
50 ml de fond blanc de volaille
20 g de beurre, sel, poivre noir

Purée de céleri:
4 branches et 1 bulbe de céleri
100 ml de crème fleurette
sel, sucre, noix muscade
ciboulette, 50 g de beurre

Nouilles de pommes de terre:
400 g de pommes de terre
2 jaunes d'œufs, 40 g de fécule
ciboulette, 50 g de beurre
2 g de Maïzena
sel, noix muscade
40 g de mie de pain

Qu'ils soient fils de chasseurs ou chasseurs eux-mêmes, de nombreux Allemands vouent au chevreuil un véritable culte et ce gibier de choix connaît en cuisine des compositions très variées. Fritz Schilling n'aime guère la chasse, sans doute à cause des corvées qu'elle occasionne: préparation du matériel, entretien des fusils, etc. Mais il est friand de chevreuil, dont abondent la Forêt Noire et les massifs rhénans, sans oublier le Bade-Wurtemberg. Le choix du gibier suppose quelques garanties sur sa provenance. En effet, beaucoup d'animaux exportés de Russie ou de Pologne voyagent dans des conditions d'hygiène discutables. Il faut donc savoir exactement où – et même par qui – le chevreuil a été abattu.

Ensuite, vous devez éviter de brutaliser cette viande en la soumettant à une cuisson trop forte: une chair aussi rouge demande un passage à température douce dans une sauteuse qui ne soit pas surchauffée, car tout excès serait fatal à la tendreté. Dans le cas présent, la selle de chevreuil se marie parfaitement au poivre, surtout lorsque le vin lui sert d'intermédiaire.

De ce constat simple, notre chef a tiré une variation de poivre noir et de poivre blanc dont le contraste enrichit la saveur du plat. Les différents fonds de sauce (sang de gibier pour le poivre noir, vin acidulé pour le poivre blanc) stimuleront l'appétit de vos convives.

Quelques variantes sont possibles concernant le morceau de chevreuil: le carré, l'épaule ou la gigue sont aussi de mise. Un cerf, un sanglier ou un lièvre pourront également être accommodés de la sorte.

1. Désosser la selle. Pour la sauce au poivre noir, concasser les os, les faire revenir avec la mirepoix et déglacer au vin. Laisser réduire, mouiller avec le fond de volaille, passer au chinois, monter au beurre et rectifier l'assaisonnement. Pour la sauce au poivre blanc, faire étuver les oignons avec le beurre, le poivre, le thym, ajouter le vin blanc, le fond de volaille et laisser cuire. Ajouter la crème, mixer, passer au chinois et rectifier l'assaisonnement.

2. Peler les branches de céleri, les couper en tronçons de 3 cm et les faire blanchir à l'eau salée. Confectionner une purée avec le bulbe de céleri et les autres ingrédients. Farcir les branches de cette purée et les lier par deux avec un brin de ciboulette. Réchauffer au beurre avant de servir. Dans une sauteuse, cuire au beurre les filets de chevreuil 3 minutes de chaque côté.

ses deux sauces au poivre

3. Pour les nouilles, cuire les pommes de terre à l'eau avec leur peau, les éplucher et passer au tamis. Travailler avec les jaunes d'œufs, la fécule, les autres ingrédients et assaisonner. Confectionner de petits cylindres, les cuire à l'eau salée et les égoutter. Faire blondir la chapelure, y déposer les cylindres et bien les enduire.

4. Pocher la pomme reinette et la garnir de baies de genièvre. Disposer sur l'assiette la sauce au poivre blanc entourée d'un cordon de sauce au poivre noir. Déposer deux noisettes de chevreuil, un quartier de pomme, une branche de céleri et trois cylindres de pommes de terre.

Petite marmite

Préparation *30 minutes*
Cuisson *1 heure 45 minutes*
Difficulté ★★★

Pour 4 personnes

500 g de plat de côte
1 petit jarret
250 g d'échine
500 g de poitrine désossée
1/2 joue de porc
500 ml d'huile d'arachide

100 g d'oignon
100 g de carotte
5 g d'origan, de thym moulu, de sarriette, de sauge, de coriandre moulue et de noix muscade moulue
75 g de miel d'acacia
200 ml de vinaigre de xérès
300 ml de fond de veau
sel, poivre
100 g d'oignons grelots
250 g de pommes de terre
1/2 bouquet de ciboulette

Dans toutes les campagnes françaises, l'abattage du cochon a toujours été marqué par des fêtes et de généreuses ripailles. Fréquemment située aux alentours de Noël ou peu avant le carnaval, la «Saint-Cochon» était surtout l'occasion de consommer à foison les parties de l'animal les plus délicates à conserver, sous forme de boudins, pâtés, saucisses, etc. Cet art de vivre n'a pas complètement disparu et l'on apprécie toujours les charcuteries qui utilisent la quasi-totalité du cochon, au point qu'on le qualifie de «repas sur pattes».

Voici donc une marmite roborative, très appréciée pour les longues soirées d'hiver, qui regroupe certains morceaux délicats du cochon. On reconnaît la fraîcheur et la qualité de la viande à sa fermeté et à sa belle couleur rose qui témoigne de la jeunesse du sujet. De même, il vaut mieux privilégier un porc de taille moyenne, car les gros spécimens sont aussi les plus gras. Les délais de cuisson des divers éléments doivent être respectés, ce qui conduit à les faire entrer successivement dans la marmite: l'échine tout d'abord, puis les autres morceaux 10 minutes après. On vérifie la cuisson en piquant les différents morceaux à l'aide d'un ustensile pointu auquel ils ne doivent opposer qu'une faible résistance. N'oubliez pas de laisser reposer la viande avant la découpe.

Avec cet animal rustique, il faut évidemment servir un accompagnement de légumes en rapport, des pommes de terre sautées par exemple. La B.F. 15, dérivée de la célèbre belle de Fontenay, arbore une chair ferme et une belle couleur jaune pâle; sa consistance et sa tenue à la cuisson offrent toutes les garanties souhaitables.

1. Dégraisser légèrement toutes les parties du cochon et bien les saisir à l'huile d'arachide pour obtenir une belle coloration. Ôter les morceaux et dégraisser. Faire suer les oignons et les carottes en mirepoix ainsi que toutes les épices.

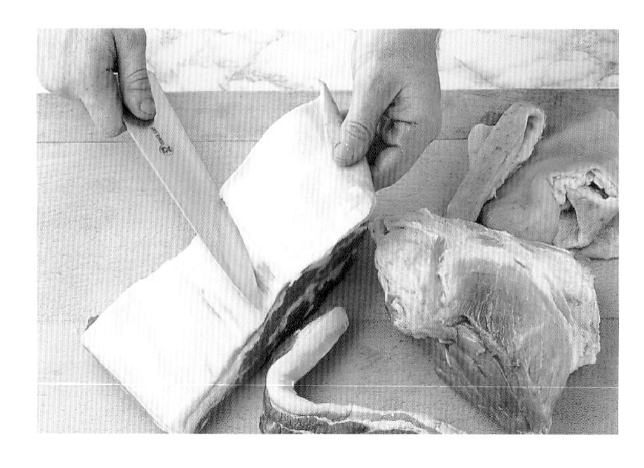

2. Après coloration de la mirepoix, ajouter le miel d'acacia et laisser cuire 2 minutes avant de déglacer au vinaigre de xérès. Remettre la viande dans la marmite et mouiller avec le fond de veau et de l'eau. Après ébullition, enfourner à découvert pendant 1 heure 45 minutes à 300 °C.

de cochon laqué

3. Décanter tous les morceaux, laisser réduire le fond jusqu'à bonne consistance, puis rectifier l'assaisonnement. Après avoir laissé refroidir les morceaux de cochon, les couper en gros dés de taille identique.

4. Glacer à brun les petits oignons grelots et tailler les pommes de terre façon cocotte avant de les faire sauter à la poêle. Dresser dans une assiette creuse et napper le tout de sauce. Disposer la garniture et parsemer de ciboulette ciselée.

Poitrine de pigeonneau,

Préparation *45 minutes*
Cuisson *20 minutes*
Difficulté ★★★

Pour 4 personnes

2 pigeons
50 g de foie d'oie
50 g de blanc de volaille
1/2 chou chinois
2 échalotes
160 g de champignons
50 g de beurre
sel, poivre
250 g de pâte feuilletée (*voir* p. 318)
1 jaune d'œuf

Sauce :
1 mirepoix de carotte (30 g), oignon (80 g) et poireau (30 g)
huile d'olive
1 branche de thym
1 feuille de laurier
500 ml de vin rouge
400 ml de fond brun de veau
100 ml de vinaigre
20 g de gelée de groseille

On peut choisir pour la préparation du pigeonneau la rubrique « volaille » ou « gibier » : selon qu'il est domestique ou sauvage, ce jeune volatile appartient à l'une ou l'autre catégorie. On le cuisinait volontiers au Moyen Âge et l'on sait que Louis XIV en était friand. Le meilleur apprêt est évidemment le pigeon aux petits pois que Jean Schillinger s'est promis de renouveler par une cuisson plus complexe – qui consiste à désosser les cuisses pour les garnir d'une farce au blanc de volaille.

On choisit les pigeons sur l'allure des suprêmes et sur un poids moyen variant de 400 à 450 g : vous aurez ainsi l'assurance de servir un animal bien dodu en le palpant délicatement. Les mêmes critères valent pour les autres colombidés, pigeons ramiers et tourterelles notamment.

Pour la garniture, vous sélectionnerez des champignons de saison. Hormis les mousserons dont le goût ne convient pas, le champ reste libre pour les morilles fraîches, les cèpes et les champignons de Paris, que vous ferez cuire après les avoir émincés. Avec ses multiples variétés, le chou est l'un des plus anciens légumes d'Europe, et c'est avec empressement qu'il accompagnera le pigeonneau dont il est un fidèle complice. Riche en potassium, fer et calcium, le chou exige une cuisson appropriée, aussi le cuirez-vous à couvert après l'avoir fait tomber au beurre avec un peu d'échalote.

Si la sauce poivrade semble un peu trop corsée, on peut équilibrer sa saveur par une discrète addition de gelée de groseille en fin de cuisson.

1. Habiller, flamber et vider les pigeons. Réserver les abats pour en confectionner des brochettes. Cuire les pigeons le moment venu 10 minutes au four préchauffé à 210 °C, puis laisser reposer. Désosser les cuisses de pigeons. Pour la sauce, découper l'oignon, la carotte et le poireau en fine mirepoix, puis réserver.

2. Hacher le foie d'oie et le blanc de volaille. Mélanger le tout et farcir les cuisses de pigeons de cet appareil en leur donnant la forme voulue. Émincer finement le chou à cru et les échalotes, puis les champignons préalablement nettoyés. Faire tomber le tout au beurre et assaisonner.

feuilleté en poivrade

3. Étaler la pâte feuilletée et découper trois cercles de différentes tailles à l'aide d'emporte-pièces. Déposer la cuisse farcie sur le cercle de taille moyenne, couvrir du plus grand en lui donnant forme et déposer le plus petit par-dessus. Après avoir badigeonné d'œuf, cuire 15 minutes au four à 180 °C.

4. Faire revenir la mirepoix dans l'huile d'olive avec le thym et le laurier. Mouiller au vin rouge, puis incorporer le fond de veau et le vinaigre. Laisser réduire aux deux tiers, passer à l'étamine et mettre au point avec une bonne gelée de groseille. Monter au beurre et rectifier l'assaisonnement.

Couronne de cochon de

Préparation *1 heure*
Cuisson *50 minutes*
Difficulté ☆☆☆

Pour 4 personnes

2 carrés de cochon de lait (6 à 8 os chacun)
sel, poivre, 2 oignons
quelques branches de romarin frais
1 bouquet de persil, beurre
500 g de mie de pain

Garniture :
maïs nain, asperges, carottes, navets, tomates-cerises, pois gourmands, haricots verts, brocoli, chou-fleur, grosses pommes de terre

Purée de pommes de terre :
500 g de pommes de terre
2 pommes, bière brune
500 ml de lait, 100 g de beurre
1 gousse d'ail, sel, poivre

Mirepoix :
1 carotte, 1 oignon
1 branche de céleri

Sauce :
500 g d'os de cochon de lait
100 g de mirepoix
30 g de purée de tomates
200 ml de vin blanc
1 l de fond de volaille
1 l de jus de veau
sel, poivre
50 g de beurre

On n'ignore pas l'attachement profond que manifeste les Anglais à la couronne, fût-elle d'agneau, de veau ou même de cochon de lait comme dans cette recette. Pour la réaliser, notre chef pourra vous confier un petit cochon de lait de 8 à 10 kg, pas davantage, car il pourrait être alors trop gras. En principe, l'esthétique de ce plat charme les convives, de même que la cérémonie de la découpe, organisée par le maître d'hôtel avec toute la solennité requise.

La préparation de cette couronne suppose que tous les os du carré soient nettoyés soigneusement et couverts de papier d'aluminium lors du passage au four pour éviter qu'ils ne noircissent. La viande aura été dépecée, dégraissée et bien ficelée, le cas échéant badigeonnée de miel pour un extérieur croustillant. Dans la composition de la farce, carte blanche vous est donnée : à partir de pain, d'herbes et d'oignons, sans excès de cuisson, vous pouvez déjà faire des merveilles – un jus à base de bière enrichira le plat d'un léger aigre-doux.

Cette remarquable couronne est entourée de joyaux non moins impressionnants, ces divers légumes colorés dont les nuances vont s'unir en une harmonie princière. Dressez-les au dernier moment pour éviter qu'ils ne refroidissent.

Enfin, chaque viande au Royaume-Uni jouit d'un accompagnement qui lui est propre : une sauce à la menthe pour l'agneau, une purée de tomates à l'ail pour le cochon de lait. C'est de la rigoureuse observation de ces règles traditionnelles que dépend votre succès.

1. Pour la garniture, éplucher et cuire tous les petits légumes à l'anglaise, puis les mélanger dans une casserole. Pour la purée, couper en deux les pommes de terre et les parer en pomme château. Les blanchir, les cuire avec les autres ingrédients et réserver.

2. Préparer les carrés « à la française ». Les ficeler en forme de couronne, puis assaisonner. Faire cuire à four très chaud.

lait et légumes printaniers

3. *Faire revenir les oignons hachés, le romarin et le persil dans du beurre. Ajouter la mie et faire cuire sans colorer. Pour la sauce, faire revenir les os dans une sauteuse. Égoutter le gras, ajouter la mirepoix et la purée de tomates, puis laisser cuire sans colorer. Ajouter le vin et laisser réduire de moitié. Mouiller avec le fond de volaille et le jus de veau, puis laisser cuire 20 minutes.*

4. *Écumer, passer le jus au chinois et faire réduire aux deux tiers. Assaisonner et monter au beurre. Placer les carrés dans un plat allant au four et poser la farce au fond de la couronne jusqu'à la surface. Faire cuire le cochon 20 à 30 minutes à four chaud. Ajouter une branche de romarin et servir chaud avec les légumes à part.*

Caille braisée sur un confit

Préparation *1 heure*
Cuisson *20 minutes*
Difficulté ★★★

Pour 4 personnes

2 échalotes
15 g de foie de canard
60 g de riz sauvage
thym frais
laurier
20 g de truffes
sel, poivre
1 l de fond de veau
12 raisins blancs
4 cailles

1/2 chou blanc
370 ml de champagne
12 petits navets
40 g de beurre
vin blanc
500 ml de crème fouettée
tranches de pain
huile

Sauce :
1 tomate
4 champignons
3 l de fond de volaille
300 g de mirepoix de légumes
thym
laurier

C'est en l'honneur du prince Édouard qu'a été réalisée cette recette, qui offre à notre chef le plaisir de travailler la caille, ce petit oiseau voisin de la perdrix, abondant en Angleterre et en Écosse. D'un tempérament plutôt aventurier, voire téméraire, le prince est également chasseur ; il préfère évidemment la caille sauvage aux oiseaux d'élevage, qui offrent tout de même un intéressant recours hors saison. Du reste, la caille sauvage se fait rare et l'on peut imaginer de préparer selon cette recette un petit perdreau, un pigeonneau ou même un coquelet. La cuisson de volatiles farcis suppose d'abord qu'on les fasse bien revenir, avant de les faire dorer de chaque côté.

Pour les accompagner avec brio, choisissez du riz sauvage ; il comporte des grains blancs et noirs qu'il faut tremper la veille avant de leur faire subir une cuisson très longue. Celui que préfère notre chef, le « meilleur au monde » à l'en croire, provient du Canada, des provinces de Manitoba, d'Ontario et de Saskatchewan, qui le cultivent avec talent. Il faut signaler que ces terres indiennes ont maintenu des modes de production proches de l'artisanat et que la récolte s'y effectue encore en canoë. Les grains de ce riz sauvage sont très longs (2 cm environ) et très digestes s'ils sont cuits dans les règles de l'art.

Un champagne brut de qualité fera valoir au mieux la saveur de la garniture de choux. Il faut bien sûr choisir un chou très ferme, sans taches ni flétrissures, dont la densité des feuilles rendra inutile tout lavage préalable. D'abord blanchi, le chou subira lui aussi une cuisson très longue, mais à feu très doux.

1. Faire revenir les échalotes émincées et le foie coupé en petits dés. Ajouter le riz, le thym, le laurier, les truffes, puis assaisonner. Mouiller avec un peu de fond de veau, puis retirer du feu. Ajouter les raisins frais épluchés, épépinés et coupés en quartiers.

2. Désosser les cailles et les farcir avec la préparation à base de riz. Émincer le chou blanc et le faire cuire à découvert dans le champagne jusqu'à réduction. Incorporer la crème et laisser cuire à feu doux.

de chou au champagne

3. *Poêler les cailles au beurre, les faire dorer sur les deux faces et terminer la cuisson au four avec le fond de veau et le vin blanc. Confectionner la sauce.*

4. *À l'aide d'un emporte-pièce, découper les morceaux de pain, puis les faire frire dans l'huile (pour les coller à l'assiette, utiliser un caramel très blond). Dresser la couronne de pain et placer une caille sur un lit de chou. Napper de sauce et ajouter trois petits navets confits « au blanc ».*

Gigue de chevreuil piquée

Préparation *45 minutes*
Cuisson *30 minutes*
Difficulté ★

Pour 4 personnes

1,2 kg de gigue de chevreuil
25 g de truffe en bâtonnets
50 g d'olives noires dénoyautées coupées en deux
sel, poivre
30 g de beurre clarifié

120 g de beurre frais
150 g de macaroni fin
3 cuil. à soupe d'huile d'olive
40 g de brisures de noix
200 ml de crème fleurette
5 g de truffe hachée
1 pincée de noix muscade
10 ml de porto
50 ml de consommé

Le chevreuil est réputé dans la province belge du Limbourg, autrefois nommée la « cendrillon du royaume ». C'est ce gibier de choix que notre chef, toujours inventif, a choisi d'assaisonner d'olives noires et d'huile d'olive, créant ainsi une savoureuse continuité.

La viande de venaison la plus tendre est sans doute celle du chevrillard, le jeune mâle du chevreuil. Vous ne la ferez pas mariner, mais seulement « mûrir », au moins une semaine. Vous limiterez la cuisson pour garder une viande rosée, presque bleue, et saisie sur les bords : c'est le résultat d'une première cuisson à la poêle, complétée par un passage au four à température moyenne juste avant de servir, et qui garantit la conservation du jus de gibier.

Même si vous souhaitez affiner la décoration, la proportion des olives et des truffes doit être respectée pour ne pas nuire au goût du chevreuil. La douce amertume des olives noires italiennes escortera sans le dénaturer ce plat de fête. Choisissez de préférence des truffes noires du Périgord (*tuber melanosporum*) récoltées à la fin du mois de février.

Désirant rompre avec le classicisme habituel, Roger Souvereyns accompagne ce plat de macaroni. Veillez à les maintenir al dente pour que leur croquant contraste avec la viande tendre.

Rien ne vous empêche de préparer cette recette avec un autre gibier comme le faon ou la biche. Seule la gigue de cerf pourrait vous apporter de sérieuses différences de goût.

1. Désosser et dénerver la gigue de chevreuil, puis la piquer avec les bâtonnets de truffe et les olives noires. Ficeler et assaisonner.

2. Saisir la gigue dans le beurre clarifié et le beurre frais, puis la cuire au four à 180 °C environ 20 minutes, en arrosant fréquemment. Pendant ce temps, faire cuire 6 minutes les macaroni dans l'eau bouillante salée avec un filet d'huile d'olive. Rafraîchir. Faire sauter rapidement les brisures de noix dans le beurre clarifié et réserver sur du papier absorbant.

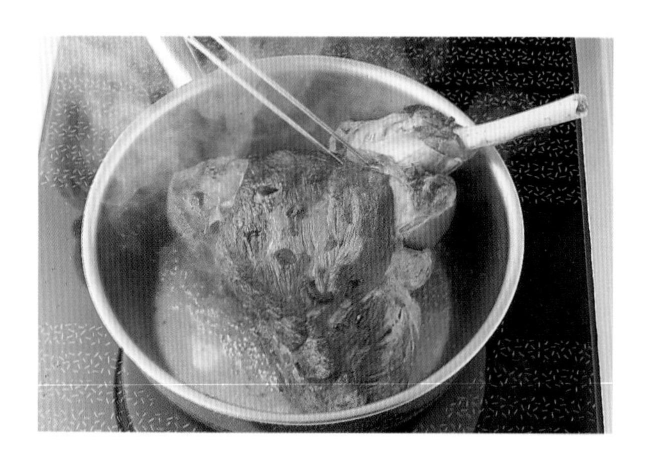

de truffes et olives noires

3. Faire réduire la crème avec la truffe hachée jusqu'à ce que la sauce nappe la cuillère. Rectifier l'assaisonnement et ajouter une pincée de noix muscade. Retirer la gigue du four et la laisser reposer sur une assiette sous une feuille d'aluminium.

4. Pincer les sucs et dégraisser. Déglacer au porto, flamber et mouiller avec le consommé. Laisser réduire de moitié, puis monter à l'huile d'olive à l'aide d'un mixeur. Réserver au chaud. Disposer harmonieusement dans un plat les tranches de gigue et les macaroni. Napper de crème à la truffe et faire gratiner sous la salamandre.

Manitas de cerdo aux

Préparation *1 heure*
Cuisson *2 heures*
Difficulté ☆☆

Pour 4 personnes

4 pieds de porc
24 bardes de lard
1 crépine
huile

Farce :
4 pieds de porc
1 carotte, 1 navet
1 poireau
200 g de ris de veau
sel, poivre

Compote d'oignons :
4 oignons
60 g de beurre, 1 branche de thym
1/2 feuille de laurier, sel, poivre

Mousse de boudin :
3 petites échalotes, 50 g de bacon
100 g de champignons de Paris
500 g de boudin aux oignons
sel, poivre, 10 ml de cognac

Sauce :
os des pieds de porcs
1 carotte, 1 oignon
1 poireau, 1 tomate mûre
750 ml de vin blanc, 1 cuil. à soupe de paprika

Tuiles aux herbes :
60 g de farine, 50 g de beurre
1 œuf
ciboulette, cerfeuil, persil et thym hachés
100 à 150 ml d'eau, sel, poivre

Le Pays basque tout entier voue au porc un culte particulier, qu'explique fort bien la diversité de ses produits dérivés : depuis des siècles, chaque famille paysanne élève des porcs et les convertit régulièrement en boudins, jambons, saucissons et autres cochonnailles, sans oublier de consommer la viande et même la couenne. Il existe ainsi d'innombrables préparations de boudins et l'on trouve partout des confréries d'éleveurs, de producteurs et d'amateurs de ce mets savoureux.

Si le boudin n'intervient ici que comme garniture, il faut éviter de trop le manipuler. On lui retirera sa peau pour la remplacer par une tuile plus croustillante, ce qui atteste bien les égards que mérite ce fleuron de la charcuterie ibérique.

De leur côté, les pieds de porcs seront désossés pour être plus facilement farcis, cuits et même savourés. Vous apprécierez la farce au ris de veau, dont la moelleuse finesse produira beaucoup d'effet. Le plat sera rehaussé d'une compote d'oignons, à moins que vous ne lui préfériez une purée de pommes. D'ailleurs, Pedro Subijana suggère un intéressant amuse-gueule à base de tuiles farcies de morcilla accompagnées de cette purée de pommes croquantes.

Cette recette est aussi l'occasion pour notre chef d'évoquer la forte personnalité d'un fidèle client, chirurgien de son état, qui lui fit un jour cadeau d'un bistouri, parfaitement adapté au désossage des pieds de porcs. Et dire que tout jeune, Pedro Subijana rêvait d'être médecin…

1. Pour la farce,cuire à l'eau les pieds de porc avec les légumes, le sel et le poivre. Réserver l'eau de cuisson. Les désosser et hacher la chair. Faire de même pour le ris de veau et mélanger l'ensemble. Pour la compote, émincer les oignons et les cuire dans le beurre avec le thym et le laurier 1 heure à feu doux. Retirer le thym et le laurier, puis rectifier l'assaisonnement.

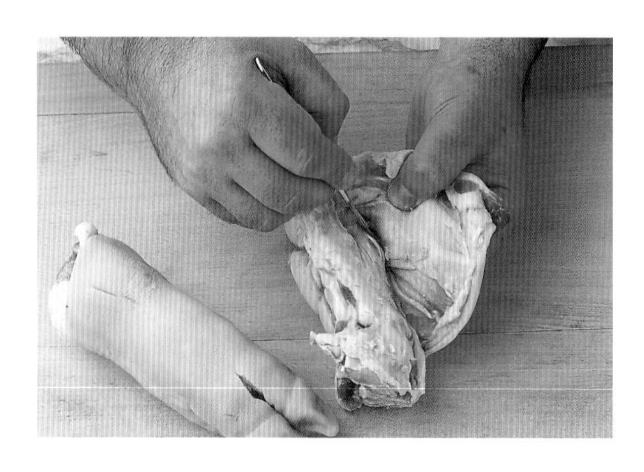

2. Désosser à cru les quatre autres pieds de porc, les mettre à plat, les farcir et refermer. Envelopper de bardes de lard, serrer dans une crépine et ficeler. Faire dorer dans l'huile très chaude, retirer le gras et enfourner 2 heures à 160 °C. Sortir du four, enlever les ficelles et les bardes, puis envelopper dans un film alimentaire.

tuiles farcies de boudin

3. Pour la mousse de boudin, hacher les échalotes, les champignons et le bacon, et les faire revenir. Ajouter le boudin sans la peau et faire revenir. Mixer, assaisonner et ajouter le cognac. Pour la sauce, faire revenir les os avec tous les légumes. Ajouter le vin blanc, le paprika, faire réduire et ajouter le jus de cuisson des pieds de porc. Laisser à nouveau réduire et passer au chinois.

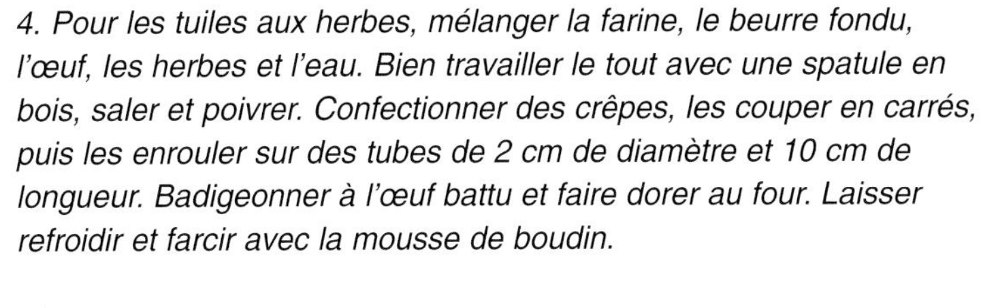

4. Pour les tuiles aux herbes, mélanger la farine, le beurre fondu, l'œuf, les herbes et l'eau. Bien travailler le tout avec une spatule en bois, saler et poivrer. Confectionner des crêpes, les couper en carrés, puis les enrouler sur des tubes de 2 cm de diamètre et 10 cm de longueur. Badigeonner à l'œuf battu et faire dorer au four. Laisser refroidir et farcir avec la mousse de boudin.

Râble de lièvre rôti et sa

Préparation *20 minutes*
Cuisson *10 minutes*
Difficulté ★★

Pour 4 personnes

2 râbles de lièvres
sel, poivre

Garniture de légumes :
8 petits oignons
8 petites carottes
8 petits navets
8 choux de Bruxelles
8 petites pommes de terre
8 courgettes

Sauce :
os de lièvres
huile
1 mirepoix de carotte, oignon et poireau
1 bouquet garni, farine
50 ml de cognac
25 ml de vin rouge
25 ml d'eau ou de bouillon
20 ml de sang de lièvre
1 noix de beurre
sel, poivre

Purée de haricots rouges :
300 g de haricots rouges
1 orange, 1 morceau de citron
1 morceau de pomme
50 g de sucre
100 g de beurre

Dans sa perpétuelle quête de nouvelles recettes, Pedro Subijana fit le vœu de composer un jour un dessert à base de haricots rouges. Bien connus des gourmets amateurs de cuisine sud-américaine, ces légumes d'une belle couleur sombre sont aussi très appréciés en Espagne, où de nombreuses recettes font appel à leurs qualités décoratives et diététiques.

En attendant ce dessert mémorable, notre chef intègre dès à présent la saveur de quelques fruits (pommes, oranges et citrons) à cette surprenante purée de haricots sucrée qui accompagne le lièvre rôti, à l'exemple de certaines recettes brésiliennes. Il s'agit selon lui de rendre le plat plus digeste et d'en finir avec ces recettes traditionnelles où le haricot rouge, riche en sels minéraux, entre pour une bonne part dans la confection d'une sauce épaisse liée au sang de lièvre. Encore faut-il appliquer avec soin la longue procédure de cuisson des haricots rouges : les faire tremper dans l'eau froide toute une nuit, puis les faire cuire longuement jusqu'à les rendre moelleux.

Cette purée peut s'accommoder selon les saisons d'autres fruits sucrés, par exemple certains fruits rouges ou même le coing, que les Espagnols emploient volontiers.

Le lièvre sera de préférence un jeune animal d'un poids inférieur à 3 kg, à la chair tendre et bien saignante mais dorée à l'extérieur. Il est préférable de le découper au dernier moment, car l'aspect des tranches est alors plus flatteur. La sauce sera également liée juste avant de servir pour éviter que le sang ne se fige.

1. Assaisonner les râbles et les faire dorer à l'huile côté filet. Désosser et réserver. Au moment de servir, les passer à nouveau à la poêle, puis les escaloper. Pour la garniture, nettoyer les légumes et faire rissoler les pommes de terre. Parer les légumes, les cuire « al dente » séparément dans l'eau salée avec un filet d'huile, puis rafraîchir. Faire sauter l'ensemble des légumes et réserver les courgettes pour la fin.

2. Pour la sauce, concasser les os et les faire revenir dans l'huile. Ajouter la mirepoix de légumes, le bouquet garni et faire suer le tout. Verser un peu de farine, laisser cuire 2 à 3 minutes et flamber au cognac. Déglacer au vin rouge, laisser réduire, puis mouiller avec le bouillon. Laisser à nouveau réduire, puis passer au chinois.

purée de haricots rouges

3. Au moment de servir, passer à nouveau la sauce au chinois, la faire réchauffer et la lier avec le sang du lièvre. Monter au beurre et rectifier l'assaisonnement.

4. Pour la purée, faire tremper les haricots la veille, puis les faire cuire dans l'eau 2 heures environ avec les tranches d'orange, le citron, les tranches de pommes et le sucre. Égoutter et réserver le jus de cuisson. Conserver quelques haricots entiers pour le décor et réduire le reste en purée ; ajouter du beurre et du jus de cuisson si nécessaire.

Charlotte de cailles

Préparation *35 minutes*
Cuisson *20 minutes*
Difficulté ★★★

Pour 4 personnes

2 petites aubergines
1 courgette moyenne
2 poivrons rouges
100 ml d'huile d'olive
2 grosses aubergines
1 oignon
2 têtes d'ail
8 cailles, assez grosses
sel, poivre, 1 œuf
50 g de farine

50 g de poudre d'amandes
beurre
12 tomates-cerises

Fond blanc :
carcasses de cailles
1 oignon
1 carotte
1 poireau
1 branche de céleri
1 bouquet garni

Crème au basilic :
150 g d'échalotes
125 g de beurre
30 ml de vin blanc
150 ml de crème fleurette
2 branches de basilic
sel
poivre

Émile Tabourdiau apprécie tout particulièrement les couleurs et les parfums provençaux qu'il vous propose ici de réunir dans votre assiette. C'est à l'occasion d'une semaine gastronomique « provençale » à l'hôtel Bristol de Paris qu'il a pu inventer cette recette, en hommage à cette province qu'il fréquente assidûment.

Bien qu'il s'agisse d'un fruit, l'aubergine est habituellement préparée comme un légume et sa belle robe violette colore noblement les étals des maraîchers. Vous choisirez des aubergines fermes et fraîches, pourvues d'une peau parfaitement lisse et brillante. Il faudra de grosses pièces, qui serviront à confectionner la farce, et de plus petites, moins riches en eau, qui chemiseront les charlottes une fois taillées en tranches de hauteur égale (3,5 cm environ).

Les cailles proviendront d'un élevage et se targueront d'une origine « fermière », par exemple des Dombes ou de la Bresse voisine. Il faut les choisir de belle taille, car les désosser exige d'autant plus de minutie que le volatile est petit et sa chair fragile. La cuisson des suprêmes sera surveillée de près pour éviter leur dessèchement. La panure à l'anglaise avec de la poudre d'amandes est suffisamment efficace pour dissimuler le goût de la friture.

La crème au basilic se prépare avec des feuilles fortement blanchies. Il faudra, le cas échéant, les passer au mixeur pour conserver à la crème une belle couleur verte.

La caille pourrait être remplacée, hors saison, par un filet d'agneau.

1. Trancher les petites aubergines, les poêler et réserver. Couper la courgette en rondelles et les faire sauter. Détailler les poivrons à l'emporte-pièce et les faire étuver à l'huile d'olive. Couper en deux les grosses aubergines et les faire rôtir au four 15 à 20 minutes avec un peu d'huile d'olive. Mélanger la chair des aubergines à l'oignon haché frit et à un peu d'ail.

2. Vider les cailles et les désosser ; séparer les suprêmes des cuisses. Désosser les cuisses en conservant l'os du pilon. Assaisonner et paner à l'anglaise avec l'œuf, la farine et la poudre d'amandes, puis faire frire à l'huile chaude. Pour le fond blanc, faire revenir les carcasses de cailles, les légumes et le bouquet garni.

aux aubergines et basilic

3. Pour la crème au basilic, faire suer dans le beurre les échalotes hachées. Ajouter le vin blanc, le fond blanc et laisser réduire. Incorporer la crème et le basilic blanchi, mélanger quelques minutes, puis passer au chinois. Rectifier l'assaisonnement. Faire étuver au beurre douze gousses d'ail en chemise. Faire frire les tomates-cerises. Poêler les suprêmes de cailles en les maintenant rosés.

4. Monter les charlottes. Napper l'assiette de crème au basilic et poser au centre une charlotte aux aubergines. Placer des cuisses de cailles sur le bord de l'assiette et disposer tout autour en alternance des tomates-cerises et des gousses d'ail.

Pavé de veau en

Préparation *35 minutes*
Cuisson *25 minutes*
Difficulté ☆☆☆

Pour 4 personnes

2 médaillons de veau de 160 g chacun
(dans le carré)
125 g de beurre
sel, poivre
400 g de foie de veau épais
160 g de foie gras cuit

1 crépine
30 ml de vin blanc
100 ml de jus de veau
4 endives
1 pincée de sucre
jus de citron
4 disques de pâte feuilletée (*voir* p. 318)
1 blanc de poireau
25 g de gingembre
200 g de pourpier

Comment résister au plaisir de goûter deux des meilleurs morceaux du veau, lorsqu'un médaillon de foie gras les sépare ? Notre chef a pris la résolution de mieux faire apprécier le foie de veau, dont les qualités nutritives sont exceptionnelles.

Les meilleurs foies sont brillants, de belle taille et proviennent de veaux élevés sous la mère. Il faut les dénerver avant de les couper en tranches et les faire saisir au beurre sans les fariner. Les médaillons de veau, à la base du pavé, seront par exemple choisis dans un carré désossé, et parés à vif. Vous ne pourrez guère les prélever dans le petit filet ou dans la noix, car ils doivent être épais et faciles à retourner dans la poêle.

Entre les deux, un foie gras de canard mi-cuit jouera pleinement son rôle de faire-valoir, surtout si vous le découpez en tranches très fines.

L'accompagnement de légumes prend ici la forme d'une tatin d'endives au format individuel qui rend le mets plus léger. Mais vous pourrez fort bien la remplacer par une tatin de poireaux ou de céleri, dont on connaît les vertus digestives. Enfin, le pourpier saura colorer le bord de votre assiette de son vert profond et ses belles feuilles charnues apporteront à la préparation une touche piquante à peine nuancée par la cuisson.

Cette recette peut encore se concevoir en alternant ris de veau, foie gras et foie de veau, ce qui renforcera considérablement la subtilité des saveurs et la majesté de votre souper.

1. Poêler les médaillons de veau au beurre et les retirer à mi-cuisson. Les couper en deux à plat, laisser refroidir légèrement et assaisonner. Poêler le foie de veau, le maintenir très rosé et le couper en quatre.

2. Former les pavés en alternant le veau, le foie gras et le foie de veau. Envelopper dans la crépine et terminer la cuisson au four. Une fois les pavés cuits, les sortir et les laisser reposer au chaud.

crépine au foie gras

3. Déglacer le jus de cuisson au vin blanc. Laisser réduire, ajouter le jus de veau, passer le tout au chinois et réserver.

4. Cuire les endives dans des moules ronds avec du beurre, le sucre, du sel et quelques gouttes de citron. À mi-cuisson, recouvrir d'un disque de feuilletage et terminer la cuisson au four. Démouler. Couper le blanc de poireau en julienne et le faire sauter en incorporant le gingembre cuit au sirop. Faire sauter légèrement le pourpier dans le beurre.

Râble de lièvre et

Préparation *1 heure*
Cuisson *3 heures*
Difficulté ★★

Pour 4 personnes

1 râble de lièvre de 600 à 800 g
4 céleris-branches
4 carottes
3 oignons
4 tomates
5 clous de girofle, cannelle

6 baies de genièvre
laurier, basilic
sel, poivre
2 l de vin rouge très aromatique
huile, beurre
1 cuil. à café de cacao amer en poudre

Compote :
1 kg de tomates vertes
400 g de sucre
zestes de 3 citrons

Cette recette se compose d'une double marinade qu'il faut prévoir assez longtemps à l'avance : 32 heures pour la compote de tomates, 24 heures pour la marinade du lièvre.

Le mélange de tomates, de sucre et d'écorces de citrons doit être remué toutes les 2 ou 3 heures, pendant la durée de la préparation. Les tomates choisies à peine mûres dégorgeront un peu d'eau mais conserveront un certain croquant. C'est à Christophe Colomb que nous devons l'introduction de la tomate en Europe, à son retour d'Amérique. D'abord déchargée dans les ports italiens (à Gênes et Naples, en particulier), elle est parvenue plus tard en France, où sa couleur et son goût ont fait florès. À défaut de tomates vertes, vous pouvez envisager d'accompagner ce plat d'une moutarde de fruits comme on la prépare à Crémone, dans le Nord de l'Italie. Traditionnellement, la marinade du lièvre se prépare avec un vin rouge de qualité, dont on tempère l'acidité en fin de cuisson en ajoutant une cuillerée à café de chocolat amer. La cuisson du lièvre est à surveiller attentivement, car une trop longue durée pourrait rendre la viande coriace. Le faon ou le cerf, très présents dans l'art culinaire italien, pourraient être cuisinés de la même façon.

L'originalité de ce plat réside dans l'emploi d'épices orientales, en souvenir des marchands vénitiens qui affrétaient les navires de Marco Polo et de ses contemporains. Ces épices, d'abord échangées à prix d'or, devinrent l'enjeu d'une vive concurrence entre les cuisiniers des grandes maisons princières

1. Placer le râble dans un grand récipient avec le céleri, deux carottes, deux oignons, deux tomates, les clous de girofle, la cannelle, le genièvre, le laurier et le basilic. Saler, poivrer, mouiller avec le vin rouge et laisser macérer 24 heures.

2. Égoutter le râble et filtrer la marinade. Ne conserver que le liquide. Tailler le reste des légumes crus en mirepoix. Faire fondre l'huile et le beurre dans une casserole, ajouter la mirepoix et faire revenir 5 minutes.

compote de tomates

3. Ajouter le râble et le faire saisir des deux côtés. Mouiller avec le vin de la marinade, ajouter les tomates et laisser mijoter 3 heures. Rectifier l'assaisonnement et incorporer le cacao amer.

4. Pour la compote, mettre à cuire les tomates vertes dans une grande casserole avec le sucre et les zestes de citrons râpés et caramélisés. Laisser macérer 32 heures jusqu'à obtention d'une confiture. Découper le râble en petites tranches, et le dresser sur l'assiette avec les légumes et 1 cuil. à soupe de compote.

Pied d'agneau aux

Préparation	*2 heures*
Cuisson	*1 heure 30 minutes*
Difficulté	★★★

Pour 4 personnes

1 kg d'écrevisses « pattes blanches »
2 tomates
250 g de haricots cocos
20 pieds d'agneaux
1 kg d'os d'agneau
50 g de farine

jus d'1/2 citron
sel, poivre
1 bouquet de persil
2 échalotes
200 g de crépine
2 poivrons rouges
250 ml d'huile d'olive
1 tête d'ail
1 cuil. à café de concentré de tomates
1 bouquet de basilic
100 g de beurre

Ce n'est pas parce que l'on aime les pâtes qu'il faut dédaigner pour autant les haricots. Les Italiens le savent bien, puisqu'ils consomment les unes avec passion et les autres sans préjugés.

Les cocos, garniture classique du gigot, ne déparent pas les pieds d'agneaux. On les cultive dans le Sud-Est de la France, où leur récolte s'étend de juillet à octobre. Ils sont assez peu farineux et très digestes. De toutes les variétés acclimatées en France depuis Catherine de Médicis, deux au moins sont suffisamment tendres pour convenir à ce plat : le coco nain blanc précoce et le coco nain rose à la cosse bariolée de jaune. On les trouve parfois fraîchement cueillis, mais il est préférable de choisir des grains demi-secs.

L'écrevisse « pattes blanches » est un crustacé de torrent. Elle est plus rare, plus petite et un peu moins réputée que son homologue à pattes rouges, mais elle possède autant de finesse et de parfum. Plongez-la 2 heures dans un bain de lait avant de la rincer abondamment. Au besoin, vous pouvez utiliser des langoustines ou même du homard.

Vous ferez ensuite le choix d'un agneau de qualité : on le reconnaît à sa peau blanche et à sa chair souple et ferme. Désosser les pieds est une opération délicate, bien moins difficile pourtant que leur fermeture, une fois farcis. Vous préparerez tout cela à l'avance, car ces travaux sont inopportuns au moment de servir.

Si l'on vous conseille de faire un « blanc », c'est pour soumettre à une sorte de précuisson les légumes qui pourraient noircir par oxydation. Le jus de citron doit les en préserver, mais il faut tamiser la farine avant de la délayer dans l'eau.

1. Châtrer les écrevisses et les plonger dans une marmite d'eau bouillante salée 5 minutes environ. Décortiquer et réserver. Monder les tomates, les épépiner et les concasser. Réserver. Écosser les haricots cocos, les cuire dans l'eau salée et égoutter.

2. Faire blanchir les pieds d'agneaux. Rafraîchir et confectionner 500 ml de jus d'agneau avec les os. Faire un blanc en délayant la farine dans un peu d'eau et en ajoutant le jus de citron. Verser le tout dans la casserole qui va servir à la cuisson des pieds d'agneaux.

haricots cocos, jus gras

3. Laisser cuire les pieds 1 heure 30 minutes environ, laisser tiédir, puis désosser. Garder les 16 plus belles pièces, puis couper en dés les pieds restants. Assaisonner le jus d'agneau de sel et de poivre, puis incorporer le persil et les échalotes hachés. Reconstituer huit pieds en les farcissant avec les pieds coupés en dés. Entourer de crépine.

4. Faire braiser les pieds à four doux (140 °C) pendant 1 heure en les arrosant de jus d'agneau. Découper les poivrons en fines lanières et les faire confire à l'huile d'olive. Rassembler les cocos, les poivrons, l'ail, les tomates, le concentré de tomates, le basilic ciselé et monter au beurre.

Tapenade de rôti d'agneau,

Préparation	*1 heure 30 minutes*
Cuisson	*30 minutes*
Difficulté	★★★

Pour 4 personnes

2 rognons d'agneau
sel, poivre
1 selle d'agneau d'1,5 kg
os de la selle d'agneau
1 l de vin blanc
2 tomates

50 g de tapenade (*voir* p. 318)
250 ml d'huile d'olive
1 cuil. à soupe de concentré de tomates
2 courgettes beurre de Nice
1 bouquet de basilic
1 bouquet de thym
1 bouquet de persil
1 tête d'ail
100 g de beurre

C'est aux câpres (*tapeno* en provençal) que doit son nom la tapenade, qui comporte aussi des olives noires, de l'ail et des anchois montés à l'huile d'olive. La tradition veut que l'on utilise un mortier et un pilon de bois d'olivier pour écraser les éléments solides, avant de procéder à l'émulsion. On utilise la tapenade en accompagnement de crudités, de certains poissons et de plats de viande. Comme la plupart de ses ingrédients se conservent assez bien, on peut la confectionner à l'avance et la réserver au frais, trois mois environ, dans un récipient bien hermétique.

La selle d'agneau est une partie tendre et très savoureuse au bas du dos de l'animal, juste au-dessus des gigots. On la trouve en général désossée, présentant une chair d'un rose soutenu si l'agneau est bien frais. Nous recommandons ici l'agneau de Sisteron, dont la qualité est indiscutable. Une fois parée et farcie de rognons, la selle doit être ficelée avec beaucoup d'attention pour former un morceau régulier. On avance par étapes, en allant des extrémités vers le centre.

Vous pouvez envisager de préparer le tout à l'avance. Il suffira dans ce cas de prévoir le temps nécessaire à la cuisson avant de servir le plat.

En choisissant pour garniture la courgette beurre de Nice, Laurent Tarridec rend hommage aux produits les plus fins de son pays d'adoption : moins gratinés et d'un vert plus tendre que les courgettes ordinaires, ces légumes vous séduiront par leur douceur et leur consistance. Veillez cependant à les conserver croquants.

1. Cuire 5 minutes à feu vif les rognons entiers préalablement assaisonnés. Les piquer après cuisson afin de leur faire perdre tout leur sang, puis les couper en deux. Désosser la selle d'agneau et conserver les panoufles. Séparer les deux canons en laissant collés les filets mignons.

2. Farcir les deux canons d'agneau avec les rognons. Ficeler soigneusement les canons. Confectionner un jus d'agneau avec les os de la selle et le vin blanc. Concasser les tomates. Délayer la tapenade avec un peu d'huile d'olive et le concentré de tomates.

jus au thym frais

3. *Couper les courgettes beurre en longues lamelles et les faire blanchir quelques minutes. Rafraîchir et égoutter. Rectifier l'assaisonnement du jus d'agneau, puis ajouter le basilic ciselé, le thym et le persil.*

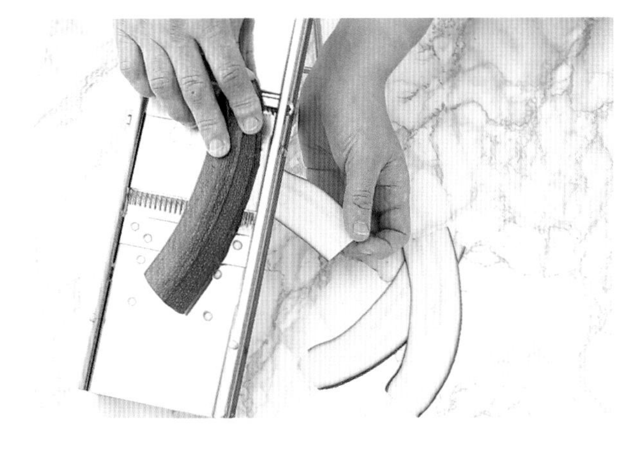

4. *Faire rôtir les canons 20 minutes avec l'ail, puis laisser reposer. Napper de jus le fond des assiettes. Découper la selle en huit tranches et disposer deux morceaux par assiette. Ajouter les tomates concassées, les courgettes sautées au beurre et quelques pointes de tapenade.*

Cassoulet

Préparation *2 heures*
Cuisson *2 heures 15 minutes*
Difficulté *★*

Pour 4 personnes

600 g de haricots lingots
200 g de poitrine de porc salée
100 g de graisse de canard
1 carotte
1 oignon
100 g de couenne fraîche
200 ml de bouillon de canard

1 bouquet de thym
1 bouquet de laurier
10 gousses d'ail
4 cuisses de canards confites
4 saucisses de Toulouse de 100 g chacune
4 saucisses de couenne
sel, poivre

Ce plat est le plus célèbre de la gastronomie du Sud-Ouest, où l'on prétend qu'il a été apporté par les Arabes au VIIe siècle. Jadis ragoût de mouton que l'on préparait durant deux jours entiers, il doit son nom à la cassole, le récipient de terre cuite où l'on termine la cuisson. Les trois principales versions du cassoulet sont aussi vénérées que la sainte Trinité : le Père, simple mélange de haricots et de viande, sert de cassoulet du pauvre ; le Fils est enrichi de confit et de perdrix ; le Saint-Esprit culmine avec des couennes et des saucisses qui apportent onctuosité et moelleux. C'est à ce dernier que notre chef a donné son nom.

Il faut faire tremper les haricots lingots dans l'eau fraîche 12 heures auparavant. Les cuisinières de la grande tradition toulousaine, tantes ou grands-mères de Dominique Toulousy, voyaient dans la cuisson la clé du véritable cassoulet. Il est recommandé de les faire cuire une première fois la veille avant de procéder à la préparation des autres ingrédients.

La viande et la garniture font toutes deux partie intégrante du plat, et il faudra suivre à la lettre les consignes de notre chef. La mirepoix bordelaise, par exemple, doit être taillée très finement. Tout le reste n'est que patience et tradition, notamment l'emploi d'un poêlon de terre cuite à l'exclusion de tout autre ustensile.

Le cassoulet est un plat complet qui vous dispensera volontiers de prévoir une entrée et même un dessert trop consistant. Suivi d'une salade assez légère, il fera frémir les gourmands, quelle que soit la saison.

1. La veille de la préparation, faire tremper les haricots blancs dans l'eau fraîche ; ne pas les laisser plus de 12 heures. Une fois cette opération terminée, faire blanchir les haricots avec la poitrine de porc coupée en cubes de 50 g environ. Rafraîchir.

2. Faire suer dans un faitout la graisse de canard ainsi que la carotte et l'oignon coupés en très fine mirepoix. Ajouter la couenne, la poitrine de porc et les haricots blancs. Mouiller avec le bouillon de canard, ajouter le thym, le laurier, l'ail haché et laisser cuire 1 heure 30 minutes.

« Toulousy »

3. Pendant ce temps, faire colorer le confit de canard dans une poêle. Ajouter la saucisse de Toulouse, la saucisse de couennes et réserver.

4. Après 1 heure 30 minutes de cuisson, verser les haricots et toutes les viandes bien rissolées dans un poêlon de terre cuite. Rectifier l'assaisonnement si nécessaire et laisser cuire au four 45 minutes à 210-240 °C. Servir très chaud.

Côtes de veau en écailles

Préparation *1 heure 30 minutes*
Cuisson *1 heure 40 minutes*
Difficulté ★★★

Pour 4 personnes

1 pain de mie de 300 g
100 ml de lait
4 gousses d'ail
3 bouquets de persil
200 g de beurre
sel, poivre

1 kg de pommes de terre
1,5 kg de cèpes frais
2 côtes de veau d'1 kg chacune
200 ml d'huile d'arachide
200 ml de crème fraîche

On apprécie le veau pour sa faible teneur en graisse, ce qui est particulièrement vrai des veaux sous la mère dont la viande pâle et savoureuse offre une qualité supérieure. La côte, en raison de la proximité de l'os et de la chair, et du parfum qui en résulte à la cuisson, est l'un des morceaux les plus prisés.

Afin d'exalter au mieux les arômes de ce mets délicat, on l'enrobe ici d'une pâte subtile à base d'ail et de persil qui gagnera du caractère si vous la préparez la veille. Après avoir incorporé le beurre fondu et l'avoir laissé reposer au frais, vous obtiendrez une pâte bien dure au moment de l'emploi. Si tel n'est pas le cas, n'hésitez pas à la travailler encore au beurre fondu et réservez-la au frais.

Les cèpes se préparent comme des champignons de Paris, taillés en petits dés après un nettoyage minutieux. On en confectionne une petite marmelade assaisonnée d'ail et de persil, avant d'en enrichir la garniture de rondelles de pommes de terre préparée entre-temps. Prenez cependant garde à ne pas trop faire colorer ces dernières à la poêle : une fois saisies à feu vif, elles devront subir une cuisson plus modérée de 15 minutes environ.

La cuisson des côtes de veau au four demande une certaine vigilance, car la chair peut se dessécher si vous ne l'arrosez pas régulièrement. Respectez les temps et les valeurs de cuisson pour que la viande conserve tout son arôme.

Le coulis de persil se prépare avec de la crème et des brins de persil ébouillantés et soigneusement égouttés. Il doit être servi très chaud, comme la côte de veau, que vous découperez en tranches épaisses.

1. Éliminer la croûte du pain et détailler la mie en cubes. Placer la mie de pain dans un saladier avec le lait, deux gousses d'ail et un bouquet de persil hachés. Ajouter 100 g de beurre fondu, du sel et du poivre. Mélanger jusqu'à consistance d'une pâte, couper en deux parts égales et laisser reposer. Laver et faire cuire les pommes de terre. Les couper en rondelles d'1 cm d'épaisseur en conservant la peau.

2. Étaler la pâte entre deux films alimentaires et réserver au frais. Nettoyer les cèpes, puis tailler les pieds en petits dés et les chapeaux en fines lamelles. Verser dans un saladier avec du sel et du poivre, mélanger et laisser mariner 30 minutes. Poêler les côtes de veau 5 minutes de chaque côté, puis les égoutter.

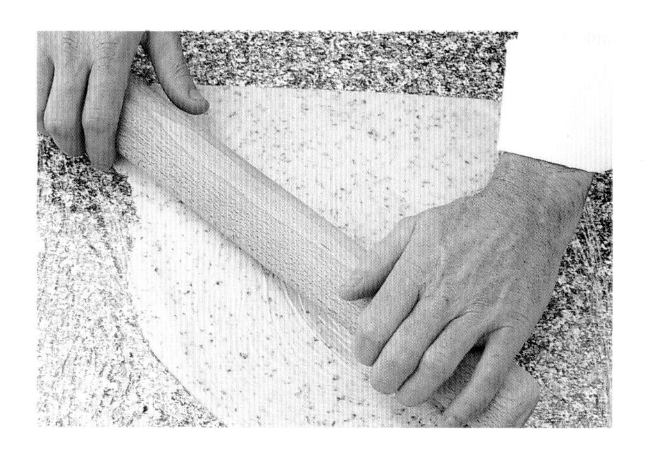

de champignons

3. Recouvrir les côtes de pâte à pain. Hacher un demi-bouquet de persil et la gousse d'ail restante, puis mélanger avec les queues de cèpes. Poêler les pommes de terre dans l'huile et le beurre 5 minutes de chaque côté. Réduire le feu et prolonger la cuisson 15 minutes.

4. Huiler un plat et le garnir de noix de beurre. Recouvrir les côtes de veau de cèpes, puis enfourner 10 minutes à 200 °C et 40 minutes à 150 °C. Faire blanchir le persil restant 1 minute, rafraîchir et essorer. Le verser dans la crème en ébullition et mixer. 5 minutes avant la fin de la cuisson des pommes de terre, ajouter le mélange d'ail, de persil et de cèpes, et assaisonner.

Lapin au cidre, navets

Préparation *1 heure*
Cuisson *45 minutes*
Difficulté ★★

Pour 4 personnes

1 lapin de 2 kg
6 tranches de lard fumé très fines
1 crépine de porc
10 navets
beurre
sel, poivre
20 petits oignons grelots
8 petits poireaux
huile
1 bouquet de coriandre fraîche

Fond au cidre:
os de lapin
huile d'arachide
1 carotte
1 oignon
2 échalotes
2 l de cidre doux
2 pommes
parures de navets
1 bouquet garni
100 g de beurre
sel, poivre

«Tout est bon dans le lapin!», clame notre chef qui se fait un devoir immédiat d'illustrer ce joyeux slogan: toutes les parties de ce petit mammifère entrent en effet dans sa recette et l'on ne s'étonne plus que Dieu l'ait ainsi pourvu du pouvoir de proliférer, tant ses apprêts sont variés. On dispose aujourd'hui d'élevages de qualité qui produisent des lapins en parfaite santé dont il suffit de contrôler la fraîcheur.

Gilles Tournadre veut aussi faire litière des reproches avancés par certains gastronomes pour qui le lapin n'est guère consommable en raison de la sécheresse de sa chair. Sa formule garde au contraire la viande bien moelleuse, mais il faut tout de même un lapin de première qualité. Le meilleur indice est apparemment celui du rognon, qui doit être ferme et supporter la cuisson sans mollir. Lorsqu'on a trouvé le spécimen idéal, on l'enrobe soigneusement de lard, dont la graisse en fondant va nourrir la chair et la nuancer d'un goût supplémentaire. C'est dans cette perspective que l'on utilisera par exemple une cocotte en fonte et que l'on fera subir à l'ensemble une cuisson très douce.

Le navet souffre d'une disgrâce injuste depuis quelques décennies, sans doute à cause du rutabaga (ou navet d'Espagne) dont il fallait faire ses choux gras pendant la dernière guerre. Il est temps aujourd'hui de rendre la place qui lui convient à ce légume riche en vitamines qui mêle sa fine amertume à la douceur du cidre et souligne ainsi l'excellence de ce pur produit du patrimoine normand. C'est avec un cidre doux fermier que vous obtiendrez les meilleurs résultats, car il imprime à la sauce un léger goût sucré qui vous séduira.

1. Prélever le râble et les cuisses du lapin, puis les désosser. Préparer une rognonnade en entourant les morceaux de fines tranches de lard fumé.

2. Faire de même avec les hauts de cuisses. Enrouler chaque morceau dans la crépine de porc. Parer les navets, les cuire dans un peu d'eau et une noix de beurre, saler et poivrer. Faire de même avec les oignons grelots et les petits poireaux. Conserver les parures des navets pour la sauce.

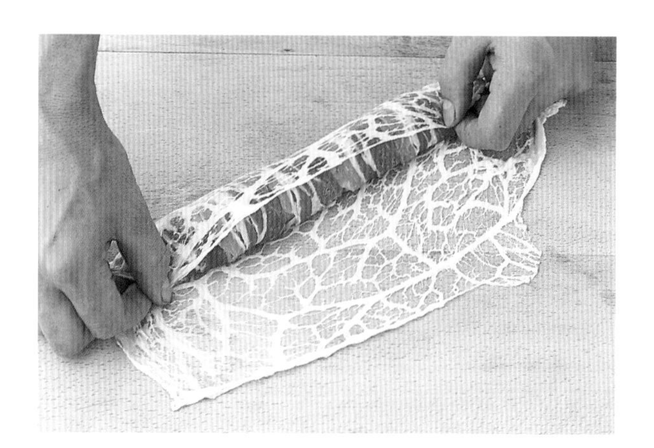

à la coriandre

3. Dans une sauteuse, faire revenir dans l'huile d'arachide les os du lapin concassés avec la carotte, l'oignon et les échalotes. Mouiller avec le cidre, puis ajouter les pommes, les parures de navets blanchies et le bouquet garni. Laisser cuire 45 minutes à feu doux. Passer au chinois, monter au beurre et rectifier l'assaisonnement.

4. Cuire la rognonnade et les hauts de cuisses dans une sauteuse avec de l'huile et du beurre. Couper en tranches et dresser sur l'assiette avec les navets, les petits oignons glacés et les petits poireaux. Napper de jus et parsemer de brins de coriandre. On peut également agrémenter ce plat de petites carottes et de quelques girolles.

Suprême de pintade aux

Préparation *45 minutes*
Cuisson *30 minutes*
Difficulté ★★

Pour 4 personnes

1 pintade d'1,5 kg
1 mirepoix de légumes
4 endives
100 g de beurrejus d'1 citron
1 pincée de sucre

100 ml de crème fleurette
sel, poivre
5 tranches de lard fumé

Gilles Tournadre présente ce plat comme l'héritage d'une longue tradition ménagère, l'aboutissement du savoir-faire de générations de mères et de grands-mères qui ont façonné puis amélioré les principes de notre gastronomie contemporaine, et auxquelles nous ne saurions manquer de rendre l'hommage qu'elles méritent.

Une fois plumée, la pintade perd ce qui fait sa séduction : la fine palette de couleurs qui lui vaut son nom (*pintada*, peinte en espagnol). Elle devient alors une volaille presque anonyme, dont les esprits chagrins dénoncent une tendance au dessèchement, mais que les vrais amateurs placent au-dessus des poulets et chapons. La meilleure pintade est assurément une volaille fermière au poitrail charnu, à la chair souple et d'allure appétissante.

Pour lui conserver son moelleux, notre chef a pris l'habitude de faire cuire la pintade au bouillon enveloppée dans un film alimentaire, dans la tradition des volailles pochées. Ensuite, les suprêmes sont réchauffés dans un beurre clarifié et dorés au dernier moment dans du beurre frais… normand, s'entend. L'arrosage au beurre répond à des impératifs de couleur et de goût qui justifient quelques sacrifices.

Avec l'excellente liaison de la crème de Normandie, l'accompagnement est à lui seul un prodige d'équilibre : entre le goût délicatement salé du lard fumé et la saveur plus amère des endives, vous aurez de quoi relever sans brutalité l'effet de la volaille. Notons qu'en hiver de petits choux de Bruxelles pourront remplacer les endives (dont on n'ignore pas qu'elles sont, elles aussi, d'origine belge).

1. Lever les deux cuisses de la pintade. Envelopper le bateau dans du film alimentaire en veillant à ne pas le percer. Faire pocher dans l'eau pendant 20 minutes.

2. Confectionner 200 ml de jus de volaille avec les os de la pintade et la mirepoix de légumes.

endives et au lard

3. Tailler les endives dans le sens de la longueur et les faire étuver au beurre. Presser le jus de citron, ajouter le sucre et verser sur les endives. Laisser réduire 5 minutes. Ajouter la crème, le sel, le poivre et terminer la cuisson. Tailler les tranches de lard fumé en tout petits lardons et les faire blanchir.

4. Lever les suprêmes de la pintade et terminer la cuisson dans du beurre clarifié en commençant côté peau. Arroser souvent avec le beurre de cuisson. Faire sauter à la poêle les petits lardons et les ajouter aux endives. Dresser sur une assiette chaude.

Jambonneau de canard

Préparation *1 heure 30 minutes*
Cuisson *40 minutes*
Difficulté ★★

Pour 4 personnes

viande de la contre-cuisse
du canard
beurre
2 feuilles de sauge
4 tranches de jambon cuit
1 jaune d'œuf
mie de pain rassis
lait

1 cuil. à soupe de persil haché
quelques pistaches fraîches
sel, poivre
4 cuisses de canards désossées

Sauce :
1 verre de vin blanc sec
2 cuil. à café de vinaigre balsamique
1 carotte
1 oignon
1 branche de céleri
4 louches de fond brun de canard
1 noix de beurre
sel, poivre

Très populaire dans le Piémont, le canard se prête à d'innombrables recettes où la poitrine semble tenir le haut du pavé. Pour éviter de retomber dans les préparations classiques, notre chef vous propose de travailler ici les cuisses de ce délectable palmipède, que vous farcirez justement de la chair de ses autres parties. Quelque talent de couturière vous sera peut-être utile au moment de refermer les cuisses, mais la manipulation est relativement simple.

Un canard de 2,5 kg vous offrira des jambonneaux de belle taille, dont vous estimerez la fraîcheur en vérifiant qu'ils sont assez raides et ne présentent pas de fripures suspectes. Tout autre morceau du canard conviendra pour la farce, que vous pourrez enrichir si vous le désirez d'une noble spécialité piémontaise, la truffe blanche de l'ancien duché d'Albe.

Si vous en avez le temps, préférez le hachis au couteau plutôt qu'au mixeur, qui produit une substance parfaitement homogène, mais à laquelle manque le charme des mélanges traditionnels.

La fermeture des cuisses s'opère par de véritables points de suture au fil de cuisine, mais cette précaution est indispensable pour éviter que la farce ne s'échappe. Jusque-là, toutes les opérations pourront être effectuées à l'avance, seule la cuisson étant réservée au dernier moment. Rappelons que pendant le passage au four, on contrôle le degré de cuisson de la chair du canard en la piquant d'une aiguille : le jus qui s'écoule n'a plus la moindre coloration sanguine lorsque la viande est à point. Un repos d'une dizaine de minutes au chaud est ensuite nécessaire pour qu'il retrouve tout son moelleux.

1. Confectionner une farce en faisant sauter la viande de canard à la poêle avec un peu de beurre et de sauge. Procéder de même avec les tranches de jambon découpées en lanières. Passer le tout au mixeur.

2. Dans un récipient, mélanger le jaune d'œuf, le jambon, la mie de pain trempée dans le lait et pressée, le persil, les pistaches, ainsi que la farce au canard et au jambon. Rectifier l'assaisonnement.

au vinaigre balsamique

3. Farcir les cuisses de canards désossées et replier la peau sur l'ouverture ; lier à la ficelle de cuisine. Placer les cuisses dans une sauteuse et les faire revenir sur toutes les faces. Pour la sauce, dégraisser la sauteuse, puis déglacer au vin blanc et au vinaigre balsamique.

4. Ajouter les légumes en petits morceaux, laisser rissoler et incorporer le fond de canard. Enfourner 30 minutes, puis retirer les cuisses et les garder au chaud. Réduire le fond de cuisson à consistance, puis ajouter le beurre, le sel et le poivre. Passer au chinois. Ôter la ficelle, couper en tranches et les disposer en éventail. Napper de sauce et ajouter les légumes.

Fondant de ris et tête de

Préparation *30 minutes*
Cuisson *20 minutes*
Difficulté ☆☆

Pour 4 personnes

300 g de tête de veau braisée au naturel
8 pommes de terre moyennes (bintje)
gros sel
600 g de ris de veau
1 crépine de porc
sel, poivre noir fraîchement moulu
100 g de truffe noire du Périgord
farine

jus de truffes
100 ml de jus de veau réduit
150 g de beurre
100 ml de lait battu
noix muscade

Court-bouillon :
2 oignons cloutés de girofle
2 poireaux
2 carottes
2 céleris-raves
1 tête d'ail
1 bouquet garni

La tête de veau passait pour un plat populaire, accommodé de sauces lourdes, jusqu'à ce qu'une récente compétition politique la métamorphose en un symbole électoral. Au-delà de l'anecdote, on retiendra que les deux parties s'accordaient sur la qualité du mets – avec toutefois quelques réserves (« C'est très bon, la tête de veau, mais il ne faut pas en abuser ») – et l'on se félicitera que la politique française ait su mettre en valeur la préparation d'un abat parfois injustement boudé.

La tête de veau doit être bien blanche ; vous la laissez dégorger toute une nuit dans l'eau froide salée. Ensuite, débarrassée de la langue et de la cervelle, elle cuira pendant une demi-journée, de préférence la veille de la découpe, car la chair trouve ainsi le temps de se reposer et d'être plus moelleuse.

Quant au ris de veau, dit aussi thymus, c'est un morceau de choix que l'on traite en conséquence. Il mérite sans conteste l'assaisonnement que préconise Guy Van Cauteren, à base de truffes noires fraîches et soigneusement brossées. On peut recourir en cas de besoin aux conserves de truffes au naturel, mais elles n'ont pas l'arôme puissant des champignons frais. Une fois regroupés en fondants pour passer au four, les abats doivent être arrosés régulièrement, cuits uniformément, et servis chauds et moelleux.

La pomme de terre utilisée ici, la bintje, a l'avantage d'être disponible toute l'année. Elle est d'origine hollandaise et s'affirme comme le tubercule le plus consommé d'Europe malgré l'apparition récente de nouvelles variétés.

1. Faire blanchir la tête de veau dans l'eau salée ; écumer après le premier bouillon. Ajouter l'ensemble des ingrédients du court-bouillon. Cuire 45 minutes au four les pommes de terre avec leur peau sur un fond de gros sel.

2. Faire cuire la tête de veau 4 à 5 heures à feu doux dans le court-bouillon. Laisser refroidir avant de procéder à la découpe. Faire dégorger, blanchir et rafraîchir les ris de veau avant de les parer. Faire dégorger la crépine, l'étaler et confectionner les fondants.

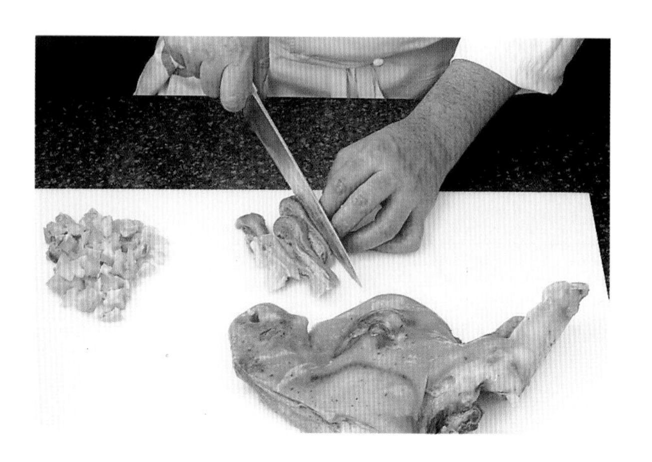

veau, pommes au lait battu

3. *Découper les ris de veau en morceaux et les assaisonner. Déposer sur la crépine des lamelles de truffes, quelques morceaux de tête et un peu de ris de veau. Fermer la crépine et fariner légèrement. Poêler quelques minutes et terminer la cuisson 15 minutes au four à 180 °C. Déglacer la sauteuse avec le jus de truffes et le jus de veau, laisser réduire légèrement, puis rectifier l'assaisonnement.*

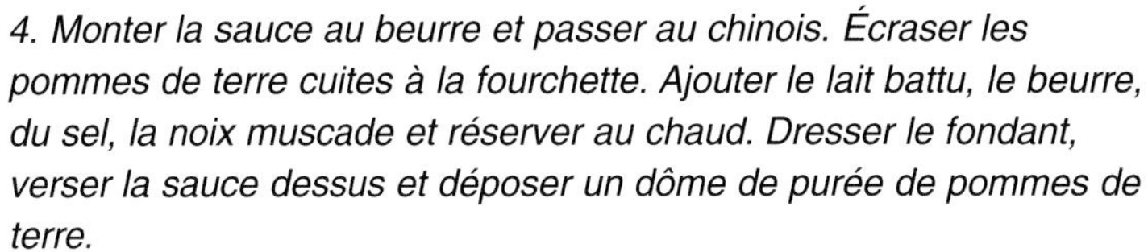

4. *Monter la sauce au beurre et passer au chinois. Écraser les pommes de terre cuites à la fourchette. Ajouter le lait battu, le beurre, du sel, la noix muscade et réserver au chaud. Dresser le fondant, verser la sauce dessus et déposer un dôme de purée de pommes de terre.*

Bouillon de poule, œuf

Préparation *1 heure*
Cuisson *1 heure*
Difficulté ★★

Pour 4 personnes

1 kg de chicons (endives)
250 g de beurre
sel
noix muscade
1 poule
4 tranches de bacon fumé
250 ml de crème double

250 g d'amandes blanchies
4 œufs
vinaigre blanc
1 poireau

Court-bouillon :
poireaux
oignons cloutés de girofle
carottes
céleri
persil plat
ail
thym, laurier

On a tort de dédaigner la poule sous prétexte que sa chair est plus grasse et naturellement plus ferme que celle du poulet. C'est une volaille généreuse et parfumée, qui peut peser jusqu'à 4 kg et dont les bouillons sont très savoureux. Elle évoque évidemment le bon roi Henri IV et sa « poule au pot », l'une des plus belles anecdotes gastronomiques de l'histoire de France. Vous pouvez choisir une poule âgée d'1 an ou plus. Son âge va de pair avec sa grosseur, et par conséquent plus une poule est vieille, plus sa cuisson est longue. Pour une poule d'1 an, soit 2 kg environ, vous prévoirez une cuisson d'1 heure. Il suffit de suivre les consignes de Guy Van Cauteren, avec une variante éventuelle : si vous incorporez au bouillon des oignons grillés, vous lui donnerez une jolie couleur.

En guise d'accompagnement, n'était-il pas naturel de choisir des œufs ? Vous aurez ainsi un précieux adjuvant pour équilibrer la teneur en sels minéraux de votre plat. Rappelons que l'œuf poché se cuit dans une eau frémissante vinaigrée (en dessous du point d'ébullition, à 95 °C) et nécessite un petit tour de main pour éviter d'éparpiller le blanc. Après 3 minutes, vous devrez rafraîchir l'œuf, le parer et le réserver dans une eau chaude salée.

Les Belges se félicitent d'avoir inventé l'endive, un dérivé de la chicorée, et ils la nomment chicon. Vous les choisirez blancs et très frais, de taille moyenne ; ils devront sortir du four translucides et fondants. Faites-les revenir sur le feu pour faire évaporer l'eau résiduelle.

1. Laver les chicons et les placer dans une cocotte contenant du beurre, du sel et de la noix muscade. Ajouter à nouveau du sel et de la muscade. Couvrir d'un papier sulfurisé beurré et d'une assiette. Chauffer légèrement, puis continuer la cuisson 30 minutes au four à 200 °C. Faire blanchir la poule dans l'eau salée et la rafraîchir.

2. Faire pocher très doucement la volaille 1 heure à couvert dans le court-bouillon. Découper le bacon en lamelles et le faire griller à sec dans une poêle. Émietter les lamelles de bacon, mélanger à la crème double et réserver. À l'aide d'un pilon, écraser les amandes blanches.

poché aux copeaux de bacon

3. Faire pocher les œufs dans une casserole d'eau bouillante contenant du vinaigre blanc, puis les rafraîchir. Faire infuser les amandes 15 minutes dans le bouillon. Couper les chicons en petits dés et les verser dans le bouillon de poule.

4. Décortiquer la poule, retirer la peau et désosser le tout. Couper la chair en petits dés et les verser dans le bouillon de poule. Verser un peu de bouillon dans les assiettes, déposer l'œuf poché au centre et la crème au bacon tout autour. Parsemer d'une julienne de poireau frit.

Waterzooi de

Préparation *30 minutes*
Cuisson *30 minutes*
Difficulté ★

Pour 4 personnes

1 coucou de Malines de 2 kg
300 ml de crème double
150 g de beurre
noix muscade
sel, poivre noir fraîchement moulu
brins de cerfeuil

Court-bouillon :
1 poireau
1 oignon clouté de girofle
2 carottes
céleri-branche
persil
ail
thym, laurier

Garniture :
1 blanc de poireau
1 carotte
200 g de céleri-rave

La Belgique est tellement férue de gastronomie qu'au Moyen Âge on y désignait les rues par des noms de plats. De nos jours encore, bien des villes et des villages ont conservé cette tradition qui fait confondre leur plan et les cartes de restaurants, à la grande joie des touristes. On ne pouvait mieux rendre hommage à cet allègre amour de la table qu'en célébrant le waterzooi, qui est à la Belgique ce que la bouillabaisse est à la Provence, et pour lequel notre chef éprouve une authentique vénération.

Naturellement flamand (le nom « waterzooi » ou « waterzooie » est lié à la ville de Gand), ce plat se préparait à l'origine à base de poissons. On a fini par leur préférer la volaille, très précisément le coucou de Malines, qui résulte du croisement de races asiatiques. Il s'agit tout simplement d'un poulet régional, d'un poids approximatif de 2 kg. Bien sûr, il est difficile de s'en procurer si l'on s'approvisionne à plusieurs centaines de kilomètres de Malines, d'autant que la fraîcheur du volatile joue un rôle essentiel. Vous vous contenterez donc d'un autre poulet de qualité, de préférence muni d'un label, comme il en existe dans de nombreuses régions françaises : Bresse, Vendée, Sarthe… Vous aurez ainsi la garantie de consommer un poulet nourri de produits sélectionnés.

N'oubliez pas que ce plat doit conserver une certaine légèreté : il ne faut pas verser trop de crème dans la soupe, car une consistance trop grasse porterait préjudice à l'ensemble. Servez le waterzooi très chaud et ne le conservez pas plus de 48 heures s'il vous en reste après dégustation.

1. Lever les cuisses du coucou, les couper en deux, puis lever les suprêmes. Faire blanchir cuisses et suprêmes dans une casserole d'eau salée, attendre le premier bouillon, puis rafraîchir.

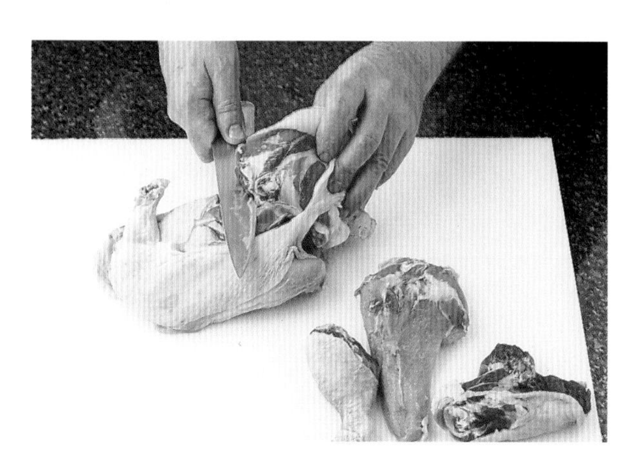

2. Démarrer la cuisson du coucou dans le court-bouillon 30 minutes environ à feu doux. Retirer la volaille, enlever les os et la peau, puis tailler en gros morceaux. Écraser le persil.

coucou de Malines

3. Pour la garniture, couper en fine julienne la carotte, le poireau et le céleri. Les cuire séparément dans l'eau salée et rafraîchir. Passer le jus de cuisson de la volaille au chinois et dégraisser.

4. Verser la crème dans le jus de cuisson, ajouter les morceaux de coucou et la julienne de légumes. Chauffer doucement, monter au beurre, ajouter la muscade et rectifier l'assaisonnement. Dresser dans des assiettes à soupe chaudes et décorer de brins de cerfeuil.

Caneton aux figues confites

Préparation — *45 minutes*
Cuisson — *30 minutes*
Difficulté — ★★

Pour 4 personnes

16 petites figues
200 ml de porto rouge
2 canetons d'1,5 kg chacun
sel, poivre
200 ml d'huile d'arachide
100 g de champignons de Paris

60 g de beurre
2 tranches de pain de mie
1 morceau de foie gras de canard
10 g de poivre vert frais

Sauce bigarade :
voir p. 318

Il faut se détourner des canetons vers la fin de l'hiver, de février à mars. Le reste du temps, on trouve sous ce nom de jeunes canards à la chair tendre, à la poitrine bien dodue, sans odeur particulière et d'un poids approchant 1,5 kg. À défaut, vous pourrez leur substituer de petits pigeons, ou mieux encore, des pintadeaux.

La bigarade est une variété d'orange amère dont l'écorce très épaisse contient une substance parfumée. Elle est utilisée pour la fabrication des liqueurs d'orange (Cointreau, Grand Marnier, Curaçao) et dans les marmelades d'oranges amères. La sauce bigarade, si prisée avec le canard, peut être réalisée avec du fond de veau comme avec du fond de canard, moins riche en gélatine. Pour un meilleur équilibre des saveurs, vous pourriez la confectionner la veille et la laisser reposer au frais. En revanche, il faut préparer les canetons peu de temps avant de servir et surtout n'escaloper les suprêmes qu'au dernier moment pour conserver à la viande assez de moelleux. Pour le fois gras, et bien qu'amateur des produits français, notre chef vous recommande tout particulièrement les foies d'origine hongroise.

Les Anciens connaissaient la figue et l'accommodaient de multiples façons : le poète Virgile, très porté sur l'agriculture et la gastronomie, leur a consacré plusieurs écrits dont s'inspire cette macération au porto. Il faut environ quatre figues fraîches par personne, plus ou moins sucrées selon leur maturation. Il est préférable de les choisir d'une belle couleur violette, avec une peau dont l'épaisseur et la texture siéront à l'accompagnement du canard, mais on peut aussi les remplacer par des pommes, des pêches ou des abricots.

1. Faire macérer 48 heures les figues dans le porto. Nettoyer les canetons, saler, poivrer et les cuire dans l'huile 30 minutes au four à 250 °C en arrosant régulièrement en cours de cuisson. Séparer la poitrine et les cuisses, puis réserver au chaud.

2. Dégraisser le plat des canetons et y déposer les champignons émincés. Laisser revenir à feu moyen pendant 2 minutes, déglacer avec 100 ml de jus de macération des figues, puis ajouter la sauce bigarade. Laisser réduire la sauce d'un quart, passer au chinois fin et monter au beurre.

à la façon de Virgile

3. Réchauffer les figues dans le porto de macération. Faire dorer à la poêle avec un peu d'huile les tranches de pain de mie découpées en forme de cœur. Couper le foie gras en quatre escalopes de 20 g chacune et les poêler 30 secondes de chaque côté. Déposer les escalopes de foie sur les croûtons de pain.

4. Émincer les suprêmes et les dresser au centre de l'assiette. Disposer harmonieusement les figues et les croûtons tout autour. Napper le fond de l'assiette de sauce bigarade et parsemer de grains de poivre vert. Servir chaud.

Chevreuil Cumberland

Préparation *20 minutes*
Cuisson *15 minutes*
Difficulté ★★

Pour 4 personnes

600 g de selle de chevreuil (filet)
100 g de beurre
sel, poivre
4 petites poires
500 ml de vin rouge
40 g de sucre

2 oranges
2 pommes golden
200 g de raisins de muscat
50 g d'airelles au sirop
50 ml de vinaigre de vin blanc
100 ml de sauce venaison (*voir* p. 318)
20 g de gingembre

Le chevreuil est un mammifère commun des forêts tempérées très prisé en saison de chasse. Sa viande est réputée pour sa grande finesse, mais elle se rétracte légèrement à la cuisson. C'est pourquoi l'on prend soin d'y découper des noisettes, et de les aplatir au préalable pour allonger leurs fibres et conserver ainsi plus de moelleux à la chair.

Traditionnel apprêt de la venaison, la sauce cumberland, grand classique de la cuisine anglaise, fait escorter le chevreuil d'une ribambelle de fruits. Cependant, pour l'équilibre des textures et une meilleure résistance à la chaleur, il est indispensable de se cantonner à des fruits bien consistants. Parmi ceux-ci, on notera les poires, dont le choix peut s'avérer délicat. Afin de rester dans une logique toute britannique, Freddy Van Decasserie recommande les poires conférence, que l'on reconnaît à leur forme allongée et à leur belle peau vert clair. Elles seront de petite taille et bien mûres, mais encore un peu fermes pour se maintenir à la cuisson. Les pommes golden vous apporteront aussi toute satisfaction, pourvu que vous les conserviez dans leur sirop pour éviter toute décoloration.

Par leur acidité, les airelles apporteront un contraste bienvenu. Très adaptées aux préparations de gibier, ces petites baies rouges sont fraîches au mois d'août, mais on les trouve également en conserve toute l'année. D'autres fruits colorés pourront égayer ce plat très recherché, par exemple la mangue et la papaye, qui pourront remplacer les pommes et les raisins.

On peut accommoder sur les mêmes bases un filet marcassin.

1. Éplucher les poires en conservant la queue, puis les faire pocher dans le vin rouge légèrement sucré. Peler les oranges et lever les quartiers. Récupérer les zestes, les tailler en julienne et les faire blanchir.

2. Désosser la selle de chevreuil et la dénerver. Confectionner des noisettes de 50 g dans les filets préalablement parés. Aplatir les noisettes et les poêler dans 50 g de beurre. Assaisonner et faire cuire en les maintenant rosées. Réserver au chaud.

aux fruits d'hiver

3. Éplucher et couper les pommes en dés, puis les faire pocher dans un sirop léger. Éplucher et épépiner les raisins, puis les couper en deux. Les faire chauffer dans 1 cuil. à soupe de sirop. Mélanger le tout aux airelles.

4. Dégraisser la sauteuse où ont cuit les noisettes et la mettre sur feu vif avec du sucre. Faire caraméliser légèrement, puis ajouter le vinaigre, les zestes d'oranges, le jus et la sauce venaison. Laisser réduire de moitié et passer au chinois. Assaisonner de gingembre en poudre et de sel, puis monter au beurre. Ajouter les zestes d'oranges blanchis, puis dresser sur une assiette chaude.

Cervelle d'agneau, ris

Préparation *30 minutes*
Cuisson *2 heures*
Difficulté ★★

Pour 4 personnes

4 langues d'agneaux
2 l de fond de volaille
450 g de ris d'agneau
4 cervelles d'agneaux
vinaigre
beurre clarifié

2 échalotes
50 ml de cognac
200 ml de jurançon
100 g de beurre
basilic
safran
sel, poivre
200 g de carottes
150 g de petits pois
150 g de haricots verts

Est-ce en l'honneur du *Retable de l'Agneau mystique* de son quasi homonyme Jan Van Eyck, peintre flamand du XVe siècle, que Geert Van Hecke a composé cette recette où triomphe l'agneau sous toutes ses formes ? Car l'agneau pascal, symbole de la résurrection, fascine les cuisiniers depuis des siècles et leur fournit matière à d'innombrables préparations.

Ce sont les abats qu'il faut cuisiner ici : deux abats blancs, la cervelle et le ris, et un abat rouge, la langue. Il faut s'assurer de leur parfaite fraîcheur et les préparer sans attendre. Pour comble de difficulté, leur traitement n'est pas identique ; s'il faut parer la langue avant cuisson, la faire pocher avec délicatesse et la dépecer ensuite ; procéder à l'inverse avec la cervelle : elle doit dégorger dans l'eau froide avant d'être limonée, c'est-à-dire débarrassée de la membrane sous laquelle se presse le sang résiduel. Quant au ris, il faut aussi le débarasser des filaments, traces de sang, membranes, etc. Ces manipulations ne sont pas très faciles, mais on prend rapidement le tour de main.

On peut utiliser quelques adjuvants pour préparer les abats : le vinaigre, par exemple, qui raffermit les chairs et les prépare à la cuisson, ou encore le jus de citron, qui préserve la blancheur immaculée de la cervelle et des ris. Toute la cuisson peut être effectuée à l'avance pour se limiter le moment venu à la confection de la sauce au jurançon. Ce noble vin du Sud-Ouest connaît un succès bien mérité depuis le milieu du XVIe siècle, puisque c'est avec lui qu'Antoine de Bourbon, roi de Navarre, humecta dès la naissance les lèvres de son fils Henri, le futur Henri IV.

1. Faire cuire les langues 2 heures à feu doux dans 1,6 l de fond de volaille. Retirer les langues, laisser refroidir et enlever la peau.

2. Faire blanchir les ris d'agneau dans l'eau froide légèrement salée. Plonger les cervelles d'agneaux dans le fond de volaille légèrement vinaigré, porter à ébullition, puis rafraîchir. Faire rôtir les cervelles et les ris dans du beurre clarifié.

et langue au jurançon

3. Ajouter les échalotes à la préparation précédente, puis déglacer avec le cognac et le jurançon. Ôter les abats et réserver.

4. Ajouter 400 ml de fond de volaille et laisser réduire. Monter avec 100 g de beurre, puis ajouter le basilic, le safran, le sel et le poivre. Dresser le tout sur l'assiette avec quelques légumes primeurs parés et cuits à l'anglaise.

Râble de lapereau et

Préparation *45 minutes*
Cuisson *30 minutes*
Difficulté ★★★

Pour 4 personnes

3 râbles de lapereaux
700 ml de bière brune
200 g d'épinards
100 g de foie gras d'oie cru
sel, poivre
500 g de navets

50 g de beurre
50 g de sucre
1 jaune d'œuf
50 g de poudre d'amandes

Sa tendance à proliférer a longtemps desservi le lapin, que l'on tenait pour une viande sans intérêt et presque sans qualité. Pour conquérir peu à peu ses lettres de noblesse, le lapin d'élevage a dû subir bien des civets, des apprêts à la moutarde et des fricassées aux petits oignons. Son homologue sauvage, le lapin de garenne, fournit de la viande à rôtir ou à griller.

Pour éviter les préparations trop longues ou périlleuses, c'est à la bière que Geert Van Hecke vous suggère d'accommoder ce lapereau. Les recettes ordinaires font mijoter la plupart des ingrédients, ce qui suppose de prévoir quelque délai. Rien de tel ici, pourvu que vous disposiez d'un jeune lapin à chair bien tendre dont le râble assez rebondi, une fois désossé, sera bardé de ses propres panoufles, tandis que ses os serviront à confectionner le fond.

Pour accompagner à la belle saison cette viande fine et savoureuse à souhait, rien ne vaut les navets. Choisissez-les de préférence avec leurs fanes, que vous pourrez employer par ailleurs dans une soupe ou un potage. Illustre représentant de la famille des crucifères, le navet est riche en calcium et vitamine C ; sa cuisson demande environ 30 minutes.

Bien entendu, c'est une bière belge que vous utiliserez pour déglacer le fond de lapereau. Aucun autre pays, semble-t-il, ne peut se targuer d'un patrimoine aussi riche, et notre chef est un fin connaisseur. Il vous recommande particulièrement la Leffe, appréciée dans le monde entier, qui a selon lui les qualités requises pour mettre en valeur le goût du lapereau.

1. Désosser les râbles en conservant les panoufles. Réserver les filets. Confectionner un fond de lapereau avec les os, puis déglacer avec la bière brune. Faire blanchir les épinards.

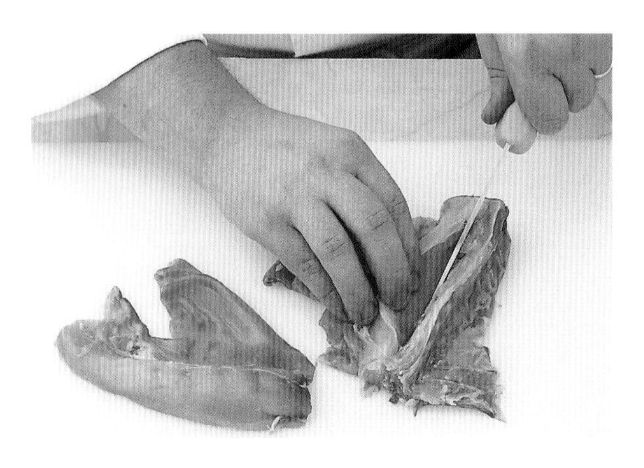

2. Couper le foie gras en bâtonnets d'1 cm, saler et poivrer. Garnir les râbles avec les feuilles d'épinards et le foie, rouler, ficeler, puis les déposer sur un papier d'aluminium afin de confectionner un boudin.

mini-côtelettes panées

3. Cuire 30 minutes les navets préalablement parés dans 20 g de beurre et le sucre. Cuire les râbles 10 minutes à la vapeur. Déglacer le plat de cuisson avec le fond de lapin. Découper les filets en petits tronçons et garnir chacun d'eux d'un os.

4. Badigeonner les mini-côtelettes de jaune d'œuf et les paner avec la poudre d'amandes. Faire cuire rapidement dans du beurre clarifié, puis dresser sur les assiettes. Napper avec le fond de lapereau réduit et monté avec le restant de beurre.

Canard laqué au madère

Préparation	*2 heures*
Cuisson	*1 heure 30 minutes*
Difficulté	★★

Pour 4 personnes

2 canettes d'environ 2 kg chacune
fleurs de thym
laurier
3 gousses d'ail
sel, poivre
1 mirepoix de carotte et d'oignon

500 ml de madère
1 l de fond de volaille
1 kg de longs navets blancs
100 g de beurre
50 g de sucre
500 g de champignons de Paris (ou lentins de chêne)
150 g de gras de jambon fumé ou séché

Voici bientôt 4 000 ans que les Chinois ont découvert le canard et inventé ses premières préparations. Des millénaires de traditions font encore aujourd'hui de ce palmipède un morceau de choix, que l'on accommode avec respect sur tous les continents. Canard de Barbarie, canard musqué ou canard muet – bien que ce soit la cane et que celle-ci ne sait ni cancaner, ni nasiller –, les noms du canard sont à son image, innombrables et séduisants.

La chair de la cane, et plus encore de la canette, est meilleure que celle du canard. On la trouve plus fine, plus savoureuse, et ses suprêmes sont plus épais. Vous choisirez donc une canette de taille moyenne, odorante et fraîche, d'une couleur claire uniforme. Le label fermier, en l'occurrence, est une véritable garantie de qualité. Il est recommandé d'assaisonner la canette la veille, tant à l'intérieur qu'à l'extérieur, en ajoutant même un filet d'huile neutre (d'arachide, par exemple).

Si vous pouvez planifier l'exécution de la recette sur plusieurs jours, n'hésitez pas à faire rôtir la volaille un jour ou deux avant de la déguster, en réservant le dernier moment pour la flamber au madère. On pourrait comparer les mérites du madère, du porto et du banyuls… mais chacun tranchera selon son goût.

Il en est de même pour les champignons : pour Gérard Vié, les lentins de chêne, les pleurotes et les shiitakés sont les plus indiqués, libre à vous cependant de leur préférer des champignons de Paris. En revanche, le jambon de Parme aura le meilleur effet sur le canard, car sa préparation au sel de mer lui permet de compléter parfaitement l'arôme de la volaille.

1. Flamber et vider les canettes, puis les assaisonner à l'intérieur avec les fleurs de thym, le laurier, les gousses d'ail non épluchées, le sel et le poivre. Déposer dans un plat allant au four et faire colorer sur toutes les faces. Une fois bien colorées, sortir les canettes du four.

2. Faire revenir dans le plat la mirepoix de carotte et d'oignon, le thym, le laurier, puis déglacer au madère. Ajouter le fond de volaille et remettre les canettes au four à 150 °C pendant 45 minutes en arrosant constamment. Réserver au chaud. Faire réduire le fond de cuisson jusqu'à la consistance d'une sauce, puis passer au chinois.

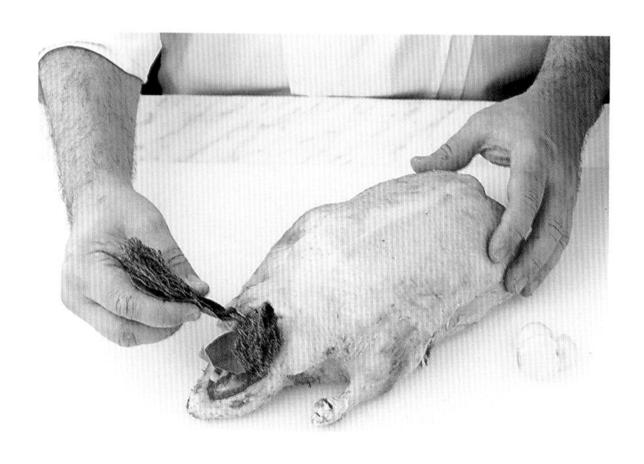

flambé au gras de jambon

3. *Parer les navets, puis les faire revenir dans le beurre et le sucre. À mi-cuisson, ajouter les champignons. Piquer le gras de jambon avec une fourchette et le faire chauffer dans une poêle. Poser les canettes dans le plat de service. Flamber le gras de jambon et le faire couler sur la viande.*

4. *Découper les canettes en séparant les cuisses du reste de la volaille. Couper les filets en aiguillettes, puis les dresser sur chaque assiette avec la garniture de navets et de champignons. Napper d'un peu de sauce et servir le reste en saucière.*

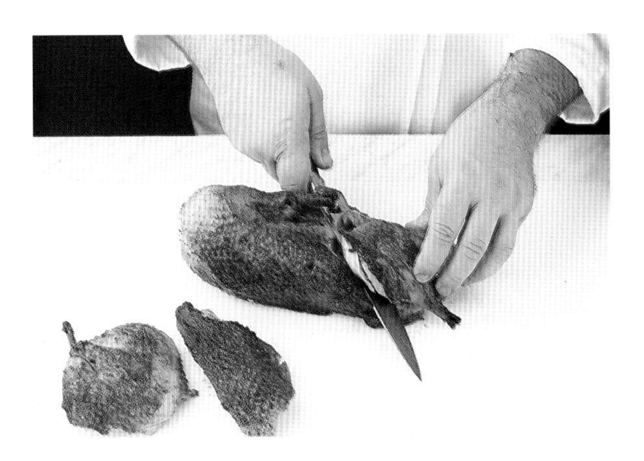

Fondant de bœuf au

Préparation — *1 heure 30 minutes*
Cuisson — *7 heures*
Difficulté — ☆☆

Pour 4 personnes

1,5 kg de noix de joues de bœuf
5 carottes
1 oignon piqué d'un clou de girofle
1 bouquet garni
sel, poivre
huile
2 échalotes

2 gousses d'ail
2 l de bourgogne rouge
2,5 l de fond de veau
1 foie gras de canard
2 crépines de porc
1 mirepoix de carotte et d'oignon

Purée :
1,5 kg de pommes de terre (bintje)
200 g de beurre
1 l de lait
200 g de lardons fumés
sel, poivre

C'est en souvenir du « lièvre à la royale » que Gérard Vié nous propose une variante à base de bœuf. Le gibier n'étant pas disponible toute l'année, il fallait bien lui trouver un substitut domestique, en l'occurrence la joue de bœuf, tendre et d'un beau rouge vif. Pour le foie gras qui anoblit ce fondant, le canard est nettement préférable à l'oie, car il résiste mieux à la cuisson.

Comme la préparation de cette recette est assez longue, vous commencerez quelques jours à l'avance. Ainsi, le bouillon sera confectionné l'avant-veille, en dosant bien la garniture aromatique pour qu'elle ne masque pas le goût de la viande. Profitez-en d'ailleurs pour faire cuire d'autres morceaux de bœuf, que vous utiliserez plus tard en salades ou en terrines.

Les fondants s'enroberont avec distinction d'une crépine, qu'il faut faire dégorger à l'eau froide avant tout usage. Lorsque vous remplirez la louche de morceaux de viande, n'hésitez pas à la tasser : la joue de bœuf est gélatineuse et le fondant sera meilleur s'il est d'une texture plus homogène. La cuisson au bourgogne, dont le riche bouquet sera très perceptible, pourrait être exécutée avec certains crus du Roussillon, plus discrets et plus légers. Laissez mijoter au four sans précipitation, comme les maîtres queux d'autrefois en avaient le secret.

La purée peut être remplacée par des pâtes fraîches, une purée de marrons ou encore de légumes nouveaux croquants : navets poêlés, chou braisé, carottes ou pommes de terre sautées, etc.

1. Éplucher les joues de bœuf. Faire cuire pendant 2 heures toutes les parures avec deux carottes, l'oignon piqué d'un clou de girofle, le bouquet garni et 3 l d'eau salée. Pour la purée, faire cuire les pommes de terre, les égoutter et les passer au moulin à légumes. Détendre la purée avec le beurre et le lait. Tailler le lard en brunoise, le poêler à sec et l'ajouter à la purée. Assaisonner.

2. Assaisonner et faire colorer dans l'huile les joues de bœuf. Ajouter trois carottes, les échalotes et l'ail taillés en grosse mirepoix, puis les faire revenir avec la viande. Mouiller avec 1,8 l de vin et 2,3 l de fond de veau, puis laisser cuire 4 heures couvert à feu doux. Une fois cuite, découper la viande en dés. Faire réduire le jus de cuisson jusqu'à la consistance d'une sauce, puis passer au chinois.

bourgogne, purée fumée

3. Escaloper le foie gras et poêler les escalopes. Disposer la crépine dans une louche moyenne et la remplir jusqu'à mi-hauteur avec les dés de viande. Ajouter une escalope de foie gras et terminer de remplir avec la viande. Bien tasser et refermer la crépine.

4. Parsemer le fond d'un plat allant au four avec la mirepoix de carotte et d'oignon. Déposer par-dessus les fondants, puis ajouter 150 ml de bouillon et 150 ml de bourgogne. Cuire au four à 160 °C pendant 40 minutes en arrosant régulièrement. Napper les assiettes de sauce, puis déposer un fondant et trois quenelles de purée.

Tête de veau, langue et

Préparation *1 heure 30 minutes*
Cuisson *2 heures*
Difficulté ★★

Pour 4 personnes

1 tête de veau entière avec la langue et la cervelle
vinaigre
thym, 1 feuille de laurier
1 kg de pommes de terre
8 carottes
8 petits poireaux
1 citron, 50 g de farine
1 oignon clouté de girofle
15 baies de genièvre

persil
poivre en grains
gros sel de Guérande

Sauce ravigote:
4 œufs durs
1 oignon
2 échalotes
100 g de câpres
100 g de cornichons
1 bouquet de persil plat
1 bouquet de ciboulette
1 cuil. à soupe de moutarde
300 ml de vinaigre d'alcool coloré
50 ml de vinaigre de xérès
sel, poivre
500 ml d'huile d'arachide

Indémodable et généreuse, la tête de veau se déguste depuis longtemps déjà, convenablement arrosée de sauces traditionnelles: gribiche ou ravigote, parfois même les deux si l'on en croit les usages de l'hôtel Matignon. Il s'agit d'un abat blanc dont on a toujours célébré la finesse et la complexité. Entre les oreilles délicatement croquantes, les joues plus maigres et le reste de la tête, gélatineux mais d'un goût très subtil, on a de quoi séduire *urbi et orbi*. Certains la jugent fade, c'est pourquoi de nombreux chefs lui associent un accompagnement relevé.

On appréciera dans cette recette que la tête de veau s'accompagne de la langue et de la cervelle, dont la texture et le goût la complètent volontiers. Il ne faut pas oublier de masser l'extérieur de la tête au jus de citron avant la cuisson, afin qu'elle reste bien blanche jusqu'au moment de servir. Jean-Pierre Vigato la présente en morceaux, mais il aime à l'occasion l'apporter à table entière et fumante. Très spectaculaire, ce mets se conserve mal et doit être consommé tout de suite.

Les petits légumes (carottes, poireaux et pommes de terre à l'anglaise) seront en même temps servis très chauds, tandis que la sauce ravigote, au goût très prononcé, nappera les morceaux de viande. Cette préparation tire son nom d'un déverbal de «ravigoter», ce que l'on comprend sans peine, étant donné la forte présence du vinaigre, de la moutarde et des câpres. N'hésitez pas à lui faire mériter ce qualificatif et réservez ce plat roboratif pour les longues soirées d'hiver.

1. Pour la sauce ravigote, hacher les œufs durs, l'oignon, les échalotes, les câpres, les cornichons, ciseler les herbes et mélanger le tout.

2. Confectionner une vinaigrette en mélangeant la moutarde, le vinaigre, le sel, le poivre et l'huile, puis ajouter tous les condiments hachés précédemment. Laver et nettoyer la cervelle, puis la faire pocher dans une eau vinaigrée avec des brindilles de thym et une feuille de laurier.

cervelle, sauce ravigote

3. Parer les pommes de terre (assez grosses) et les cuire dans l'eau salée avec les carottes et les poireaux. Après avoir fait blanchir la tête de veau, la flamber et la badigeonner entièrement de citron pour qu'elle conserve sa blancheur à la cuisson.

4. Placer la tête de veau dans une grande marmite et la recouvrir d'eau froide additionnée de farine diluée. Porter à ébullition, écumer et ajouter tous les ingrédients aromatiques. Laisser cuire à feu doux pendant 2 heures ; ajouter les poireaux 20 minutes avant la fin de la cuisson. Servir accompagné de sauce ravigote et de gros sel de Guérande.

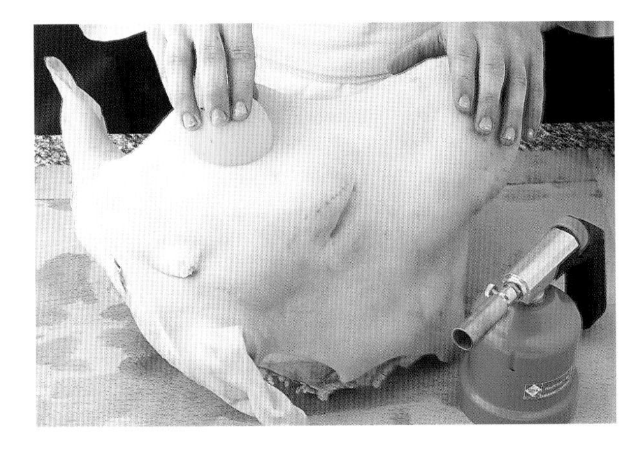

Carré d'agneau,

Préparation *1 heure*
Cuisson *4 heures*
Difficulté ★★

Pour 4 personnes

300 g d'épaule d'agneau
2 oignons blancs
2 gousses d'ail
1 branche de céleri
1 feuille de laurier
1 brin de romarin
1 bâton de cannelle

5 clous de girofle
10 baies de genièvre
40 grains de poivre noir et blanc
200 ml de vin blanc
2 aubergines
gros sel
1 grosse tomate coupée en dés
100 ml d'huile d'olive
1 œuf
1 bouquet de ciboulette
1 bouquet de persil plat
2 carrés d'agneau de Pauillac rosés (de 800 g chacun)

L'agneau tombé en disgrâce a redoré son blason et l'on ne compte plus les recettes élaborées qui l'inscrivent à la carte des grands restaurants. Parmi les diverses provenances d'un cheptel de qualité, notre chef a privilégié l'agneau de Pauillac, abattu à 65 jours, dont la viande blanche est réputée pour être particulièrement tendre.

On prélève le carré sur les côtes les plus maigres de ce jeune animal et sa fine texture en fait un morceau très savoureux. Quant à l'épaule, que l'on peut aussi préparer à la manière d'un gigot, il convient de respecter précisément son temps de cuisson (3 heures environ, à braiser très doucement), car c'est à la faveur de cette opération qu'elle dégagera suffisamment de jus.

Le goût délicat de la viande d'agneau, s'il demande à être stimulé par quelques épices, ne doit pas être masqué par elles : vous les doserez donc avec discernement.

La moussaka requiert de belles aubergines très fraîches à chair ferme, à peau lisse et très luisante. Originaire de l'Inde, cette solanacée trouve dans le Midi de la France et tout le bassin méditerranéen un territoire de prédilection : elle figure en bonne place dans d'innombrables compositions à base d'huile d'olive, comme l'incontournable ratatouille, et côtoie à tout propos la tomate et la courgette. Dans le cas présent, vous choisirez la variété bonica, moins riche en graines.

1. Braiser le morceau d'épaule avec la garniture aromatique (oignons, ail, céleri, laurier, romarin, cannelle, girofle, genièvre et grains de poivre), puis mouiller avec l'eau et le vin blanc. Laisser cuire 3 à 4 heures à feu doux. Décanter la viande et l'effilocher à l'aide d'une fourchette. Dégraisser le jus de cuisson, puis le faire réduire pour qu'il prenne couleur et goût.

2. Fendre les aubergines dans le sens de la longueur, les disposer dans un plat, assaisonner de gros sel et mettre 40 minutes à four moyen (150 °C). Récupérer la chair à l'aide d'une fourchette en réservant la peau. Faire sauter les dés de tomate dans l'huile d'olive, puis mélanger à la chair d'aubergine et d'agneau. Ajouter l'œuf, la ciboulette et le persil hachés.

jus aux épices

3. *Verser la moussaka dans de petits moules préalablement chemisés avec la peau des aubergines, puis laisser cuire 20 minutes au four à feu moyen (170 °C).*

4. *Faire rôtir les carrés d'agneau sur toutes leurs faces dans une sauteuse, 5 à 6 minutes, dans l'huile très chaude. Ils doivent rester rosés. Laisser reposer 5 minutes et les couper en deux. Dresser la moussaka au centre de l'assiette, poser par-dessus les morceaux d'agneau et napper de jus. Servir très chaud.*

Coda alla vaccinara

Préparation *30 minutes*
Cuisson *3 heures 30 minutes*
Difficulté ☆☆

Pour 4 personnes

2 queues de veaux
huile d'olive extra-vierge
1 brunoise de céleri, carotte et oignon
2 gousses d'ail
3 feuilles de laurier
100 ml de vin blanc

1 cuil. à café de cacao en poudre
sel, poivre
3 l de bouillon de viande sans sel
500 g de pulpe de tomates
3 branches de céleri en bâtonnets
3 carottes en bâtonnets
2 céleris-raves en julienne
20 feuilles de basilic rouge
1 cuil. à café de pignons de pin
1 aubergine
2 petites courgettes
1 poivron rouge

Cette recette serait entièrement romaine si elle n'incluait une part de caponata, typiquement sicilienne. Jadis, la viande de bœuf et de veau était réservée aux propriétaires les plus fortunés, ce qui la rendait très rare dans les plats populaires du Latium. Les employés (ou *vaccinari*) des abattoirs de la ville de Rome étaient cependant rémunérés en nature avec les bas morceaux, les tripes, les oreilles ou la queue (*coda*) des bovins. Cette circonstance historique éclaire parfaitement le nom de la « coda alla vaccinara ». Il existe encore une recette de « coda di manzo » dans les campagnes romaines, qui concerne la queue de bœuf et remporte d'ordinaire un franc succès.

Ne désossez pas les queues de veaux avant cuisson, car vous les priveriez d'une bonne partie de leur goût. Il faut qu'elles cuisent longuement, à feu très doux, et cette opération requiert beaucoup de patience. Vous n'en aurez que plus de temps pour préparer avec tout le soin qu'elle mérite cette fameuse caponata, mélange subtil de saveurs et de couleurs où aubergine, courgettes et poivron s'unissent aux pignons de pin grillés. Il est très important que ces divers légumes soient coupés en très petits dés, afin que leur mélange soit plus intime.

Le céleri-branche enrichit de ses fibres et de sa tendre et croquante fraîcheur. Vous aurez pris garde à la fermeté de sa tige brillante et à la tournure de ses feuilles. Si l'on en croit certains spécialistes, le nom français du céleri proviendrait d'ailleurs du lombard *selleri*. Quant au basilic, il est assez puissant pour se passer de tout autre ingrédient aromatique.

1. Découper les queues de veaux en tronçons de 3 cm. Dans une sauteuse, verser l'huile d'olive, la brunoise de légumes, les gousses d'ail entières et le laurier, puis faire revenir à feu doux. Ajouter les morceaux de queues et faire rôtir environ 20 minutes à feu doux. Ajouter le vin blanc et laisser réduire entièrement.

2. Saupoudrer de cacao, saler, poivrer et mouiller avec le bouillon. Couvrir et laisser cuire 3 heures. En fin de cuisson, ajouter la pulpe de tomates, ainsi que les bâtonnets de céleri et de carottes. Laisser cuire 20 minutes, retirer du feu et ôter la viande de la sauce.

et céleri en julienne

3. Placer la julienne de céleri-rave dans un récipient et réserver au chaud. Passer la sauce au chinois. Faire sauter la julienne de céleri dans une poêle à l'huile d'olive. En fin de cuisson, ajouter les feuilles de basilic rouge. Faire sauter à la poêle les pignons de pin.

4. Confectionner une caponade en coupant en dés l'aubergine, les courgettes et le poivron rouge. Faire suer 3 minutes à l'huile sans laisser colorer. Disposer les morceaux de queues au centre de l'assiette. Napper de sauce, puis garnir de bâtonnets de céleri et de carottes. Déposer la julienne de céleri sur la viande et parsemer de caponade. Terminer par un filet d'huile d'olive.

Filet de bœuf

Préparation *15 minutes*
Cuisson *15 minutes*
Difficulté ★

Pour 4 personnes

Court-bouillon :
1 gros oignon
vin rouge
sel
1 feuille de laurier
thym, romarin
1 branche de céleri
5 grains de poivre
1 morceau de filet de bœuf de 600 g environ

Garniture :
6 carottes
1 courgette
15 petits oignons
1 pincée de sucre

Sauce :
1 l de vin rouge
100 ml de porto
4 échalotes
300 g de beurre
250 ml de fond de veau
sel, poivre

Ce plat de viande ne peut convenir qu'à des amateurs éclairés, susceptibles de reconnaître au premier coup d'œil un charolais d'un angus, et grands consommateurs de viande bien rouge et saignante. En réalité, cette forme élaborée de « supplice gourmand » est un plat léger, dont la cuisson très douce préserve toute la saveur et la subtilité des viandes sélectionnées, en l'occurrence un superbe filet de bœuf rosé.

Heinz Winkler refuse d'inscrire à sa carte ce plat s'il n'a pas pu vérifier que la viande est d'une honorable provenance et d'une fraîcheur en rapport. Sa passion pour le charolais, cette race blanche qui hante les campagnes de Saône-et-Loire et de l'Allier, l'a persuadé qu'il fallait maintenir une telle exigence. C'est une référence en matière de viande rouge, au sein d'un cheptel français déjà riche d'excellentes variétés. On apprécie dans le charolais sa faible teneur en graisse et l'abondance de son jus, ainsi que diverses qualités qui lui valent depuis des décennies de prestigieux labels rouges, médailles d'or de concours agricoles et autres distinctions.

Cependant, le charolais trouve un rival de taille en la personne de l'angus-aberdeen, fierté légitime des Écossais, dont la robe est aussi noire que celle du charolais est blanche. C'est évidemment moins salissant, mais sans réelle incidence sur la qualité de la viande. L'angus présente une graisse blanc crème, un peu plus opulente que celle du charolais mais qui n'altère pas la saveur exceptionnelle de sa chair. Le nec plus ultra résulterait logiquement d'un croisement d'angus et de charolais… mais de quelle couleur seraient les rejetons ?

1. Couper l'oignon en brunoise et le placer dans une casserole avec le vin rouge et le sel. Ajouter les herbes, la branche de céleri et le poivre. Découper le filet de bœuf en tranches épaisses de 140 g environ.

2. Pour la garniture, nettoyer les carottes, la courgette et les petits oignons. Parer les carottes et la courgette en forme de grosses olives, puis les faire cuire à point séparément dans de l'eau salée additionnée de sucre.

au vin rouge

3. Pour la sauce, porter à ébullition le vin rouge, le porto et les échalotes hachées. Faire réduire des deux tiers, laisser refroidir légèrement et ajouter en remuant le beurre en petits morceaux. Passer au chinois, puis ajouter le fond de veau. Réchauffer la sauce et rectifier l'assaisonnement.

4. Porter à ébullition le bouillon à base de vin rouge et d'herbes, puis y plonger les tranches de bœuf. Laisser frémir 8 minutes. Napper de sauce le fond des assiettes chaudes et déposer une tranche de bœuf. Disposer la garniture de légumes.

Pintade au

Préparation *30 minutes*
Cuisson *45 minutes*
Difficulté ★★★

Pour 4 personnes

2 kg d'argile
1 pintade
sel, poivre
quelques feuilles de basilic
quelques branches d'estragon
quelques branches de romarin
4 tranches de lard
2 grosses pommes de terre
huile

250 g de blanc de poireau
150 ml de crème fleurette
250 ml de vin blanc
100 ml de jus de truffes
100 g de pâte feuilletée (*voir* p. 318)
1 œuf

Sauce :
carcasse de la pintade
1 mirepoix d'oignon et de céleri-branche
romarin
250 ml de vin blanc
250 ml de fond de volaille
50 ml de jus de volaille
sel, poivre

Pour Heinz Winkler, la pintade est française et le romarin représente les puissantes saveurs de la région méditerranéenne. Notre orgueil national est flatté d'une telle affirmation, mais elle n'est pas tout à fait exacte : la pintade, en espagnol *pintada*, « peinte », est appréciée dans tout le bassin méditerranéen et la cuisson dans l'argile vient d'Afrique du Nord. Le résultat d'ailleurs en vaut la peine.

Initialement, notre chef accommodait ainsi le faisan, puis la poularde. Après divers aléas (la cuisson de ces gros volatiles n'était guère homogène), il a fini par élire la pintade comme fidèle complice, toujours à point sous l'argile, moelleuse, tendre et savoureuse à souhait. Il faut dire que l'arôme du romarin (du latin « rosée de mer ») donne à cette volaille de caractère un surplus de parfum très opportun.

C'est à l'intérieur de la pintade que vous introduirez quelques branches de cette labiée à fleurs bleues, ainsi que des branches d'estragon et quelques feuilles de basilic. Attention au dosage : ces divers aromates se complètent bien, mais le romarin domine souvent ce ménage à trois – ne perdez pas de vue que leurs effets conjugués risquent de neutraliser la saveur de la pintade.

Il faut ensuite quelque talent de sculpteur pour préparer l'argile comme une pâte feuilletée. Ce n'est pas très difficile, mais il faut l'imbiber de suffisamment d'eau pour la rendre maniable, extensible et souple. Cette cuisson concentre la chaleur et les diverses saveurs du plat, et vous offre l'occasion d'une démonstration spectaculaire : le bris de l'argile au marteau devant les invités ! Succès garanti.

1. Étaler l'argile sur une serviette mouillée, recouvrir d'une autre serviette et travailler au rouleau. Pour la sauce, concasser la carcasse de la pintade, puis la faire brunir avec la mirepoix et le romarin. Déglacer avec le vin blanc et laisser réduire. Ajouter le fond et le jus de volaille, puis laisser réduire. Passer au chinois, mixer et rectifier l'assaisonnement.

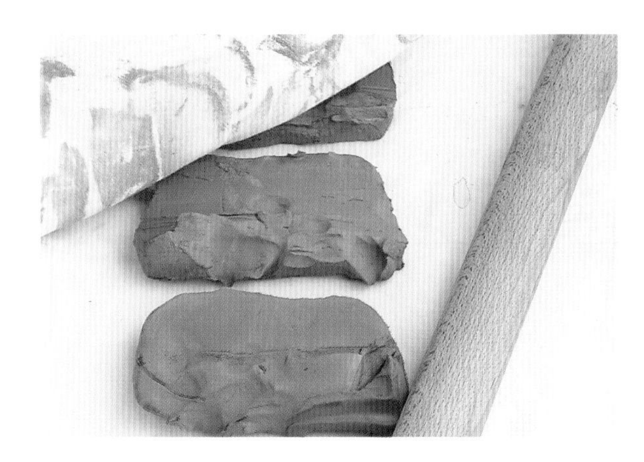

2. Vider la pintade, la laver, l'essuyer, puis l'assaisonner à l'intérieur et à l'extérieur. La farcir d'herbes (basilic, estragon et romarin) et couvrir avec les tranches de lard. L'envelopper dans l'argile et cuire 45 minutes au four à 180 °C. Sortir du four et laisser reposer 15 minutes.

romarin

3. *Éplucher les pommes de terre, les couper en tranches de 3 mm d'épaisseur à la mandoline, puis les tailler en julienne. Essuyer et assaisonner. Faire revenir les rösti dans l'huile en couche épaisse et faire dorer des deux côtés. Couper le blanc de poireau en biseau et le faire cuire avec la crème fleurette. Ajouter le vin blanc, le jus de truffes et assaisonner.*

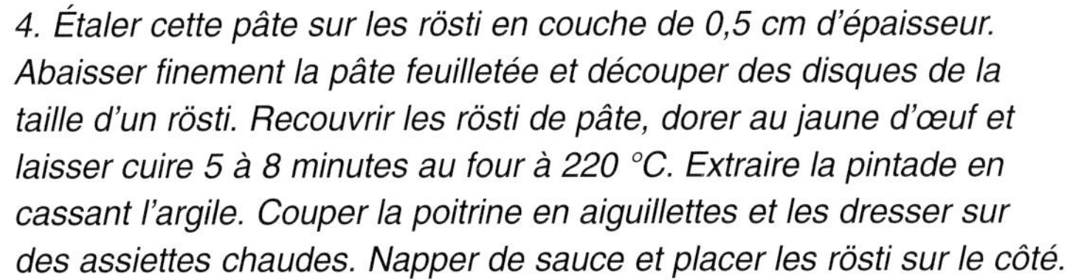

4. *Étaler cette pâte sur les rösti en couche de 0,5 cm d'épaisseur. Abaisser finement la pâte feuilletée et découper des disques de la taille d'un rösti. Recouvrir les rösti de pâte, dorer au jaune d'œuf et laisser cuire 5 à 8 minutes au four à 220 °C. Extraire la pintade en cassant l'argile. Couper la poitrine en aiguillettes et les dresser sur des assiettes chaudes. Napper de sauce et placer les rösti sur le côté.*

Suprême de caille en croûte

Préparation *40 minutes*
Cuisson *20 minutes*
Difficulté ★★

Pour 4 personnes

4 cailles
sel, poivre
3 grosses pommes de terre (nicola)
1 jaune d'œuf
200 g de beurre clarifié

Sauce au romarin :
abattis de volaille
1 mirepoix d'oignon, céleri et carotte
branches de romarin
100 ml de vin blanc
250 ml de fond de volaille
sel, poivre

Pour Heinz Winkler, une recette convenable ne se prépare qu'avec des produits adéquats ; celle-ci ne se conçoit qu'avec une caille vigneron et des pommes de terre de la variété nicola. La force des habitudes voudrait que la caille d'élevage s'accompagne de raisins, voire d'une honnête ration de polenta, mais notre chef a préféré la travestir au moyen d'écailles de pommes de terre.

Choisissez donc une jolie caille d'élevage, non pas une « caille coiffée » (comme on désignait à la Belle Époque les femmes de petite vertu), et n'hésitez pas à compenser à grand renfort de romarin la relative fadeur de sa chair, moins parfumée que celle de ses homologues sauvages devenues rares – et même introuvables hors de la saison de chasse. À défaut, vous pouvez encore opter pour un pigeon.

Le choix de la nicola s'explique par l'impérieuse nécessité de disposer d'une pomme de terre à chair ferme qui résiste sans problème à la cuisson. Il en existe pourtant bien d'autres : la belle de Fontenay et sa dérivée la B.F. 15, la charlotte, la roseval, etc. mais, c'est la nicola que préfère Heinz Winkler. Pour en revêtir la caille, il faut découper des rondelles d'une extrême finesse et ne pas les rincer pour conserver la fécule. Elles prendront un joli tour croustillant lors de la cuisson et se coloreront comme le ferait une enveloppe de feuille de brick ou de pâte filo.

Un petit accompagnement de légumes sera du meilleur effet pour souligner la fine saveur de la caille travestie : des haricots verts bien croquants ou, mieux encore, une ratatouille dont l'accent méridional fera écho au romarin.

1. Flamber et vider les cailles. Retirer la peau, lever les poitrines et les cuisses, puis assaisonner de sel et de poivre.

2. Pour la sauce au romarin, concasser les abattis de volaille, puis les faire brunir dans une sauteuse avec la mirepoix de légumes et les branches de romarin. Déglacer au vin blanc et laisser réduire. Ajouter le fond de volaille, assaisonner et laisser réduire. Passer au chinois et mixer.

de pommes de terre

3. Éplucher les pommes de terre, les laver et les couper à la mandoline en tranches très fines. Sur une serviette, confectionner huit rectangles en forme d'écailles de poisson. Saler, poivrer et napper de jaune d'œuf.

4. Envelopper délicatement les cuisses et les poitrines dans les écailles de pommes de terre, puis les faire cuire dans le beurre clarifié à température moyenne. Dresser sur l'assiette chaude et napper de sauce. Accompagner le cas échéant de haricots verts ou de ratatouille.

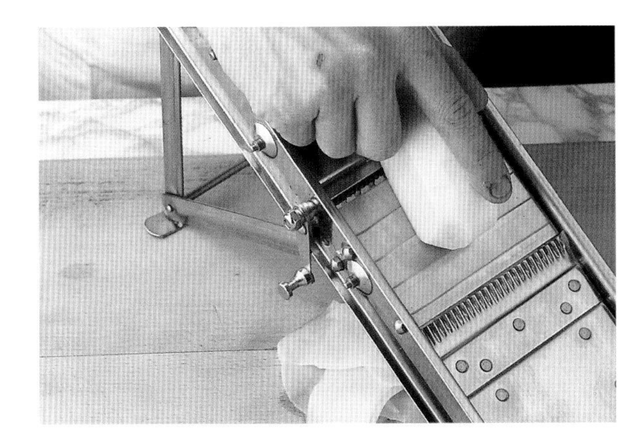

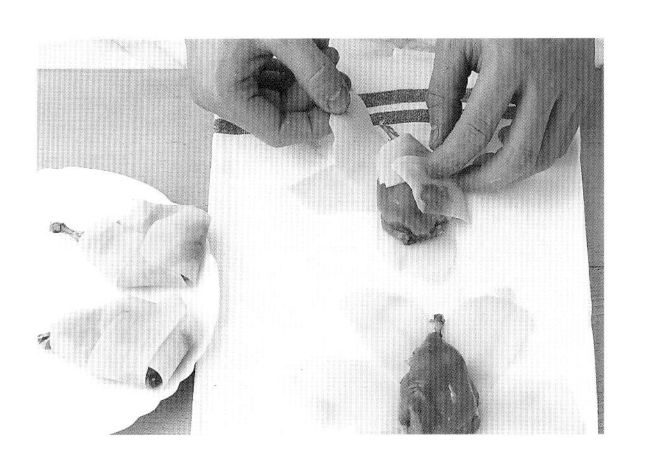

Médaillons de lièvre et

Préparation *2 heures*
Cuisson *40 minutes*
Difficulté ★★

Pour 4 personnes

1 lièvre
sel, poivre du moulin
300 ml d'huile de plantes

Compote de coings :
2 gros coings
200 ml de vin rouge
200 ml de porto
1 cuil. à soupe de sucre
100 ml de liqueur de cassis

Chartreuse :
2 petites carottes, 1 céleri-rave
100 g de haricots verts
150 g de foie gras, sel et poivre
10 ml de porto, 10 ml de jus de truffes
2 feuilles de chou

Croûte de champignons :
150 g de girolles, 150 g de cèpes
50 g de beurre, 1 échalote
sel, poivre du moulin
12 petites têtes de cèpes

Sauce :
50 ml de porto, 250 ml de crème fleurette
parures et os du lièvre
50 ml de madère, 100 ml de fond de veau
20 ml de cognac, 10 ml de gin
sel, poivre du moulin

L'alliance d'une viande ferme et sauvage avec des saveurs sucrées ou fruitées fait partie des grandes coutumes culinaires allemandes. Aussi loin que l'on puisse remonter dans le temps, on découvre ce principe gastronomique fermement ancré dans les pratiques nationales. C'est donc en digne héritier de cette honorable tradition que Harald Wohlfahrt nous présente ici ce lièvre aux coings.

Le lièvre court dans les campagnes à des vitesses prohibées en agglomération : jusqu'à 70 km/h. Cette particularité concerne surtout le lièvre des plaines, dont les muscles sont plus développés que ceux du lièvre des bois, à la chair sensiblement plus blanche. Il faut donc préférer le lièvre des plaines, plus charnu, dont la tenue se vérifie dans la cuisson. Introduisez-le entier dans votre cuisine et procédez vous-même à sa préparation.

Les girolles et les cèpes, éléments dynamiques de cette préparation, prolifèrent en Forêt-Noire. On s'efforce de reconstituer le pied d'un cèpe avec la duxelles de champignons, sur lesquel on pose délicatement une tête pour donner l'impression d'un cèpe entier. Tout cela reste assez facile à réaliser en raison du caractère malléable des champignons. Bien différent est le coing, petit fruit jaune et dur à l'histoire tumultueuse. Le fruit du cognassier poussait dans le jardin des Hespérides et a longtemps servi de contrepoison. Aujourd'hui encore, il reste injustement méconnu malgré l'aisance de son emploi.

Au rayon des substituts figurent respectivement le chevreuil pour le lièvre, la pomme ou la poire pour le coing. Quelques bouquets de chou-fleur produiront aussi le meilleur effet.

1. Pour la compote de coings, éplucher les fruits, enlever les pépins et les couper en quatre. Laisser cuire longtemps les morceaux avec le vin rouge, le porto, le sucre et la liqueur de cassis, puis laisser mariner 24 heures. Passer les morceaux au mixeur. Faire réduire le fond jusqu'à la consistance d'un sirop, puis réincorporer la purée de coings.

2. Pour la chartreuse, couper les carottes, le céleri et les haricots en bâtonnets de 3 x 0,5 cm. Faire blanchir et laisser refroidir. Couper le foie gras en tranches de 0,5 cm d'épaisseur et 5 cm de diamètre, puis faire mariner 1 heure dans le sel, le poivre, le porto et le jus de truffes. Faire blanchir le chou. Disposer en alternance les bâtonnets de légumes dans des petits cercles, une feuille de chou au fond. Ajouter le foie gras et recouvrir de chou.

compote de coings

3. Tailler le lièvre en médaillons de 40 g, saler et poivrer. Poêler 2 minutes de chaque côté, puis réserver au chaud. Pour la croûte, bien nettoyer les champignons et les couper en petits dés. Faire mousser le beurre dans une poêle, ajouter l'échalote, saler, poivrer et réserver. Préparer les têtes de cèpes de la même façon.

4. Pour la sauce, ajouter les os et les parures du lièvre dans la poêle ayant servi à cuire les médaillons. Faire revenir jusqu'à coloration brune. Déglacer au porto et au madère, puis laisser réduire. Ajouter le fond de veau, la crème, laisser réduire et passer au chinois. Ajouter le cognac, le gin et assaisonner. Placer sur chaque médaillon un peu de duxelles de champignons, puis les têtes de cèpes. Enfourner quelques minutes. Dresser sur les assiettes avec la compote de coings et la sauce.

Variation de marcassin

Préparation — *2 heures 30 minutes*
Cuisson — *3 heures 15 minutes*
Difficulté — ★★★

Pour 4 personnes

2 filets et 1 carré de marcassin
sel, poivre du moulin
150 g de cèpes, 1 crépine de porc
150 g de girolles, 50 g de beurre, 1 échalote
1 cuil. à soupe de cerfeuil coupé fin
100 ml de crème fleurette
4 feuilles de chou

Sauce :
os et bardes de marcassin, huile

150 g de carotte, céleri et échalote en mirepoix
100 g de champignons
500 ml de vin rouge
100 ml de porto, madère
2 cuil. à soupe de concentré de tomates
10 baies de genièvre

Garniture :
2 pommes (granny smith)
80 g de beurre
1 cuil. à soupe de sucre
200 ml de vin blanc
150 g de girolles
1 échalote hachée
1 cuil. à soupe de cerfeuil coupé fin
120 g de farce de viande sauvage
4 feuilles de brick
sel, poivre fraîchement moulu

La « Schwarzwaldstube », à l'orée de la Forêt-Noire, apprécie les terres giboyeuses de cette région. Le sanglier figure au premier rang ; tous les chasseurs prisent ce sauvage adversaire qui connaît de somptueux apprêts et sert de prétexte à des libations prolongées où la bonne humeur va de pair avec l'appétit.

On reconnaît facilement le marcassin à sa robe striée de noir et blanc ; il suit en principe la laie avec ses frères et sœurs dans une parfaite discipline. Un bon marcassin n'est pas âgé de plus de 6 mois, et communique avec les membres de sa famille au moyen de grognements et grommellements divers. Sa viande est presque entièrement dépourvue de graisse et requiert une découpe tout en finesse. Le marcassin se prête à des recettes fort simples, mais aussi à des préparations plus prestigieuses.

Notre chef recommande d'employer le dos du marcassin, qui passe généralement pour la partie la plus délicate de l'animal. Sa saveur imperceptiblement sucrée tranche volontiers sur l'arôme puissant que l'on accorde aux autres gibiers.

Accompagné de chou rouge ou vert selon la saison et de champignons sauvages (surtout des trompettes-de-la-mort, selon Harald Wohlfahrt), le marcassin remportera un franc succès. Même les belles pommes caramélisées participent à cette fête, selon le vieux principe allemand qui allie des préparations à base de fruits aux viandes à fort caractère. À défaut de marcassin, vous pourrez accommoder le chevreuil de la même manière.

1. Pour la sauce, faire revenir à l'huile les os concassés avec la mirepoix et les champignons. Déglacer au vin, au porto et au madère, puis ajouter le concentré de tomates et le genièvre. Laisser réduire, mouiller avec de l'eau, cuire environ 3 heures et passer au chinois. Pour la garniture, éplucher les pommes et les couper en quartiers. Faire caraméliser le beurre et le sucre, puis ajouter le vin blanc et les pommes.

2. Couper quatre côtelettes du carré et les assaisonner. Recouvrir de lamelles de cèpes et envelopper dans la crépine. Nettoyer les champignons et les couper en fines lamelles. Faire revenir l'échalote hachée avec le cerfeuil et la farce de viande sauvage. Faire frire à 160 °C des cercles en feuille de brick de 15 cm de diamètre. Mouler en corbeille sur des bouchons de champagne.

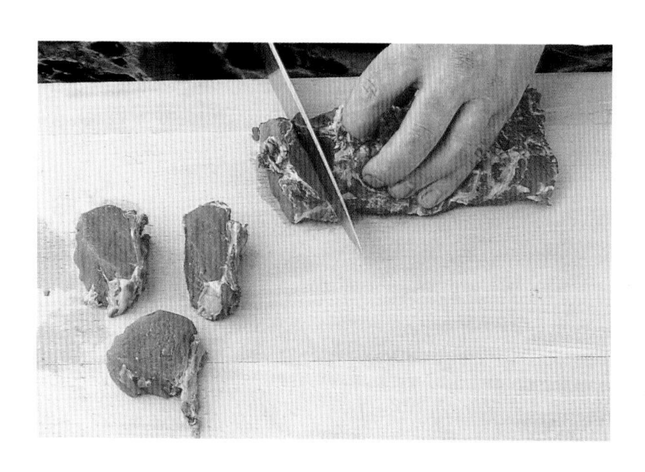

et sauce au poivre

3. Confectionner une mousse avec les parures de marcassin. Couper en dés le reste des champignons et les faire sauter au beurre avec l'échalote et le cerfeuil. Ajouter la crème, laisser refroidir et mélanger à la farce. Faire blanchir le chou, le rafraîchir et le sécher. Aplatir le chou et y étaler une fine couche de farce. Saler et poivrer les filets, puis les enrouler dans une feuille de chou et dans la crépine de porc.

4. Saler et poivrer les morceaux de marcassin, puis les faire cuire au four à 220 °C, 3 à 8 minutes selon leur taille ; laisser reposer la viande après cuisson. Réduire à consistance la graisse résiduelle, ajouter le poivre, monter au beurre et rectifier l'assaisonnement. Farcir les corbeilles de champignons et servir avec les pommes caramélisées, la viande et la sauce.

Selle de cerf

Préparation *15 minutes*
Cuisson *2 heures*
Difficulté ★★

Pour 4 personnes

800 g de selle de cerf désossée
500 ml d'huile d'arachide
10 g de farine
10 g de sucre
1/2 verre de cognac
1 verre de marsala
1 l de vin rouge
1 l de consommé
25 g de pignons de pin

Marinade :
1 l de vin rouge
1 oignon
2 carottes
2 branches de céleri
3 feuilles de laurier
romarin
20 baies de genièvre
10 clous de girofle
1/2 bâton de cannelle

Polenta :
1 l d'eau, sel
1 cuil. à soupe d'huile d'olive
500 g de farine de maïs

Armando Zanetti se présente comme chasseur de petit gibier, mais nous confie sa façon d'accommoder le cerf, qu'il a pu préparer lorsqu'il était cuisinier dans des maisons bourgeoises pourvues de dépendances forestières. Il choisit un jeune cerf, malgré le plaisir qu'il éprouve à voir gambader en liberté ces animaux et l'émoi que lui inspire un traitement si barbare. Mais foin des sentiments ! La viande de cerf compte parmi les plus nobles et dégage toutes ses qualités lorsqu'on la fait cuire brièvement. Le titre de « Monvisco » évoque les forêts d'une région où cette préparation est traditionnelle.

La marinade est chargée d'épices depuis que Marco Polo les a rapportées des Indes. On connaît les activités de cet infatigable voyageur qui a durablement enrichi le savoir-faire des cuisiniers européens. Prenez garde au dosage des épices. Enfin, Armando Zanetti vous recommande un vin vieux riche en tanin.

Il est maintenant question de réussir la polenta, qui connaît dans le Nord de l'Italie de nombreuses variantes. Cette préparation à base de farine de maïs est typiquement vénitienne, mais on emploie une mouture plus grosse dans le Piémont pour en faire des gâteaux. On l'agrémente de sucre et de miel à Trieste. Évitez d'acheter une polenta instantanée et travaillez une farine de maïs très fine. C'est à la salamandre que vous réchaufferez en dernier lieu vos petits triangles de pâte qui remplaçaient dans les années de pénurie le pain.

1. Faire mariner la veille la selle de cerf dans 1 l de vin rouge avec les légumes taillés en mirepoix et les épices. Le jour même, égoutter la viande et passer la marinade au chinois.

2. Pour la polenta, faire bouillir l'eau avec du sel et de l'huile. Ajouter peu à peu la farine de maïs tout en remuant avec un fouet. Réduire le feu et laisser cuire 45 minutes environ à feu doux.

à la Monviso

3. Dans une sauteuse, faire rissoler les légumes à l'huile. Dans une autre sauteuse, saisir la selle à feu vif quelques minutes dans un peu d'huile. Réserver. Incorporer la selle aux légumes. Ajouter un peu de farine, le sucre, déglacer avec le cognac et le marsala, puis flamber.

4. Verser le vin rouge et laisser réduire. Mouiller peu à peu avec le consommé et laisser frémir 1 heure. Décanter la selle et passer la sauce au chinois. La servir en tranches, accompagnée de polenta et décorer avec les pignons de pin.

Agneau farci de tripes,

Préparation *40 minutes*
Cuisson *2 heures 30 minutes*
Difficulté ★★★

Pour 4 personnes

1 carré d'agneau d'1 kg
6 pieds d'agneaux
1 tête d'agneau
1 branche de thym
1 feuille de laurier
3 œufs

mie de pain
1 cervelle d'agneau
sel, poivre blanc
1 bouquet garni
500 ml de sang d'agneau

Garniture :
200 g de petites fèves
12 pointes d'asperges vertes
beurre

On consomme généralement grillé l'agneau de lait ou agnelet, dont la chair est très fine. Ici, l'agneau doit être plus âgé et se voit préparé en cocido, farci de ses propres abats. En fait, l'agneau tout entier figure dans ce plat, puisque l'on utilise le sang pour lier la sauce, la gélatine des pieds et la langue tendre, la graisse des joues et la cervelle moelleuse. L'ensemble de ces « tripochas », comme on les appelle au Pays basque, doit cuire séparément pour apporter, dans une seconde phase, une série de saveurs subtiles au carré d'agneau désossé et dégraissé.

Les élevages d'agneaux sont aujourd'hui très soigneusement contrôlés, ce qui offre à l'amateur un choix considérable. Selon votre goût, l'agneau de Pauillac ou de Sisteron pourra convenir ; mais cette recette basque devrait être l'occasion de découvrir l'axuria (prononcez « atchouria »), agneau des Pyrénées dont la viande très blanche doit être un peu relevée. L'usage d'épices doit être cependant modéré, car le goût de l'agneau est délicat et pourrait facilement être dénaturé.

Curnonsky surnommait cette spécialité « le boudin d'agneau ». Au Pays basque français, on l'accompagne de pommes, comme on le fait parfois du boudin traditionnel. Dans la version espagnole, on utilise des asperges vertes qui résistent mieux à la cuisson. Au printemps, on y ajoute les premières fèves « dérobées », c'est-à-dire débarrassées de leur robe et plongées dans l'eau salée frémissante. Nous sommes encore assez loin de la traditionnelle fabada des Asturies, qui est une variante du cassoulet aux fèves.

1. Désosser un carré de côtes premières d'agneau. Cuire 1 heure 30 minutes dans l'eau salée les pieds et la tête d'agneau avec le thym et le laurier. Laisser refroidir et hacher le tout très finement. Mélanger avec les œufs et la mie de pain, puis ajouter la cervelle pochée et hachée, le sel et le poivre.

2. Garnir le carré d'agneau de cette farce, l'envelopper dans un linge, et bien ficeler aux deux extrémités et au centre.

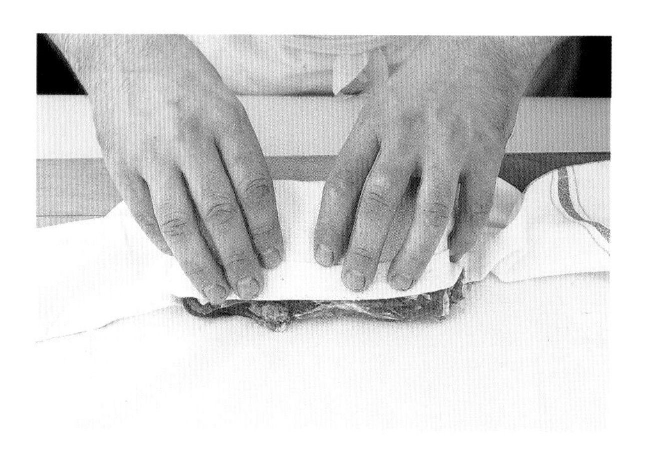

petites fèves et asperges

3. Faire revenir les os d'agneau avec le bouquet garni. Incorporer les os au jus de cuisson des abats, puis ajouter le carré. Laisser cuire à feu doux 1 heure ; ajouter un peu d'eau si nécessaire. Sortir le carré, resserrer le linge et laisser refroidir.

4. Faire réduire le jus de cuisson en écumant régulièrement, puis lier avec le sang. Déballer l'agneau, le couper en tranches et le faire réchauffer au four. Dresser sur l'assiette accompagné de sauce. Égoutter les fèves et les pointes d'asperges cuites à l'anglaise, puis les faire revenir dans le beurre.

Manitas de cerdo, sauce

Préparation *1 heure 30 minutes*
Cuisson *2 heures*
Difficulté ★★

Pour 4 personnes

6 pieds de cochons
1 tête d'ail
1 poireau
3 oignons
laurier
poivre blanc

sel, poivre
12 petits piments rouges séchés
farine
2 œufs
persil
200 g de chapelure
250 ml d'huile d'olive

Avec une subtilité qui échappe aux Français, les Espagnols appellent « mains » l'extrémité des membres antérieurs du cochon, que nous traitons indifféremment de « pieds ». Prenez garde, au moment de les choisir, à respecter l'esprit de cette recette et sélectionnez des « petites mains », au sens espagnol du terme.

« Dans le cochon, tout est bon » : cette locution décrit bien le caractère exceptionnel de cet animal que l'on soigne et nourrit pour en exploiter tous les éléments. Toutefois, les pieds de cochons exigent une attention particulière : tout d'abord, il faut les nettoyer minutieusement et leur assurer une longue cuisson ; ensuite, au moment de les désosser, vous débarrasserez les petits os de la gélatine qui les enveloppe ; enfin, dans la dernière phase de la préparation, vous roulerez deux fois les tranches de terrine dans l'œuf et la farine, pour les enrober d'une couche plus résistante à la friture. La gélatine donnera de meilleurs résultats si vous travaillez les pieds de porcs la veille.

Les piments rouges, fréquents dans la cuisine espagnole et basque, sont cultivés depuis le XVIe siècle, époque à laquelle Christophe Colomb les a introduits en Europe. L'Espagne en est le premier producteur mondial. On les récolte d'avril à octobre, puis on les fait sécher et on les conserve pour l'année suivante.

L'accompagnement de ce plat peut invariablement comporter des lentilles, des haricots ou des pois chiches. Si l'on préfère la viande blanche, on peut utiliser des pieds de veau, mais il faut alors leur associer les joues de l'animal, plus riches en gélatine.

1. Cuire les pieds de cochons dans de l'eau sans sel avec l'ail haché, le poireau, les oignons, le laurier et le poivre blanc. Désosser les pieds cuits et les hacher. Rectifier l'assaisonnement, mouler en terrine et réserver 24 heures au réfrigérateur.

2. Confectionner une sauce en faisant blanchir trois fois les piments rouges. Récupérer la pulpe. Dans une autre casserole, faire réduire aux trois quarts le jus de cuisson des pieds avec la pulpe des piments rouges. Rectifier l'assaisonnement, mixer et passer la sauce au chinois.

aux petits piments rouges

3. Le lendemain, sortir la terrine du réfrigérateur et la découper avec le plus grand soin en tranches d'1 cm d'épaisseur.

4. Rouler les tranches dans la farine, dans l'œuf et enfin dans le persil haché mélangé à la chapelure. Faire frire dans une poêle à l'huile très chaude. Dresser sur des assiettes et accompagner de sauce aux poivrons.

Recettes de base

Feuilletage

Recette : Pigeon en feuilleté, de Roger Jaloux

Recette : Pigeonneau rôti à l'émietté de truffes, de Jacques Lameloise

Recette : Poitrine de pigeonneau et son feuilleté, de Jean Schillinger

Recette : Pavé de veau en crépinette au foie gras, d'Émile Tabourdiau

Ingrédients :
500 g de farine – 15 g de sel – 250 ml d'eau. Pour le tourage : 500 g de beurre

Description :
Déposer la farine en couronne sur le plan de travail. Mettre au milieu le sel et l'eau, mélanger et rassembler la pâte en boule sans trop la travailler. La laisser reposer 20 minutes. L'étaler ensuite sur le marbre en carré. Poser au centre les 500 g de beurre ramolli. Ramener les de façon à former un carré.

Tourage :
Donner 6 tours deux par deux à des intervalles réguliers de 20 minutes.

Polenta

Recette : Pieds de cochon en cassoëula, de Nadia Santini

Ingrédients :
300 ml d'eau ou de fond de volaille – 200 g de farine de maïs – 100 ml d'huile d'olive – sel et poivre

Description :
Faire bouillir l'eau salée. Ajouter peu à peu la farine de maïs tout en remuant avec le fouet. Réduire le feu et laisser cuire 45 minutes environ. Étaler sur une plaque inox huilée, laisser refroidir avant de détailler.

Sauce bigarade

Recette : Caneton aux figues confites à la façon de Virgile, de Freddy Van Decasserie

Ingrédients :
1 litre de fond de canard – 2 oranges – 1 citron – 20 g de sucre – 1 cuil. à café de maïzena – 1 cuil. à café de porto – 2 litres de vinaigre – beurre

Description :
Réunir dans une sauteuse le sucre et le vinaigre et faire cuire en caramel « gastrique ». Déglacer avec le jus des oranges et du citron, laisser cuire quelques minutes. Ajouter le fond de canard, laisser réduire d'un tiers environ sur le coin du feu. Lier cette sauce avec la maïzena détendue au porto. Passer cette sauce au chinois étamine dans une petite casserole. Rectifier l'assaisonnement. Parsemer à la surface trois à quatre petits morceaux de beurre pour éviter la formation d'une croûte.

Sauce coco-curry

Recette : Filet mignon de porc coco-curry, de Philippe Groult

Ingrédients :
1/2 oignon – 1/2 pomme– 1/2 banane – 1 noix de coco – 100 ml de bouillon de volaille – 15 g de curry de Madras – 50 ml d'huile d'olive – 60 g de beurre – sel et poivre

Description :
Faire chauffer l'huile dans un sautoir et y faire fondre l'oignon, la pomme et la banane, ajouter le curry. Mélanger le lait de coco récupéré dans la noix de coco au bouillon de volaille, donner une ébullition durant 5 minutes environ. Mixer le tout, passer au chinois étamine et monter au beurre. Rectifier l'assaisonnement.

Sauce venaison

Recette : Chevreuil Cumberland aux fruits d'hiver, de Freddy Van Decasserie

Ingrédients :
1 kg de parures et os de gibier – 100 ml d'huile d'arachide – 300 ml de vinaigre de vin – 1 litre de fond de veau lié – 2 cuil. à soupe de gelée de groseilles

Pour la marinade des os :
1 carotte – 1 oignon – 1 feuille de laurier – 1 branche de thym – 12 grains de poivre – queues de persil – 750 ml de vin rouge – 50 ml d'huile d'arachide – sel et poivre

Description :
À faire la veille : Mettre à mariner dans un récipient les parures et os de gibier avec la carotte et l'oignon coupés en mirepoix, le thym, le laurier, les grains de poivre, le persil, l'huile. Saler et poivrer, recouvrir le tout avec le vin rouge et mettre au frais jusqu'au lendemain. Égoutter les os et parures, conserver le vin. Dans un grand sautoir, faire revenir à l'huile les os et la mirepoix jusqu'à coloration. Ajouter le vinaigre de vin et réduire à sec, mouiller avec le vin de la marinade et réduire au quart, ajouter un litre de fond de veau lié et laisser réduire de moitié à petit feu, passer au chinois et lier cette sauce avec 2 cuil. à soupe de gelée de groseilles. Rectifier l'assaisonnement.

Les chefs

Fernando Adría

Né le 14 mai 1962

Restaurant **El Bulli**
30, Apartado de Correos Cala Montjoi
17480 Rosas — Espagne
Tél. (0)972-150457; fax (0)972-150717

Ce jeune prodige a obtenu à 27 ans les 2 étoiles du Michelin pour l'activité qu'il déployait depuis 1983 dans son établissement de la Costa Brava. Gault et Millau l'a consacré avec 19 points et 4 toques rouges. Les guides espagnols n'ont pas moins reconnu son talent : 4 étoiles au Campsa, 9,5/10 au Gourmetour. Fernando Adría a reçu le prix national espagnol de la Gastronomie et même en 1994 le grand prix de l'Art culinaire européen.
Lorsque ses fourneaux lui en laissent le loisir, notre chef court applaudir le Barça (le football club de Barcelone), dont il est un enthousiaste « *socio* ».

Hilario Arbelaitz

Né le 27 mai 1951

Restaurant **Zuberoa**
Barrio Iturrioz, 8
20180 Oyarzun — Espagne
Tél. (0)943-491228 ; fax (0)943-492679

Né au cœur du Pays basque espagnol dont il célèbre avec vigueur les traditions gourmandes, notre chef a fait ses premiers pas en 1970 au restaurant Zuberoa, dont il est devenu chef de cuisine en 1982. Dès lors comblé de distinctions tant françaises qu'espagnoles (2 étoiles Michelin, 3 toques rouges et 17 au Gault et Millau, 4 étoiles au Campsa), il a reçu le titre de meilleur cuisinier d'Euzkadi (Pays basque) en 1993 et meilleur cuisinier d'Espagne en 1991.
Il pratique avec un égal bonheur la pelote basque et la vie de famille, et se passionne pour l'histoire et son métier.

Firmin Arrambide

Né le 16 septembre 1946

Restaurant **Les Pyrénées**
19, place du général-de-Gaulle
64220 Saint-Jean-Pied-de-Port — France
Tél. 05 59 37 01 01 ; fax 05 59 37 18 97

C'est depuis 1986 que Firmin Arrambide préside aux destinées des Pyrénées, l'établissement le plus coté de sa ville natale : 2 étoiles Michelin, 3 toques rouges et 18 au Gault et Millau. Il y pratique une cuisine d'inspiration régionale dont la qualité lui a valu la deuxième place au prix Taittinger (1978), et d'arriver en finale au concours de meilleur ouvrier de France en 1982.
Comme il se doit, cet enfant du Pays basque adore en saison la chasse à la palombe et à la bécasse, et parcourt inlassablement « ses » montagnes. Mais il déguste aussi les bains de soleil au bord de sa piscine.

Jean Bardet

Né le 27 septembre 1941

Restaurant **Jean Bardet**
57, rue Groison
37000 Tours — France
Tél. 03 47 41 41 11 ; fax 03 47 51 68 72

Avant de s'installer en 1987 à Tours sous son propre nom, notre chef a parcouru l'Europe et servi notamment comme saucier au Savoy de Londres. Il est membre des Relais et châteaux et Relais gourmands, compte 4 toques rouges au Gault et Millau (19,5) et 2 étoiles au Michelin. Ce disciple de la Fondation Auguste-Escoffier a même préparé le repas des chefs d'États au sommet de Versailles (1982).
Jean Bardet fume le cigare avec passion (l'American Express lui a octroyé en 1984 le diplôme de plus grand fumeur du monde) et multiplie en saison « les virées à la chasse avec les copains ».

Michel Blanchet

Né le 16 juin 1949

Restaurant **Le Tastevin**
9, avenue Eglé
78600 Maisons-Laffitte — France
Tél. 01 39 62 11 67 ; fax 01 39 62 73 09

Après une riche et prestigieuse formation de 1967 à 1971 chez Maxim's, au Lutétia et chez Ledoyen, notre chef a pris en 1972 les rênes du Tastevin et y jouit aujourd'hui de 2 étoiles Michelin. Son talent lui a valu d'arriver plusieurs fois en finale au prix Prosper Montagné (1970 et 1972), au prix Taittinger (1974) et au concours de meilleur ouvrier de France (1979). Michel Blanchet est maître cuisinier de France et membre de l'Académie culinaire de France.
Grand amateur de nature et de promenades en sous-bois (pour y chercher par exemple les champignons), il pratique aussi le cyclisme et la course à pied.

Michel Bourdin

Né le 6 juin 1942

Restaurant **The Connaught**
Carlos Place, Mayfair
W1Y 6AL London — Angleterre
Tél. (0)171-4910668 ; fax (0)171-4953262

Dans la grande lignée des chefs français qui ont exercé en Grande-Bretagne, Michel Bourdin régale depuis 1975 les Londoniens au Connaught. Formé chez Ledoyen et Maxim's (sous la férule d'Alex Humbert), titulaire de multiples prix (Prosper Montagné, Taittinger), membre du club des Cent et de Traditions et qualité, il préside la branche Royaume-Uni de l'Académie culinaire de France depuis 1980. Il est enfin membre honoraire du club Chefs des chefs, tout comme Paul Haeberlin. Ses collaboratrices en pâtisserie, les jumelles Carolyn et Deborah Power, ont rendu célèbres les desserts du Connaught.

Christian Bouvarel

Né le 26 avril 1954

Restaurant **Paul Bocuse**
69660 Collonges-au-Mont-d'Or — France
Tel. 04 72 42 90 90 ; fax 04 72 27 85 87

Le plus jeune des chefs de Paul Bocuse a connu d'illustres maîtres : Raymond Thuillier à l'Ousteau de Baumanière des Beaux-de-Provence en 1971 et Paul Haeberlin à l'Auberge de l'Ill d'Illhaeusern en 1972, avant de rejoindre le légendaire établissement de Collonges en 1975. 3 étoiles au Michelin, 4 toques rouges au Gault et Millau (19), 4 étoiles au Bottin gourmand : le savoir-faire de Christian Bouvarel a naturellement sa part dans ce succès, lui qui fut meilleur ouvrier de France en 1993.
Ce Lyonnais de naissance est un passionné de nature, et consacre ses (rares) temps libres à la randonnée en montagne.

Carlo Brovelli

Né le 23 mai 1938

Restaurant **Il Sole di Ranco**
5, Piazza Venezia
21020 Ranco — Italie
Tél. 0331-976507 ; fax 0331-976620

Un soleil : le guide Veronelli ne pouvait décerner moins à ce restaurant placé sous le signe de l'astre du jour, qu'après 120 ans de tradition familiale Carlo Brovelli dirige avec une rare maîtrise. Il en a pris la tête en 1968, après sa formation à l'école hôtelière de La Stresa. Membre de la chaîne Le Soste, de Relais et châteaux et Relais gourmands, il collectionne les mentions flatteuses : 2 étoiles au Michelin, 3 toques au Gault et Millau (18), 84/100 au guide italien Gambero Rosso.
Adepte du cyclisme et du calcio, Carlo Brovelli guette chaque année le retour de l'automne, qui lui permet de pratiquer sa principale passion, la chasse.

Jean-Pierre Bruneau

Né le 18 septembre 1943

Restaurant **Bruneau**
73-75, avenue Broustin
1080 Bruxelles — Belgique
Tél. (0)2-4276978 ; fax (0)2-4259726

À l'ombre de la remarquable basilique de Koekelberg, en plein Bruxelles, Jean-Pierre Bruneau tient depuis quelque 20 ans les fourneaux du restaurant qui porte son nom. Les créations raffinées de ce maître cuisinier de Belgique ont moissonné les distinctions : 3 étoiles Michelin, 4 toques rouges au Gault et Millau, 3 étoiles au Bottin gourmand et 94/100 au guide belge Henri Lemaire. Il est en outre membre de Traditions et qualité. Quand il quitte un instant sa cuisine, notre chef se partage entre la chasse, qu'il adore en saison, le sport automobile, qu'il pratique, et les voitures anciennes, qu'il collectionne.

Michel Bruneau

Né le 11 février 1949

Restaurant **La Bourride**
15-17, rue du Vaugueux
14000 Caen — France
Tél. 02 31 93 50 76 ; fax 02 31 93 29 63

« Normand et fier de l'être » : telle est la devise de ce chef qui ne cesse de décliner au long d'une carte enchanteresse les généreux produits du Calvados. D'abord installée au cœur du bocage, à Évrecy, sur les bords de la Guigne (1972-1982), puis à Caen même depuis 1982, La Bourride présente aux amateurs une cuisine inventive, imprégnée de traditions régionales et très appréciée des critiques : 2 étoiles Michelin, 3 toques rouges au Gault et Millau (18).
Dans le privé, Michel Bruneau fait encore la cuisine... pour ses amis. Il pratique le football et n'hésite pas à suivre son fils sur les pistes de karting.

Alain Burnel

Né le 26 janvier 1949

Restaurant **Oustau de Baumanière**
Val d'Enfer
13520 Les Baux-de-Provence — France
Tél. 04 90 54 33 07 ; fax 04 90 54 40 46

La formation d'Alain Burnel l'a conduit à Beaulieu (La Réserve de Beaulieu, 1969-1973), au Frantel de Nantes avec Roger Jaloux, au Sofitel de Marseille et au Château du Besset à Saint-Romain-de-Lerps, dont il fut chef de cuisine de 1978 à 1982 avant de reprendre aux Baux les célèbres fourneaux de Raymond Thuillier, aujourd'hui propriété de la famille Charial. Ce compagnon du Tour de France a reçu 2 étoiles Michelin et 3 toques blanches au Gault et Millau (18) ; il est membre de Traditions et qualité, Relais et châteaux et Relais gourmands.
Notre chef est cycliste à ses heures et pratique volontiers le bricolage.

Jan Buytaert

Né le 16 octobre 1946

Restaurant **De Bellefleur**
253 Chaussée d'Anvers
2950 Kapellen — Belgique
Tél. (0)3-6646719 ; fax (0)3-6650201

Bien qu'il soit Belge de souche et qu'il ait accompli toute sa carrière en Belgique (Villa Lorraine à Bruxelles, 1973-1974), Jan Buytaert a passé deux ans dans les cuisines des Prés et Sources d'Eugénie à Eugénie-les-Bains, sous la direction de Michel Guérard (1974-1975). C'est après cet intermède français qu'il a ouvert en 1975 son actuel établissement, qui lui vaut 2 étoiles au Michelin et compte parmi les tables les plus réputées d'outre-Quiévrain.
Ce maître cuisinier de Belgique apprécie les sports paisibles, telles la marche et l'équitation, et se livre encore au jardinage avec un plaisir constant.

Jacques Cagna

Né le 24 août 1942

Restaurant **Jacques Cagna**
14, rue des Grands-Augustins
75006 Paris — France
Tél. 01 43 26 49 39 ; fax 01 43 54 54 48

Ce chef prestigieux a exercé ses talents dans les plus célèbres établissements de la capitale (Lucas Carton en 1960, Maxim's en 1961, La Ficelle en 1964) et a même été cuisinier de l'Assemblée nationale (1961-1962) avant de s'installer en 1975 sous son propre nom et de cumuler les plus hautes distinctions : 2 étoiles Michelin, 3 toques rouges au Gault et Millau (18), 3 étoiles au Bottin gourmand.
Jacques Cagna est également chevalier du Mérite national et des Arts et des Lettres. Il connaît fort bien l'Asie, parle couramment le japonais et se passionne pour la musique classique, l'opéra et le jazz.

Stewart Cameron

Né le 16 septembre 1945

Restaurant **Turnberry Hotel & Golf Courses**
KA26 9LT Turnberry — Écosse
Tél. (0)165-5331000 ; fax (0)165-5331706

La cuisine de l'hôtel Turnberry, l'un des deux établissements d'Écosse titulaires de 5 étoiles rouges, a un chef purement écossais depuis 1981 : Stewart Cameron, auparavant en poste au Malmaison, le restaurant du Central Hotel de Glasgow. Notre chef est encore membre du Taste of England et de l'Académie culinaire de France (branche Royaume-Uni). Il a eu l'honneur d'accueillir en 1986 et en 1994 l'open de golf de Grande-Bretagne dans son établissement.
Stewart Cameron pratique à l'occasion la chasse et la pêche. Il est bien entendu passionné de rugby et compte parmi les plus fidèles supporters du XV d'Écosse.

Marco Cavallucci

Né le 20 mai 1959

Restaurant **La Frasca**
38, Via Matteotti
47011 Castrocaro Terme — Italie
Tél. (0)543-767471 ; fax (0)543-766625

Deux étoiles Michelin, 4 toques au Gault et Millau (19), un soleil Veronelli, 89/100 au guide Gambero Rosso: que manque-t-il à Marco Cavallucci ? Avec la chaleureuse complicité de son propriétaire, le maître sommelier Gianfranco Bolognesi, ce jeune chef infatigable et couvert d'honneurs, membre de la chaîne Le Soste, illustre avec brio depuis 1978 la grande tradition de la cuisine italienne.
Cette extraordinaire aventure lui laisse quand même un peu de temps pour s'adonner à la pêche (qu'il adore) et à la lecture, pour se rendre parfois au cinéma, et pour jouer aux cartes, au football et au billard.

Bernard Coussau

Né le 15 septembre 1917

Restaurant **Relais de la Poste**
40140 Magescq — France
Tél. 05 58 47 70 25 ; fax 05 58 47 76 17

Bernard Coussau est le symbole vivant de la gastronomie landaise. Au Relais de la Poste, ouvert en 1954 et titulaire de 2 étoiles Michelin sans interruption depuis 1969, ce président honoraire des maîtres cuisiniers de France propose à ses clients une fine cuisine de terroir, bien accordée à cet ancien relais de poste magnifiquement conservé. Au faîte d'une carrière exceptionnelle, notre chef est aujourd'hui officier du Mérite agricole, chevalier de la Légion d'honneur et des Palmes académiques.
Cet ancien international militaire de rugby est un supporter inconditionnel de l'équipe de Dax et se passionne pour l'automobile.

Francis Chauveau

Né le 15 septembre 1947

Restaurant **La Belle Otéro**
Hôtel Carlton (7e étage)
58, La Croisette
06400 Cannes — France
Tél. 04 93 69 39 39 ; fax 04 93 39 09 06

La rencontre de ce chef né aux confins du Berry et de la cuisine provençale a produit d'excellents résultats, que dégustent avec bonheur depuis 1989 les clients du légendaire palace cannois, dont le restaurant est titulaire de 2 étoiles au guide Michelin. Ce chef a fait ses premiers pas à l'Hôtel d'Espagne à Valençay et a poursuivi sa carrière à l'Auberge de Noves en 1965. Depuis, ses compétences le propulsent dans des établissements de prestige: l'Auberge du Père Bise, la Réserve de Beaulieu, la Terrasse de l'hôtel Juana à Juan-les-Pins, et, de 1980 à 1989, au célèbre restaurant L'Amandier de Mougins.

Jean Coussau

Né le 6 mai 1949

Restaurant **Relais de la Poste**
40140 Magescq — France
Tél. 05 58 47 70 25 ; fax 05 58 47 76 17

Digne fils de son père Bernard, Jean Coussau est maître cuisinier de France, membre des J.R.E. (Jeunes restaurateurs d'Europe) et de la Chambre syndicale de la haute cuisine française. C'est après une belle carrière franco-espagnole (Café de Paris à Biarritz, Plaza-Athénée à Paris, Ritz à Madrid) qu'il a rejoint son père à Magescq en 1970 et qu'il y tient avec lui les fourneaux du Relais de la Poste. Il a été en 1976 finaliste du concours du meilleur sommelier de France.
S'il partage la passion de son père pour la chasse, Jean Coussau est aussi un grand amateur de golf et pratique souvent ce sport bienfaisant.

Jacques Chibois

Né le 22 juillet 1952

Restaurant **La Bastide Saint-Antoine**
45, avenue Henri-Dunant
06130 Grasse — France
Tél. 04 92 42 04 42 ; fax 04 92 42 03 42

Au cours d'une carrière fertile en déplacements, Jacques Chibois a pu approcher bien des grands noms de la gastronomie française : Jean Delaveyne à Bougival, Louis Outhier à La Napoule, Roger Vergé à Mougins et Gaston Lenôtre pour la pâtisserie. Il a travaillé aux alentours de 1980 sous la direction éclairée de Michel Guérard et obtenu 2 étoiles Michelin lors de son passage au Gray d'Albion (Cannes, 1981-1995). Mais c'est à Grasse qu'il a ouvert La Bastide Saint-Antoine en 1995. Entre-temps, ce passionné de cyclisme et de nature a multiplié comme à son ordinaire les parties de chasse et de pêche.

Richard Coutanceau

Né le 25 février 1949

Restaurant **Richard Coutanceau**
Place de la Concurrence
17000 La Rochelle — France
Tel. 05 46 41 48 19 ; fax 05 46 41 99 45

Admirablement situé entre la Venise verte du marais poitevin et la Côte sauvage, Richard Coutanceau, poursuit un joli parcours entamé à Paris (L'Orée du bois, 1968) et continué à La Rochelle (Hôtel de France et d'Angleterre, de 1968 à 1982). Ce Charentais de naissance collectionne les étoiles (2 au Michelin, 3 au Bottin gourmand), les toques rouges de Gault et Millau (pas moins de trois, avec 17), et figure parmi les Relais gourmands. Il adhère aux J.R.E. (Jeunes restaurateurs d'Europe). Notre chef adore la gastronomie, la pêche et pratique assidûment le tennis.

Serge Courville

Né le 9 décembre 1935

Restaurant **La Cote 108**
Rue du colonel-Vergezac
02190 Berry-au-Bac — France
Tél. 03 23 79 95 04 ; fax 03 23 79 83 50

Courville évoque avec émotion ses trois maîtres: Roger Petit, Robert Morizot et Jean-Louis Lelaurain. Peu attaché aux distinctions, cet homme de cœur et d'amitié a cependant connu plusieurs finales de prix culinaires (Prosper Montagné, 1971 ; trophée national de l'Académie culinaire, 1972 ; Pierre Taittinger, 1973), et dirige La Cote 108 depuis 1972. Ils a reçu 1 étoile Michelin en 1982.
Notre chef adore faire goûter sa cuisine « aux copains » ; il est passionné de lecture et de cyclisme, et fréquente assidûment la nature, tant pour la pêche que pour la recherche des champignons.

Jean Crotet

Né le 26 janvier 1943

Restaurant **Hostellerie de Levernois**
Route de Combertault
21200 Levernois — France
Tél. 03 80 24 73 68 ; fax 03 80 22 78 00

Au cœur d'un somptueux parc planté de cèdres de Louisiane, de saules et de frênes, traversé d'une rivière aux eaux vives, Jean Crotet sert aux amateurs une cuisine sanctionnée par 2 étoiles au Michelin et 3 étoiles au Bottin gourmand. Il est maître cuisinier de France, membre des Relais et châteaux, des Relais gourmands, et s'est installé en 1988 à Levernois, tout près de Beaune, après 15 ans passés à La Côte d'Or de Nuits-Saint-Georges.
Jean Crotet apprécie également la pêche en mer et le pilotage d'hélicoptère. Il joue au tennis et consacre volontiers ses loisirs à la chasse et au jardinage.

Michel Del Burgo

Né le 21 juin 1962

Restaurant **La Barbacane**
Place de l'Église
11000 Carcassonne-La Cité — France
Tél. 04 68 25 03 34 ; fax 04 68 71 50 15

C'est dans le Sud que ce jeune Picard a mis en œuvre ses talents : chez Alain Ducasse à Courchevel, chez Raymond Thuillier aux Baux-de-Provence, chez Michel Guérard à Eugénie-les-Bains. Après un passage dans la vallée du Rhône et en Avignon (1987-1990), le voici en 1991 placé par Jean-Michel Signoles à la tête des cuisines de La Barbacane, en plein centre de Carcassonne. Il y a gagné en 1995 sa deuxième étoile Michelin, l'iris de la Restauration et la clé d'or Gault et Millau (avec 3 toques rouges et 18). Ce « cuisinier en terre cathare » apprécie la cuisine de ses confrères, mais aussi la musique, le sport automobile et la randonnée.

Joseph Delphin

Né le 4 septembre 1932

Restaurant **La Châtaigneraie**
156, route de Carquefou
44240 Sucé-sur-Erdre — France
Tél. 02 40 77 90 95 ; fax 02 40 77 90 08

Maître cuisinier de France, membre de l'Académie culinaire de France et compagnon du Tour de France, Delphin régale avec talent les gourmets de la région nantaise. Il est chevalier du Mérite agricole et a reçu le vase de Sèvres du président de la République française.
Tout au bord de l'Erdre, La Châtaigneraie (1 étoile au Michelin) est accessible au choix par la route, par la rivière ou même par hélicoptère... Rien n'est trop bon quand il s'agit d'apprécier le chaleureux accueil de la famille Delphin, puisque Jean-Louis, membre des Jeunes restaurateurs d'Europe, y travaille de concert avec son père Joseph.

Philippe Dorange

Né le 27 mai 1963

Restaurant **Fouquet's**
99, avenue des Champs-Élysées
75008 Paris — France
Tél. 01 47 23 70 60 ; fax 01 47 20 08 69

Présente-t-on encore le Fouquet's ? Assurément non, guère plus que les prestigieux établissements qu'a fréquentés auparavant Philippe Dorange : Le Moulin de Mougins de Roger Vergé (1977-1981), le Negresco de Jacques Maximin à Nice (1981-1988) et enfin Ledoyen à Paris, où il a été chef de cuisine de 1988 à 1992. Un très joli parcours pour ce jeune chef qui conserve de son Midi natal un grand nombre de préférences et de réflexes, très appréciés des célébrités qui se restaurent sur les Champs-Élysées. Quand il n'est pas en cuisine, Philippe Dorange aime la boxe, les voitures de sport et le football.

Claude Dupont

Né le 7 juin 1938

Restaurant **Claude Dupont**
46, avenue Vital Riethuisen
1080 Bruxelles — Belgique
Tél. (0)2-4260000 ; fax (0)2-4266540

Les guides belges et français ne ménagent pas leurs efforts pour la cuisine de Claude Dupont : 2 étoiles au Michelin depuis 1976, 3 étoiles au Bottin gourmand, 3 toques blanches Gault et Millau (17), 92/100 au guide Henri Lemaire. À cette pluie de références succède une moisson de titres : prix Prosper Montagné (1967), oscar des Gastronomes (1973) – ce maître cuisinier de Belgique a aussi été chef de cuisine du pavillon belge à l'Exposition universelle d'Osaka (1970), avant d'ouvrir à Bruxelles son restaurant. Notre chef s'adonne au jardinage et au bricolage, mais pratique aussi le tennis et la natation.

Éric Dupont

Né le 16 avril 1966

Restaurant **Claude Dupont**
46, avenue Vital Riethuisen
1080 Bruxelles — Belgique
Tél. (0)2-4260000 ; fax (0)2-4266540

S'il a jamais été question de voir briller les étoiles, c'est bien ainsi que l'on peut résumer la formation d'Éric Dupont : tour à tour disciple des Bruxellois Freddy Van Decasserie (Villa Lorraine), Pierre Wynants (Comme chez soi) et Willy Vermeulen (De Bijgaarden), le voici qui seconde son père Claude Dupont aux commandes du restaurant familial. Bon sang ne saurait mentir et l'on a toutes les raisons de placer des espoirs en ce jeune chef qu'a formé l'école hôtelière C.E.R.I.A. de Bruxelles. Éric Dupont voyage avec passion, et son naturel sportif s'accommode aussi bien de la natation que du tennis et de l'équitation.

Lothar Eiermann

Né le 2 mars 1945

Restaurant **Wald- & Schloßhotel Friedrichsruhe**
74639 Friedrichsruhe — Allemagne
Tél. (0)7941-60870 ; fax (0)7941-61468

Depuis plus de 20 ans aux commandes du Relais et châteaux de Friedrichsruhe, résidence d'été du prince de Hohenlohe-Öhringen, notre chef a d'abord sillonné l'Europe : La Grappe d'Or à Lausanne, l'hôtel Victoria à Glion (Suisse) et l'hôtel Gleneagles (Écosse) l'ont accueilli tour à tour comme chef de cuisine, puis l'Angleterre et à nouveau l'Écosse, où il fut manager en 1972-1973.
Ce passionné des grands vins du Bordelais, fidèle lecteur de Philip Roth, est même diplômé en sciences économiques de l'université de Heidelberg, et pratique au fil des saisons le ski, le tennis ou le vélo.

Jean Fleury

Né le 22 avril 1948

Restaurant **Paul Bocuse**
69660 Collonges-au-Mont-d'Or — France
Tél. 04 72 42 90 90 ; fax 04 72 27 85 87

Après d'excellents débuts dans sa ville natale, capitale de la Bresse aux produits renommés, Jean Fleury s'est fait connaître à l'hôtel Royal d'Évian (1968-1969) et au Hilton de Bruxelles (1971-1978). Lauréat du prix Prosper Montagné en 1976, il a été la même année meilleur cuisinier de Belgique et a remporté en 1979 le concours du meilleur ouvrier de France. En 1985 a pris fin l'intermède lyonnais (à l'Arc-en-ciel) qui le préparait à rejoindre Paul Bocuse dans son incomparable établissement de Collonges.
Amateur de voyages et de randonnées, notre chef collectionne les anciens livres de cuisine, qui nourrissent son inspiration.

Constant Fonk

Né le 1er septembre 1947

Restaurant **De Oude Rosmolen**
Duinsteeg 1
1621 Er Hoorn — Pays-Bas
Tél. (0)229-014752 ; fax (0)229-014938

Depuis 1990, les 2 étoiles Michelin n'ont pas quitté le ciel de Hoorn, au Nord des Pays-Bas, où notre chef exerce ses talents. Après des premiers pas très prometteurs au Hilton d'Amsterdam (1965-1966), puis à l'Amstel Hotel de la capitale hollandaise (1966-1967), Constant Fonk a rejoint sa ville natale et repris en 1976 les fourneaux du restaurant qui l'employait depuis 1967, De Oude Rosmolen.
Féru de cuisine et de bons vins, il aime tout particulièrement les déguster avec ses confrères. Côté sport – car il faut un certain équilibre – c'est le golf qui recueille nettement sa préférence.

Louis Grondard

Né le 20 septembre 1948

Restaurant **Drouant**
16-18, rue Gaillon
75002 Paris — France
Tél. 01 42 65 15 16 ; fax 01 49 24 02 15

Préparer chaque année depuis 1990 la pitance des jurés du Goncourt n'est pas une mince affaire : il fallait bien ce meilleur ouvrier de France (1979), qui a fait ses classes chez Taillevent, Maxim's (à Orly, puis à Roissy), et pris quelque hauteur avec le restaurant de la Tour Eiffel, le fameux Jules Verne qu'il a ouvert sur la Tour en 1983. Comme dit Michel Tournier, « les étoiles (2 au Michelin) lui tombent du ciel, il les mérite ». Il mérite également 3 toques blanches Gault et Millau (17).
Louis Grondard aime la littérature (c'est bien le moins), la musique baroque et l'opéra. En vacances, il pratique la plongée sous-marine.

Philippe Groult

Né le 17 novembre 1953

Restaurant **Amphyclès**
78, avenue des Termes
75017 Paris — France
Tél. 01 40 68 01 01 ; fax 01 40 68 91 88

Fidèle collaborateur et disciple de Joël Robuchon à l'époque du Jamin (1974-1985), ce Normand vole aujourd'hui de ses propres ailes à la satisfaction générale : meilleur ouvrier de France en 1982, il compte aujourd'hui 2 étoiles au Michelin et 3 toques rouges Gault et Millau (18). Il sait aussi s'exporter, puisqu'il a remporté en 1988 les olympiades culinaires de Tokyo, un an tout juste avant de s'installer aux fourneaux d'Amphyclès. Il est encore compagnon des Devoirs unis depuis 1978.
Grand amateur de voyages et connaisseur de l'Extrême-Orient, Philippe Groult s'adonne avec passion aux arts martiaux.

Marc Haeberlin

Né le 28 novembre 1954

Restaurant **Auberge de L'Ill**
2, rue de Collonges-au-Mont-d'Or
68970 Illhaeusern — France
Tél. 03 89 71 89 00 ; fax 03 89 71 82 83

Le digne héritier de la dynastie Haeberlin ne saurait décevoir les gourmets que le succès de son père Paul avait attirés et fait revenir dans ce temple de la cuisine alsacienne : 3 étoiles au Michelin, 4 toques rouges Gault et Millau (19,5 !), 4 étoiles au Bottin gourmand, c'est un honorable palmarès pour cet ancien élève de l'école hôtelière d'Illkirch, qui a complété sa formation chez Bocuse et les Troisgros, et a même fait en son temps ses preuves à Paris, chez Lasserre (1976).
Quand il en a le temps, Marc Haeberlin se passionne pour l'automobile et la peinture ; l'hiver, il dévale à ski les pentes enneigées des Vosges voisines.

Michel Haquin

Né le 27 septembre 1940

Restaurant **Le Trèfle à 4**
87, avenue du Lac
1332 Genval — Belgique
Tél. (0)2-6540798 ; fax (0)2-6533131

Non loin de Bruxelles, au bord du paisible lac de Genval, Michel Haquin poursuit avec bonheur une carrière entamée dès 1961 dans la capitale belge, où il a même tenu un restaurant sous son propre nom de 1977 à 1985. Maître cuisinier de Belgique et membre de l'Académie culinaire de France, notre chef a été reçu dans l'ordre des Trente-trois maîtres queux et détient l'oscar du club des Gastronomes. Les guides le comblent d'honneurs et d'attributs : 2 étoiles au Michelin, 3 toques rouges Gault et Millau, 3 étoiles au Bottin gourmand, 91/100 au guide belge Henri Lemaire.
Notre chef partage enfin ses loisirs entre la lecture et les voyages.

Paul Heathcote

Né le 3 octobre 1960

Restaurant **Paul Heathcote's**
Higher Road 104-106
PR3 3SY Longridge — Angleterre
Tél. (0)1772-784969 ; fax (0)1772-785713

Très coté outre-Manche, ce jeune chef anglais s'est largement ouvert à la cuisine française : après avoir travaillé au Connaught chez Michel Bourdin, il a passé deux ans avec Raymond Blanc au Manoir au Quat'Saisons d'Oxford ; de 1987 à 1990, il exerçait au Broughton Park Hotel de Preston, et pour finir tient son propre établissement (2 étoiles Michelin) depuis 1990. Le guide Egon Ronay lui a décerné en 1994 le titre envié de meilleur chef de l'année.
Paul Heathcote est un mordu de divers sports : il reconnaît se passionner pour le football, mais pratique aussi bien le squash et le ski.

Eyvind Hellstrøm

Né le 2 décembre 1948

Restaurant **Bagatelle**
Bygdøy Allé 3
0257 Oslo — Norvège
Tél. 22446397 ; fax 22436420

Le chef le plus étoilé des pays scandinaves s'est imprégné de la gastronomie française, à laquelle l'ont initié à la faveur de multiples stages des confrères illustres comme Guy Savoy, Alain Senderens, Bernard Loiseau et Fredy Girardet. Membre des Eurotoques et de Traditions et qualité, Eyvind Hellstrøm, depuis 1982 sur Bagatelle, est décoré de 2 étoiles Michelin.
Passionné d'œnologie et notamment fin connaisseur des vins de Bourgogne, notre chef aime rendre visite aux caves de Beaune et de la région. Il voyage avec plaisir et pratique le ski, à l'instar du champion suédois Ingmar Stenmark.

Alfonso Iaccarino

Né le 9 janvier 1947

Restaurant **Don Alfonso 1890**
Piazza Sant'Agata
80064 Sant'Agata sui due Golfi — Italie
Tél. 0818780026 ; fax 0815330226

Alfonso Iaccarino a baptisé en 1973 son établissement du nom de son grand-père, et y jouit d'une vue sur les golfes de Naples et de Salerne. Membre de la chaîne Le Soste, des Relais gourmands et de Traditions et qualité, notre chef accumule de flatteuses références : 2 étoiles Michelin, 4 toques à l'Espresso/Gault et Millau, un soleil Veronelli et 92/100 au Gambero Rosso. Il a reçu en 1989 le titre de meilleure cave d'Italie pour sa collection de grands vins d'Italie et de France.
C'est aussi un sportif accompli, pilote de rallye (tourisme groupe A) et cycliste. Il se déclare enfin passionné de nature, de peinture et de voyages.

André Jaeger

Né le 12 février 1947

Restaurant **Rheinhotel Fischerzunft**
Rheinquai 8
8200 Schaffhausen — Suisse
Tél. (0)52-6253281 ; fax (0)52-6243285

André Jaeger se flatte d'introduire en Suisse, et même en Europe, une cuisine originale d'inspiration asiatique. Il faut dire qu'il y excelle, puisque son restaurant, ouvert en 1975, compte 2 étoiles Michelin et 4 toques rouges Gault et Millau (19). Il a reçu les titres de chef de l'année (Gault et Millau, 1995), clé d'or de la Gastronomie (1988), et s'est vu élire président des Grandes tables de Suisse. Il est en outre membre des Relais et châteaux et des Relais gourmands.
Notre chef apprécie les vins du monde entier (France, Allemagne, Italie, Californie, Chili), mais il ne s'intéresse pas moins à l'art contemporain et aux voitures de collection.

Roger Jaloux

Né le 20 mai 1942

Restaurant **Paul Bocuse**
69660 Collonges-au-Mont-d'Or — France
Tél. 04 72 42 90 90 ; fax 04 72 27 85 87

Fidèle parmi les fidèles de Paul Bocuse, Roger Jaloux a rejoint sa maison en 1965, l'année même – il y a 30 ans – où l'on y décrocha la troisième étoile Michelin. On a tout dit sur l'établissement de Collonges et ses distinctions inoubliables : c'est là que Roger Jaloux prépara le concours du meilleur ouvrier de France, qu'il remporta en 1976, au cours d'une carrière exactement fidèle aux obligations que comporte ce titre prestigieux.
Pour le reste, notre chef partage son temps entre des activités artistiques (la peinture, mais aussi et surtout le chant) et de nombreux sports : le tennis, le vélo et le ski entre autres.

Patrick Jeffroy

Né le 25 janvier 1952

Restaurant **Patrick Jeffroy**
11, rue du Bon-Voyage
22780 Plounérin — France
Tél. 02 96 38 61 80 ; fax 02 96 38 66 29

Ce Breton d'un tempérament solitaire a fait le choix d'un village des Côtes-d'Armor pour proposer aux gourmets une cuisine inventive et délectable, dans ce restaurant qu'il a fondé en 1988 et qui lui a valu 1 étoile Michelin, puis 3 toques rouges Gault et Millau (17). Telle est la suite logique d'une carrière commencée à Abidjan en 1972 et poursuivie entre-temps à Morlaix (Hôtel de l'Europe), de 1977 à 1987.
Étoilé Michelin depuis 1984, notre chef est maître cuisinier de France et a reçu le premier prix Mandarine impériale.
En privé, Patrick Jeffroy cultive pour son plaisir le théâtre et le cinéma.

Émile Jung

Né le 2 avril 1941

Restaurant **Le Crocodile**
10, rue de l'Outre
67000 Strasbourg — France
Tél. 03 88 32 13 02 ; fax 03 88 75 72 01

En souvenir de la campagne d'Égypte (celle de Bonaparte), Émile Jung a placé sous le signe du crocodile un établissement fort prisé des amateurs : ce haut lieu de la gastronomie alsacienne a reçu 3 étoiles Michelin, 3 toques blanches Gault et Millau (18) et 3 étoiles au Bottin gourmand. Ce n'est guère étonnant quand on sait que notre chef a été formé à La Mère Guy de Lyon, puis à Paris, au Fouquet's (1965) et chez Ledoyen (1966). Il est aujourd'hui maître cuisinier de France, membre des Relais gourmands et de Traditions et qualité. Passionné d'œnologie, Émile Jung est un connaisseur éminent des vins d'Alsace.

Dieter Kaufmann

Né le 28 juin 1937

Restaurant **Zur Traube**
Bahnstraße 47
41515 Grevenbroich — Allemagne
Tél. (0)2181-68767 ; fax (0)2181-61122

Dieter Kaufmann se tourne volontiers vers la France, et la France le lui rend bien : avec 2 étoiles au Michelin et 4 toques rouges Gault et Millau (19,5), il est l'un des chefs étrangers les plus appréciés et a été nommé en 1994 chef de l'année Gault et Millau. Il est membre des chaînes les plus prestigieuses : Traditions et qualité, Relais et châteaux et Relais gourmands. L'établissement qu'il gouverne depuis 1962 jouit sans doute de la plus grande cave d'Allemagne : plus de 30 000 bouteilles et des millésimes exceptionnels.
Bibliophile et polyglotte, Dieter Kaufmann aime les voyages, qui lui donnent l'occasion de goûter les cuisines étrangères.

Örjan Klein

Né le 15 mai 1945

Restaurant **K.B.**
Smålandsgatan, 7
11146 Stockholm — Suède
Tél. (0) 86796032 ; fax (0) 86118283

À l'apogée d'une carrière qui a surtout eu pour cadre la capitale suédoise (Berns en 1966-1967 et Maxim's de 1971 à 1979), Klein s'est associé en 1980 à Ake Hakansson pour ouvrir le K.B., qui compte 1 étoile au Michelin. Nommé chef de l'année en 1993, il est également titulaire de la médaille d'or Nordfishing Trondheim (1976) et de la médaille d'or de l'Académie suédoise de Gastronomie (1983).
Très porté sur la nature, notre chef pratique volontiers le jardinage et la randonnée. Quand il ne restaure pas sa maison, il écrit des livres (de cuisine), et s'adonne aux joies du tennis et du ski.

Robert Kranenborg

Né le 12 octobre 1950

Restaurant **La Rive/**
Hotel Amstel Inter-Continental
Prof. Tulpplein, 1
1018 GX Amsterdam — Pays-Bas
Tél. (0)20-6226060 ; fax (0)20-5203277

Ce n'est pas du jour au lendemain que l'on devient le chef de La Rive, le restaurant gastronomique de l'Inter-Continental, l'hôtel le plus prestigieux d'Amsterdam (1 étoile Michelin). Avant d'obtenir cette consécration en 1987, notre chef a d'abord collectionné les références prestigieuses : Oustau de Baumanière aux Baux-de-Provence (1972-1974), Le Grand Véfour à Paris (1975-1977) et La Cravache d'Or à Bruxelles (1979-1986). En 1994, Robert Kranenborg a été nommé chef de l'année.
Si d'aventure ses fourneaux lui en laissent le temps, il aime jouer de la batterie et se consacre au sport, de préférence au golf.

Étienne Krebs

Né le 15 août 1956

Restaurant **L'Ermitage**
75, rue du Lac
1815 Clarens-Montreux — Suisse
Tél. (0)21-9644411 ; fax (0)21-9647002

Dans une magnifique maison de maître au bord du Léman, Étienne Krebs coule des jours heureux : membre des Jeunes restaurateurs d'Europe et des Grandes tables de Suisse, ce chef a reçu 1 étoile Michelin et 3 toques rouges Gault et Millau (18), et a même été cuisinier de l'année pour la Suisse romande en 1995. Formé par les plus grands chefs suisses (Fredy Girardet à Crissier, Hans Stucki à Bâle), il a ouvert à Cossonay l'Auberge de la Couronne de 1984 à 1990, avant de venir fonder L'Ermitage à Montreux. Cette situation favorise les promenades autour du lac et la pratique du cyclisme. Étienne Krebs aime aussi la cuisine… en famille.

Jacques Lameloise

Né le 6 avril 1947

Restaurant **Lameloise**
36, place d'Armes
71150 Chagny — France
Tél. 03 85 87 08 85 ; fax 03 85 87 03 57

Jacques Lameloise est le troisième du nom et tient depuis 1971 les fourneaux du restaurant familial. Il a fait ses premiers pas chez Ogier à Pontchartrain, puis connu les grands établissements parisiens de 1965 à 1969 : Lucas Carton, Fouquet's, Ledoyen, Lasserre – sans oublier le Savoy de Londres. Le Lameloise jouit de 3 étoiles au Michelin et au Bottin gourmand, et de 3 toques rouges Gault et Millau (18). Il figure parmi les Relais et châteaux, Relais gourmands et Traditions et qualité.
Notre chef court les antiquaires et se passionne pour les voitures anciennes. Il pratique surtout le golf et, à l'occasion, le ski.

Erwin Lauterbach

Né le 21 mars 1949

Restaurant **Saison**
Strandvejen, 203
2900 Hellerup — Danemark
Tél. 39624842 ; fax 39625657

Après avoir illustré de 1972 à 1973 sa gastronomie nationale à la Maison du Danemark de Paris , puis à Malmö en Suède (Primeur, de 1977 à 1981), Erwin Lauterbach est revenu dans sa patrie pour y ouvrir en 1981 le restaurant Saison, qui s'est vu décorer d'une étoile Michelin. Il est aussi membre de l'Académie danoise de Gastronomie et s'attache aux traditions danoises qu'il renouvelle avec brio.
Amateur inconditionnel de peinture naïve, dont il a décoré la carte de son restaurant, notre chef adore visiter les musées et les expositions. Côté sport, il pratique surtout le football.

Dominique Le Stanc

Né le 7 décembre 1958

Restaurant **Chanteclerc – Hôtel Negresco**
37, promenade des Anglais
06000 Nice — France
Tel. 04 93 16 64 00 ; fax 04 93 88 35 68

Dominique Le Stanc a vu se pencher sur son berceau les plus belles fées de la gastronomie : apprenti de Paul Haeberlin, il connut ensuite Gaston Lenôtre, Alain Senderens et Alain Chapel chez qui il fut chef de partie avant de voler de ses propres ailes : au Bristol de Niederbronn-les-Bains (1982-1984), puis à Monaco et à Èze, il est membre de la chaîne italienne Le Soste, et chef de cuisine au Negresco depuis 1989, ce qui vaut à cet établissement de prestige 2 étoiles Michelin et 3 toques rouges Gault et Millau (18).
Très sportif, notre chef pratique le triathlon et le ski nautique, sans dédaigner les saines joies du jardinage.

Michel Libotte

Né le 1er mai 1949

Restaurant **Au Gastronome**
2, rue de Bouillon
6850 Paliseul — Belgique
Tél. (0)61-533064 ; fax (0)61-533891

Michel Libotte règne depuis 1978 sur les cuisines du restaurant Au Gastronome, que le guide belge Henri Lemaire cote 94/100. Ses confrères français ne sont pas en reste, puisque notre chef affiche avec fierté 2 étoiles Michelin et 3 étoiles au Bottin gourmand. Ce maître cuisinier de Belgique est aussi membre des Eurotoques et de l'Académie culinaire de France. Tout près de la frontière, il propose à ses clients une cuisine particulière, très imaginative et sans cesse renouvelée.
Une fois sorti de ses fourneaux, Michel Libotte collectionne avec passion les armes à feu. Il pratique régulièrement le tennis et la natation.

Léa Linster

Née le 27 avril 1955

Restaurant **Léa Linster**
17, route de Luxembourg
5752 Frisange — Luxembourg
Tél. 668411 ; fax 676447

Léa Linster est à ce jour la première et la seule femme à s'enorgueillir de la récompense suprême, le « Bocuse d'or », que le maître lui a remis en mains propres en 1989 à Lyon. C'était la juste récompense du combat que mène chaque jour notre chef en vue de faire mieux connaître la généreuse gastronomie luxembourgeoise, dans son auberge natale convertie en 1982 en restaurant de haute cuisine. C'est en 1987 qu'elle a obtenu son brevet de maîtrise.
Passionnée de gastronomie (pourrait-il en être différemment ?), Léa Linster aime aussi la marche dans la nature et les échanges toujours renouvelés avec ses clients.

Régis Marcon

Né le 14 juin 1956

Restaurant **Auberge et Clos des Cimes**
43290 Saint-Bonnet-le-Froid — France
Tél. 04 71 59 93 72 ; fax 04 71 59 93 40

L'année de ses 39 ans, Régis Marcon a reçu le Bocuse d'or 1995, auquel l'avait parrainé son (presque) voisin Michel Troisgros. Mais cette distinction vient enrichir un palmarès déjà brillant : prix Taittinger (1989), prix Brillat-Savarin (1992) et plusieurs finales du concours de meilleur ouvrier de France (1985, 1991 et 1993). En 1979, notre chef a fondé dans son village un restaurant qui lui a valu 3 toques rouges Gault et Millau (17), et conçu « à la façon d'un cloître baigné de lumière ».
On reconnaît l'œil du peintre, et c'est bien ce qu'ambitionnait d'être ce grand sportif, médaillé de ski et fervent amateur de nature.

Guy Martin

Né le 3 février 1957

Restaurant **Le Grand Véfour**
17, rue de Beaujolais
75001 Paris — France
Tél. 01 42 96 56 27 ; fax 01 42 86 80 71

Impossible de résumer en quelques mots la carrière de Guy Martin, 2 étoiles Michelin, 3 toques blanches Gault et Millau (18), 3 étoiles au Bottin gourmand et 18,5/20 au guide Champérard. Ce jeune prodige a fait ses classes chez Troisgros, puis dans sa région natale (à Divonne notamment) avant de prendre en mains le Grand Véfour (1991), ce joyau que fréquente depuis 200 ans le tout-Paris littéraire et qu'illustra Raymond Oliver.
Guy Martin reste fidèle au souvenir de sa mère et à la Savoie, et se passionne pour son histoire culinaire. Il aime aussi la musique, la peinture et l'art gothique, et pratique évidemment le ski.

Maria Ligia Medeiros

Née le 9 août 1946

Restaurant **Casa de Comida**
1, Travessa das Amoreiras
1200 Lisbonne — Portugal
Tél. (0)1-3885376 ; fax (0)1-3875132

Depuis 1978, Maria Ligia Medeiros dirige les cuisines d'un sympathique établissement dont le propriétaire, M. Jorge Vale, est un ancien comédien de la Casa de Comedia. Elle y fait brillamment valoir, au cœur de sa capitale historique, les indiscutables qualités de la gastronomie portugaise traditionnelle, et s'en est vu récompensée depuis plusieurs années par 1 étoile Michelin.
Outre sa passion pour la haute cuisine, notre chef apprécie la musique classique et consacre une part importante de ses loisirs à toutes sortes de lectures.

Dieter Müller

Né le 28 juillet 1948

Restaurant **Dieter Müller**
Lerbacher Weg
51469 Bergisch Gladbach — Allemagne
Tél. (0)2202-2040 ; fax (0)2202-204940

S'il s'est installé en 1992 dans son pays natal, Dieter Müller a parcouru bien des continents depuis 1973 : tour à tour chef en Suisse, en Australie (à Sydney), au Japon et aux États-Unis (Hawaï), il a récolté de multiples distinctions comme le titre de cuisinier de l'année « Krug » en 1982, et le même décerné par Gault et Millau en 1988. Il affiche aujourd'hui 2 étoiles Michelin et 4 toques rouges (19,5), ainsi qu'un prix national de Gastronomie. Il est membre des Relais et châteaux et Relais gourmands.
Dieter Müller est passionné de photo et d'anciennes recettes ; il pratique hockey sur glace et football.

Jean-Louis Neichel

Né le 17 février 1948

Restaurant **Neichel**
Beltran i Rózpide, 16 bis
08034 Barcelone — Espagne
Tél. (0)93-2038408 ; fax (0)93-2056369

Jean-Louis Neichel est un cuisinier européen par excellence, tel que l'ont formé des maîtres aussi prestigieux que Gaston Lenôtre, Alain Chapel et Georges Blanc. Fort de ces expériences irremplaçables, notre chef a dirigé dix ans El Bulli à Rosas (où officie maintenant Fernando Adría), pour installer en 1981 son propre restaurant à Barcelone, où l'on apprécie particulièrement sa collection de vieux armagnacs et cognacs. Il a reçu 2 étoiles Michelin et 9/10 au Gourmetour, et fait partie des Relais gourmands. Notre chef pratique aussi la peinture à l'huile et se partage entre sa vie de famille et divers sports.

Horst Petermann

Né le 18 mai 1944

Restaurant **Petermann's Kunststuben**
Seestraße 160
8700 Küsnacht — Suisse
Tél. (0)1-9100715 ; fax (0)1-9100495

Après un apprentissage à Hambourg, Horst Petermann est passé en Suisse où s'est déroulée toute sa carrière, entre Saint-Moritz, Lucerne et Genève. Notre chef a connu Strasbourg (Le Crocodile d'Émile Jung) et les olympiades culinaires de Tokyo en 1985, dont il fut lauréat. Clé d'or de la Gastronomie en 1987, chef de l'année en 1991, il a reçu de Gault et Millau 4 toques rouges (19) qui voisinent avec 2 étoiles Michelin. Son chef pâtissier, Rico Zandonella, soutient ce beau succès de son travail exigeant et ponctuel.
Horst Peterman est aussi un grand amateur de sports.

Pierre Orsi

Né le 12 juillet 1939

Restaurant **Pierre Orsi**
3, place Kléber
69006 Lyon — France
Tél. 04 78 89 57 68 ; fax 04 72 44 93 34

On ne trouve aucun défaut dans le parcours de ce meilleur ouvrier de France (1972) qui a fréquenté les plus grands de son époque: Bocuse en 1955-1958, puis le Lucas Carton, le Maxim's avec Alex Humbert, le Lapérouse à Paris – il a même couronné le tout d'un séjour aux États-Unis (1967-1971) avant de revenir à Lyon s'établir à côté du parc de la Tête d'Or. Une étoile Michelin, 3 étoiles au Bottin gourmand, le palmarès de cette maison fleurie ne manque pas d'attirer les gourmets. Pierre Orsi est membre des Relais gourmands et de Traditions et qualité. Passionné d'art de la table, notre chef collectionne sur ce thème objets d'art et antiquités.

Roland Pierroz

Né le 26 août 1942

Restaurant **Hôtel Rosalp-Restaurant Pierroz**
Route de Médran
1936 Verbier — Suisse
Tél. (0)27-7716323 ; fax (0)27-7711059

Au cœur d'une station de sports d'hiver très cotée, Roland Pierroz exerce depuis 1962 dans un établissement qui ne l'est pas moins: 1 étoile Michelin, 4 toques rouges (19), 3 étoiles au Bottin gourmand, tel est le palmarès de celui qui fut nommé par Gault et Millau clé d'or de la Gastronomie en 1980, puis chef de l'année en 1992. Formé à Lausanne et à Londres, notre chef est membre des Relais et châteaux et Relais gourmands, et vice-président de l'association des Grandes tables de Suisse.
Ce Valaisan pratique la chasse et le golf à ses moments de loisir.

Georges Paineau

Né le 16 avril 1939

Restaurant **Le Bretagne**
13, rue Saint-Michel
56230 Questembert — France
Tél. 02 97 26 11 12 ; fax 02 97 26 12 37

Tout le monde n'a pas débuté chez Fernand Point à La Pyramide, vers 1960. Depuis, Georges Paineau s'est approché de la Bretagne en s'installant à La Baule (1962), puis à Nantes (1963) et enfin à Questembert, tout près du golfe du Morbihan, en 1965. Il y collectionne les étoiles (2 au Michelin, 4 au Bottin gourmand) et les toques Gault et Millau (4 rouges et 19). Ce médaillé des Sciences, Arts et Lettres travaille avec son gendre Claude Corlouer, et son ancien relais de poste est inscrit aux Relais et châteaux et aux Relais gourmands.
Georges Paineau, peintre de talent, est amateur de littérature et de rugby.

Jacques et Laurent Pourcel

Nés le 13 septembre 1964

Restaurant **Le Jardin des Sens**
11, avenue Saint-Lazare
34000 Montpellier — France
Tél. 04 67 79 63 38 ; fax 04 67 72 13 05

Ces inséparables jumeaux ont suivi une formation identique, mais diversifiée, puisqu'elle les a tour à tour emmenés chez Alain Chapel, Marc Meneau, Pierre Gagnaire, Michel Bras, Michel Trama et Marc Veyrat. Ils ont installé en 1988, avec leur associé Olivier Château, leur Jardin des Sens dans un immeuble de verre et de pierre, et depuis collectionnent les bons points: 2 étoiles Michelin et 3 toques rouges Gault et Millau (17). Ils sont tous deux maîtres cuisiniers de France et membres des Relais gourmands.
Comment savoir lequel des deux se passionne pour le vin et le ski, et lequel pour le cinéma américain et le bateau ?

Paul Pauvert

Né le 25 juillet 1950

Restaurant **Les Jardins de la Forge**
1, place des Piliers
49270 Champtoceaux — France
Tél. 02 40 83 56 23 ; fax 02 40 83 59 80

Après ses premiers pas au Café de la Paix à Paris, Paul Pauvert a servi de 1972 à 1974 dans les cuisines du *Grasse*, le célèbre paquebot de la Générale Transatlantique. Entré par la suite à l'hôtel Frantel de Nantes sur la demande de Roger Jaloux, il a finalement créé en 1980 son propre restaurant dans sa ville natale, là même où se trouvait jadis la forge de ses ancêtres. Membre de l'Académie culinaire de France et des J.R.E. (Jeunes restaurateurs d'Europe), il a reçu 1 étoile Michelin.
Dans cette région limitrophe de l'Anjou et du pays nantais, notre chef pratique avec un égal bonheur la chasse, la pêche et l'équitation.

Stéphane Raimbault

Né le 17 mai 1956

Restaurant **L'Oasis**
Rue Honoré-Carle
06210 La Napoule — France
Tél. 04 93 49 95 52 ; fax 04 93 49 64 13

Après quelques années parisiennes, à La Grande Cascade sous l'œil attentif d'Émile Tabourdiau, puis chez Gérard Pangaud, notre chef s'en est allé 9 ans au Japon, où il a tenu à l'hôtel Plaza d'Osaka le restaurant Rendez-vous. Revenu en France en 1991, il a repris L'Oasis à La Napoule, avec son frère comme chef pâtissier. Il compte 2 étoiles Michelin et 3 toques rouges (18), et a même été finaliste du concours de meilleur ouvrier de France (1986). Il est maître cuisinier de France et membre de Traditions et qualité.
Fin connaisseur de l'Asie, Stéphane Raimbault aime les voyages, et pratique la course à pied, la voile et la natation.

Paul Rankin

Né le 1er octobre 1959

Restaurant **Roscoff**
7, Lesley House, Shaftesbury Square
BT2 7DB Belfast — Irlande
Tél. (0)1232-331532 ; fax (0)1232-312093

Ce n'est pas le parcours international de Paul Rankin (Londres avec Albert Roux au Gavroche, puis le Canada et la Californie), mais une croisière... en Grèce qui lui a fait rencontrer Jeanne, sa femme originaire de Winnipeg, dont les qualités de pâtissière sont depuis 1989 très appréciées des clients du Roscoff. Le guide Courvoisier en a d'ailleurs fait le meilleur restaurant du Royaume-Uni en 1994-1995, et l'on s'étonne de ne lui voir encore qu'1 étoile Michelin. Paul Rankin anime aussi des émissions de télévision sur la BBC (« Gourmet ireland »). Notre chef adore les voyages et les vins, et pratique le football, le rugby et le yoga.

Jean-Claude Rigollet

Né le 27 septembre 1946

Restaurant **Au Plaisir Gourmand**
2, rue Parmentier
37500 Chinon — France
Tél. 02 47 93 20 48 ; fax 02 47 93 05 66

Jean-Claude Rigollet a commencé très jeune chez Maxim's avec Alex Humbert (1966-1968) avant de regagner le Val de Loire où il a exercé à Montbazon (Domaine de la Tortinière, 1971-1977) et à la très célèbre Auberge des Templiers des Bézard, non loin de Montargis (1978-1982). C'est en 1983 qu'il est devenu chef du Plaisir Gourmand à Chinon, en plein pays de Rabelais, et en 1985 que lui est venu l'étoile Michelin qui ne l'a jamais quitté depuis lors.
Ce Solognot cultive en voisin la gastronomie tourangelle et sa cave est celle d'un excellent connaisseur de la production régionale.

Michel Rochedy

Né le 15 juillet 1936

Restaurant **Le Chabichou**
Quartier Les Chenus
73120 Courchevel 1850 — France
Tél. 02 47 93 20 48 ; fax 02 47 93 05 66

Michel Rochedy est d'abord le disciple fidèle entre tous d'André Pic, le maître de Valence, qui guida ses premiers pas en 1954-1956. Ensuite, cet Ardéchois a gagné la Savoie dès 1963, et succombé au charme de cette région dont il pratique la gastronomie dans son Chabichou, décoré de 2 étoiles Michelin et de 3 toques rouges Gault et Millau (17). Il est maître cuisinier de France, membre des Eurotoques et même président de l'Office de tourisme de Courchevel.
Féru de poésie, notre chef adore découvrir les arts sous la conduite de son ami Lad Kijno. Le reste du temps, il pratique la pêche, le football et le rugby.

Joël Roy

Né le 28 novembre 1951

Restaurant **Le Prieuré**
3, rue du Prieuré
54630 Flavigny-sur-Moselle — France
Tél. 03 79 26 70 45 ; fax 03 86 26 75 51

Joël Roy a remporté en 1979 le concours du meilleur ouvrier de France, alors qu'il travaillait avec Jacques Maximin à l'hôtel Negresco de Nice. Devenu peu après chef de cuisine au Frantel de Nancy (1980-1983), il a ouvert en 1983 Le Prieuré, dont le jardin pourvu d'arcades a tout d'un cloître moderne. Avec 1 étoile Michelin, ce maître cuisinier de France poursuit une carrière très rigoureuse dans une région – la Lorraine – dont il apprécie le charme et les traditions. Il aime notamment se consacrer à la pêche en rivière (car c'est un excellent connaisseur de poissons) et pratique volontiers le cyclisme.

Santi Santamaria

Né le 26 juillet 1957

Restaurant **El Racó de Can Fabes**
Carrer Sant Joan, 6
08470 San Celoni — Espagne
Tél. (0)93-8672851 ; fax (0)93-8673861

Depuis 1981, Santi Santamaria se réjouit de faire partager aux amateurs les traditions culinaires de sa Catalogne natale ; à quelques pas de Barcelone, au pied du parc naturel de Montseny, son établissement a récolté 3 étoiles Michelin et 8/10 au Gourmetour. Il est en outre membre des Relais gourmands et de Traditions et qualité.
Notre chef organise aussi des journées gastronomiques : au printemps pour les herbes, en automne pour les champignons. Cette formule rencontre un vif succès, ne serait-ce qu'en raison de son amour passionné pour les champignons. Le reste du temps, Santi Santamaria se consacre à la lecture.

Nadia Santini

Née le 19 juillet 1954

Restaurant **Dal Pescatore**
46013 Runate Canneto S/O — Italie
Tél. 0376-723001 ; fax 0376-70304

Depuis 1974, Nadia Santini dirige les cuisines du restaurant ouvert en 1920 par le grand-père de son mari, et dont elle fait reconnaître l'excellence par les guides français et italiens : 2 étoiles Michelin, 4 toques à l'Espresso/Gault et Millau (19), un soleil Veronelli et 94/100 au Gambero Rosso. Elle est membre de la chaîne Le Soste, des Relais gourmands et de Traditions et qualité. En 1993, l'Espresso/Gault et Millau lui a décerné le prix de la meilleure cave de l'année.
Notre chef s'intéresse à l'histoire, surtout culinaire, et pratique la promenade en montagne.

Maria Santos Gomes

Née le 10 août 1962

Restaurant **Conventual**
Praça das Flores, 45
1200 Lisbonne — Portugal
Tél. (0)1-609196 ; fax (0)1-3875132

À deux pas du Parlement portugais, dans le centre historique de la capitale, Mme Dina Marquez a recruté ce jeune chef en 1982, pour la plus grande satisfaction du tout-Lisbonne politique, client de cet établissement dont la décoration provient en grande partie de l'ancien couvent d'Igreja (d'où son nom). La cuisine délectable et très inventive de Maria Santos Gomes y a déjà décroché 1 étoile Michelin et, en 1993, le premier prix du concours national de Gastronomie (à Lisbonne, toujours). Notre chef apprécie aussi la lecture, les promenades à la campagne et les voyages.

Nikolaos Sarantos

Né le 5 décembre 1945

Restaurant **Hôtel Athenaeum Inter-Continental**
89-93, Syngrou Avenue
117 45 Athènes — Grèce
Tél. (0)1-9023666 ; fax (0)1-9243000

De 1971 à 1988, notre chef n'a cessé de parcourir le bassin méditerranéen et le Moyen-Orient, à la faveur de ses engagements dans les hôtels Hilton : Téhéran, Athènes, Corfou, Koweït City et Le Caire ont ainsi goûté son savoir-faire gastronomique, avant son installation à l'Athenaeum Inter-Continental en 1988. Nikolaos Sarantos exerce les fonctions de juge dans des concours culinaires internationaux, à San Francisco, Copenhague ou Bordeaux. Il est président du club des Chefs de Grèce. C'est encore un sportif accompli qui pratique avec un égal enthousiasme le tennis, le football et le basket.

Fritz Schilling

Né le 8 juin 1951

Restaurant **Schweizer Stuben**
Geiselbrunnweg 11
97877 Wertheim — Allemagne
Tél. (0)9342-3070 ; fax (0)9342-307155

Fritz Schilling, cuisinier depuis 1972, s'est installé en 1990 dans la vallée du Main, à proximité de la vieille ville romantique de Wertheim. Sa cuisine, délicatement complexe et naturellement empreinte des plus pures traditions de la gastronomie germanique, y a reçu 2 étoiles Michelin et 4 toques rouges Gault et Millau (19,5). Il est aussi membre des Relais et châteaux et des Relais gourmands, et sa table compte parmi les plus cotées d'Allemagne.
Dans le privé, notre chef se déclare passionné par la musique pop et la conduite automobile. Il pratique le golf et la plupart des sports balnéaires.

Jean Schillinger

Né le 31 janvier 1934
Décédé le 27 décembre 1995

Le président des maîtres cuisiniers de France était aussi le symbole vivant de la gastronomie alsacienne : son restaurant de Colmar (depuis 1957) compte 2 étoiles Michelin, 3 toques rouges Gault et Millau (17) et 3 étoiles au Bottin gourmand. Jean Schillinger représentait la troisième génération d'une dynastie de restaurateurs éclose en 1893 et n'a cessé pendant 20 ans de faire mieux connaître la cuisine française à travers le monde, du Japon au Brésil, et jusqu'en Australie.
Cet infatigable voyageur, chevalier de l'ordre du Mérite, se passionnait pour l'argenterie et les porcelaines anciennes. Il aimait aussi se détendre par de longues marches en forêt.

Jean-Yves Schillinger

Né le 23 mars 1963

Restaurant **Schillinger**
16, rue Stanislas
68000 Colmar — France
Tél. 02 89 41 43 13 ; fax 02 89 24 28 87

La relève est bien assurée dans la dynastie Schillinger avec ce brillant jeune chef qui se montre en tous points digne de ses prédécesseurs et travaille à Colmar depuis 1988. Auparavant, on relève dans sa carrière des établissements prestigieux comme le Crillon à Paris, le Jamin (où il a été l'assistant de Joël Robuchon) et même La Côte Basque à New York. Il est aussi membre du club Prosper Montagné, de la Chambre syndicale de la haute cuisine française et des J.R.E. (Jeunes restaurateurs d'Europe).
Très sportif, Jean-Yves Schillinger aime surtout le golf, le ski et la moto.

Rudolf Sodamin

Né le 6 avril 1958

Restaurant **Paquebot *Queen Elizabeth II***
Southampton – Grande-Bretagne

Cet Autrichien de naissance est aujourd'hui chef des chefs de la Cunard Line qui comporte, outre le *Queen Elizabeth II*, quelques autres navires de même prestance. Il est à la fois cuisinier et chef pâtissier, et s'est déjà signalé dans de nombreux établissements, tant en Autriche qu'en France, en Suisse et aux États-Unis où il a exercé au célèbre Waldorf Astoria de New York. Rudolf Sodamin est membre du club Prosper Montagné et du club Chefs des chefs.
Chaque escale est une occasion pour lui de s'adonner au jogging, mais son sport favori reste le ski à Kitzbühel, dans son pays natal.

Roger Souvereyns

Né le 2 décembre 1938

Restaurant **Scholteshof**
Kermstraat, 130
3512 Stevoort-Hasselt — Belgique
Tél. (0)11-250202 ; fax (0)11-254328

Roger Souvereyns préside aux destinées du Scholteshof depuis 1983 : dans cette ferme du XVIIIe siècle où il possède un important potager, naguère cultivé par son ami le jardinier Clément, il prépare des fruits et légumes d'une admirable fraîcheur. Avec 2 étoiles Michelin, 4 toques rouges Gault et Millau (19,5), 3 étoiles au Bottin gourmand et 95/100 au guide belge Henri Lemaire, Roger Souvereyns est membre des Relais et châteaux, Relais gourmands et Traditions et qualité.
Notre chef adore les antiquités qu'il collectionne et se passionne pour l'opéra. Il pratique la natation et le vélo.

Pedro Subijana

Né le 5 novembre 1948

Restaurant **Akelaré**
56, Paseo del Padre Orcolaga
20008 San Sebastian — Espagne
Tél. (0)943-212052 ; fax (0)943-219268

Meilleur cuisinier d'Espagne en 1982, Pedro Subijana est depuis 1989 propriétaire de son restaurant, largement ouvert sur la mer cantabrique (2 étoiles Michelin, 9/10 au Gourmetour). Il a suivi une formation traditionnelle à l'école hôtelière de Madrid et à l'école Euromar de Zarauz avant de devenir en 1970 professeur de cuisine. En 1986, il a été nommé commissaire général de la Communauté européenne des cuisiniers à Bruxelles. Il présente enfin des émissions culinaires à la télévision basque E.T.B. et sur Télé-Madrid. Notre chef apprécie la musique et le cinéma, et fréquente la mer et la montagne.

Émile Tabourdiau

Né le 25 novembre 1943

Restaurant **Le Bristol**
112, rue du faubourg Saint-Honoré
75008 Paris — France
Tél. 01 53 43 43 00 ; fax 01 53 43 43 01

Émile Tabourdiau n'a fréquenté depuis 1964 que les établissements les plus prestigieux : Ledoyen, puis La Grande Cascade et enfin le Bristol depuis 1980, ce restaurant voisin de l'Élysée, avec son exceptionnel jardin intérieur de 1 200 m². Ce disciple d'Auguste Escoffier est membre de l'Académie culinaire de France, lauréat du prix Prosper Montagné (1970) et surtout meilleur ouvrier de France (en 1976). Il compte 1 étoile au guide Michelin.
Pour meubler ses loisirs, Émile Tabourdiau aime surtout la peinture, mais il pratique aussi le tennis, le jardinage et le bricolage.

Romano Tamani

Né le 30 avril 1943

Restaurant **Ambasciata**
33, Via Martiri di Belfiore
46026 Quistello — Italie
Tél. 0376-619003 ; fax 0376-618255

Romano Tamani est le seul de nos chefs qui porte le titre envié de « commendatore della republica italiana », décerné par son pays natal en 1992. Il y a bien peu d'ambassadeurs plus éloquents de la gastronomie italienne que ce Lombard formé à Londres, puis en Suisse, et qui tient avec son frère Francesco, depuis 1978, l'Ambasciata : 2 étoiles Michelin, 3 toques à l'Espresso/Gault et Millau, un soleil Veronelli et 90/100 au guide Gambero Rosso. Il est enfin membre de la prestigieuse chaîne italienne Le Soste.Il est de plus très attiré par la mer et le milieu marin.

Laurent Tarridec

Né le 26 mai 1956

Restaurant **Le Restaurant du Bistrot des Lices**
Place des Lices
83990 Saint-Tropez — France
Tél. 04 94 97 29 00 ; fax 04 94 97 76 39

C'est par un remarquable phénomène d'adaptation que ce chef breton, jadis condisciple de Michel Rochedy, a pu trouver ses marques sur la Côte d'Azur et y décrocher dès la première année (1995) 1 étoile Michelin et 3 toques rouges Gault et Millau (18). Il est vrai qu'on avait déjà pu apprécier son savoir-faire en Bretagne (Le Lion d'Or à Liffré), à Paris et dans la vallée du Rhône (Beau Rivage à Condrieu).
Laurent Tarridec se passionne pour la politique et s'intéresse à tout ce qui touche la mer. Il pratique le ski et la moto, et son installation à Saint-Tropez lui fait apprécier depuis peu la pétanque.

Dominique Toulousy

Né le 19 août 1952

Restaurant **Les Jardins de l'Opéra**
1, place du Capitole
31000 Toulouse — France
Tél. 05 61 23 07 76 ; fax 05 61 23 63 00

Dominique Toulousy n'est Toulousain que depuis 1984, lorsqu'il a pris ses quartiers place du Capitole et moissonné les récompenses : clé d'or de la Gastronomie (1986), 3 toques rouges Gault et Millau (18), 2 étoiles Michelin et surtout meilleur ouvrier de France (1993). Auparavant, notre chef avait exercé dans le Gers, réputé pour sa gastronomie généreuse, et remporté quelque succès. Il est membre des J.R.E. (Jeunes restaurateurs d'Europe), du club Prosper Montagné, des Eurotoques et de Traditions et qualité.
Dominique Toulousy se consacre aussi volontiers au jardinage, au tennis et à la natation.

Gilles Tournadre

Né le 29 juin 1955

Restaurant **Gill**
8 - 9, quai de la Bourse
76000 Rouen — France
Tél. 02 35 71 16 14 ; fax 02 35 71 96 91

On peut être Normand et s'expatrier pour apprendre : c'est ainsi que Gilles Tournadre a fait ses premiers pas au Lucas Carton, puis à l'Auberge des Templiers des Bézard et ensuite chez Taillevent, avant de voler de ses propres ailes à Bayeux, et enfin dans sa ville natale à partir de 1984. L'expérience est concluante, si l'on en croit les 2 étoiles Michelin et les 3 toques rouges (soit 17 points) qu'arbore fièrement ce jeune chef, à deux pas de la cathédrale de Rouen. Il est en outre membre des J.R.E. (Jeunes restaurateurs d'Europe).
C'est aussi un grand sportif et un farouche défenseur de la nature.

Luisa Valazza

Née le 20 décembre 1950

Restaurant **Al Sorriso**
Via Roma, 18
28018 Soriso — Italie
Tél. 0322-983228 ; fax 0322-983328

Le talent culinaire de Luisa Valazza fait l'unanimité : le restaurant qu'elle tient depuis 1981 dans son Piémont natal, avec son mari Angelo, affiche 2 étoiles Michelin, 4 toques à l'Espresso/ Gault et Millau (19,2), un soleil Veronelli et 90/100 au Gambero Rosso. Dans ce déluge de récompenses, ce membre de la chaîne Le Soste garde la tête froide et conserve soigneusement les préceptes appris dès 1971 à l'Europa de Borgomanero.
Luisa Valazza est très portée sur les arts, surtout la peinture et la littérature. Elle adore visiter les musées.

Guy Van Cauteren

Né le 8 mai 1950

Restaurant **T'Laurierblad**
Dorp, 4
9290 Berlare — Belgique
Tél. (0)52-424801 ; fax (0)52-425997

Avant d'ouvrir en 1979 cette « feuille de laurier », Guy Van Cauteren est passé chez les meilleurs chefs : Alain Senderens à Paris, à l'Archestrate, et les Allégrier au Lucas Carton (1972-1974), puis un séjour à l'ambassade de France à Bruxelles (1974-1979). Depuis, il aligne 2 étoiles Michelin, 3 toques rouges Gault et Millau (17) et 89/100 au guide belge Henri Lemaire. Heureux lauréat du Bocuse de bronze en 1993, notre chef est maître cuisinier de Belgique.
Il est un grand collectionneur de thés et de livres anciens.

Freddy Van Decasserie

Né le 10 octobre 1943

Restaurant **La Villa Lorraine**
75, avenue du Vivier-d'Oie
1180 Bruxelles — Belgique
Tél. (0)2-3743163 ; fax (0)2-3720195

Entré en 1963 comme commis à la Villa Lorraine, Freddy Van Decasserie a gravi tous les échelons hiérarchiques de la brigade pour en être aujourd'hui le chef de cuisine, et recevoir en cette qualité de multiples honneurs : 2 étoiles Michelin, 3 toques rouges Gault et Millau (18), 3 étoiles au Bottin gourmand, 92/100 au guide Henri Lemaire. Il est maître cuisinier de Belgique, membre de l'Académie culinaire de France et de Traditions et qualité.
Notre chef a le plaisir de pratiquer le cyclisme avec son ami Eddy Merckx, qui lui propose des « sorties d'entraînement ».

Geert Van Hecke

Né le 20 juillet 1956

Restaurant **De Karmeliet**
Langestraat, 19
8000 Bruges — Belgique
Tél. (0)50-338259 ; fax (0)50-331011

Initié par Freddy Van Decasserie à la Villa Lorraine en 1977, Geert Van Hecke a connu ensuite Alain Chapel, puis la célèbre Cravache d'Or de Bruxelles, avant d'ouvrir son propre restaurant dans une ancienne maison de maître, au cœur de la « Venise du Nord ». Ce parcours lui vaut aujourd'hui de collectionner 2 étoiles Michelin, 3 étoiles au Bottin gourmand, 3 toques rouges Gault et Millau (18) et 92/100 au guide Henri Lemaire. Il est maître cuisinier de Belgique et membre de Traditions et qualité.
Geert Van Hecke aime l'art et apprécie la visite des musées.

Gérard Vié

Né le 11 avril 1943

Restaurant **Les Trois Marches**
(Trianon Palace)
1, boulevard de la Reine
78000 Versailles — France
Tél. 01 39 50 13 21 ; fax 01 30 21 01 25

Celui qui est devenu en 1970 l'inégalable chef des Trois Marches a commencé très jeune sa carrière chez Lapérouse en 1956. Ensuite sont venus le Lucas Carton, le Plaza-Athénée et le Crillon Tower's de Londres, avant un passage à la Compagnie des wagons-lits (1967-1970). Gérard Vié présente aujourd'hui 2 étoiles Michelin et 3 toques rouges (18). Il a reçu en 1984 le titre de table d'argent de Gault et Millau et, en 1993, la clé d'or de la Gastronomie.
C'est un grand amateur de théâtre, d'opéra et de cinéma.

Jean-Pierre Vigato

Né le 20 mars 1952

Restaurant **Apicius**
122, avenue de Villiers
75017 Paris — France
Tél. 01 43 80 19 66; fax 01 44 40 09 57

Notre chef a pris son essor au Grandgousier à Paris en 1980-1983, avant d'y créer Apicius en 1984. Ce restaurant placé sous l'invocation d'un célèbre gastronome romain a reçu une première étoile Michelin en 1985, une seconde en 1987 et compte aujourd'hui 3 toques rouges au Gault et Millau (18). Jean-Pierre Vigato a été chef de l'année Gault et Millau en 1988, et cuisinier du pavillon français à l'Exposition universelle de Séville en 1992.
Il consacre ses loisirs à sa passion de la lecture.

Gianfranco Vissani

Né le 22 novembre 1951

Restaurant **Vissani**
05020 Civitella del Lago — Italie
Tél. 0744-950396; fax 0744-950396

Gianfranco Vissani a crevé le plafond du guide L'Espresso/Gault et Millau: avec 19,6 et 4 toques, il détient la meilleure note d'Italie. Cet honneur s'accompagne de 2 étoiles Michelin, d'un soleil Veronelli et de 87/100 au Gambero Rosso, légitimes trophées de ce restaurant que notre chef tient en famille depuis 1980, avec sa femme, sa mère et sa sœur. Il produit lui-même son huile d'olive, essentiel condiment de toute cuisine méditerranéenne.
Dans le privé, Gianfranco Vissani collectionne les montres, aime la musique classique et la lecture. Il est en outre un supporter inconditionnel du Milan AC.

Jonathan F. Wicks

Né le 14 juin 1962

Restaurant
Paquebot *Queen Elizabeth II*
Southampton — Grande-Bretagne

De 1980 à 1987, Jonathan Wicks a travaillé dans plusieurs restaurants londoniens très cotés, tels le Mayfair Intercontinental, le Grosvenor House de Park Lane et le Meridien de Picadilly, où il a été junior sous-chef, avant d'être nommé en 1987 maître de cuisine du prestigieux yacht *Queen Elizabeth II* basé à Southampton, dont les incessants déplacements satisfont son appétit de voyages.
Bien qu'originaire de Bath où l'on préfère le rugby à XV, notre chef pratique le football américain et la voile. Il collectionne les assiettes précieuses et préfère prendre son petit déjeuner au lit.

Heinz Winkler

Né le 17 juillet 1949

Restaurant **Residenz Heinz Winkler**
Kirchplatz 1
83229 Aschau im Chiemgau — Allemagne
Tél. (0)8052-17990; fax (0)8052-179966

Comment décroche-t-on 3 étoiles Michelin à 31 ans? Par exemple, en se formant à l'hôtel Victoria d'Interlaken, chez Paul Bocuse et au Tantris de Munich, et en ouvrant en 1991 la Residenz Heinz Winkler. Pour faire bonne mesure, Heinz Winkler détient aussi 3 toques blanches (18), a été cuisinier de l'année Gault et Millau en 1979 et restaurateur de l'année en 1994. Il est membre des Relais et châteaux, Relais gourmands, Traditions et qualité, et même de la chaîne italienne Le Soste.
Pendant ses loisirs, il pratique volontiers le golf.

Harald Wohlfahrt

Né le 7 novembre 1955

Restaurant **Schwarzwaldstube**
Tonbachstrasse 237
72270 Baiersbronn — Allemagne
Tél. (0)7442-492665; fax (0)7442-492692

Harald Wohlfahrt est entré en 1976 à la Schwarzwaldstube, restaurant de l'hôtel Traube-Tonbach, en pleine Forêt-Noire, dont il dirige les cuisines depuis 1980. Il a auparavant fait ses classes au Stahlbad de Baden-Baden et au Tantris de Munich. Il a reçu le titre de chef de l'année Gault et Millau en 1991, et compte aujourd'hui 3 étoiles Michelin et 4 toques rouges (19,5). Il est membre des Relais gourmands et de Traditions et qualité.
Passionné des traditions gastronomiques, notre chef est aussi un sportif accompli.

Armando Zanetti

Né le 11 décembre 1926

Restaurant **Vecchia Lanterna**
Corso Re Umberto, 21
10128 Turin — Italie
Tél. 011-537047; fax 011-530391

Vecchia Lanterna, la «vieille lanterne»: c'est sous ce nom très évocateur que s'est ouvert en 1970 à Turin le restaurant d'Armando Zanetti, qui avait auparavant tenu dans la même ville, de 1955 à 1969, la Rosa d'Oro. Ce chef originaire de Vénétie, très porté sur les traditions culinaires de son pays, a reçu 2 étoiles Michelin et s'enorgueillit de 4 toques au guide L'Espresso/Gault et Millau, avec 19,2 sur 20.
Il ne cesse de rechercher les informations les plus diverses sur la cuisine ancienne pratiquée en Europe et apprécie les dégustations de plats.

Alberto Zuluaga

Né le 31 mars 1960

Restaurant **Lopez de Haro y Club Naútico**
Obispo Orueta, 2
48009 Bilbao — Espagne
Tél. (0)94-4235500; fax (0)94-4234500

Basque de Biscaye et fier d'exercer son talent dans la propre capitale de sa province, Alberto Zuluaga tient depuis 1991 les cuisines du restaurant de luxe Club Nautico (5 étoiles), dans le centre financier de Bilbao. Il a auparavant, de 1987 à 1991, travaillé au Bermeo de Bilbao, et affirmait déjà son goût pour les traditions gastronomiques basques qui lui a valu en 1988 le titre de meilleur cuisinier d'Euzkadi.
Bien évidemment, notre chef pratique la pelote basque.

Glossaire

ACCOMMODER: préparer un mets pour la dégustation: selon les cas, assaisonner, parer, découper, faire cuire, etc.

ADOUCIR: atténuer la force d'une saveur en la balançant par une saveur contraire: addition de sucre, de bouillon ou de crème, par exemple.

AÏOLI: mayonnaise provençale à base d'huile d'olive et d'ail que l'on sert avec du poisson, des œufs durs ou des légumes.

AL DENTE: cuisson des pâtes ou des légumes de manière à ce qu'ils ne deviennent pas trop mous et restent fermes «sous la dent».

ALLONGER: ajouter un complément de liquide dans une préparation pour la rendre moins consistante.

AMÉRICAINE (SAUCE): sauce préparée à base de carapaces de homards flambées au cognac, relevée avec du vin blanc et battue avec du beurre. On la sert habituellement avec du poisson et des crustacés.

APLATIR: frapper au maillet une tranche de viande ou un filet de poisson pour diminuer son épaisseur par écrasement des fibres.

ARROSER: recouvrir périodiquement de graisse, de jus ou de liquide une viande en cours de cuisson pour éviter son dessèchement.

ASSAISONNER: ajouter du sel, du poivre ou des épices à un plat pour équilibrer son goût.

BAIN-MARIE: eau bouillante dans laquelle on met un récipient contenant la préparation que l'on veut faire chauffer lentement, sans contact direct avec le feu.

BARDER: ceindre d'une fine couche de lard gras (la barde) un rôti ou une volaille pour atténuer la force de la cuisson.

BÉCHAMEL: sauce blanche à base de beurre, de farine et de lait.

BEURRE MANIÉ: beurre ramolli mélangé à de la farine.

BLANCHIR (FAIRE): donner une première cuisson aux légumes dans l'eau avant de les apprêter.

BLINI: mets russe; sorte de petite crêpe épaisse salée, préparée à base de farine de froment et garnie de crème fraîche, de caviar ou de saumon fumé.

BOUQUET GARNI: bouquet d'épices et d'herbes avec lequel on relève soupes, pot-au-feu et plats mijotés. Généralement composé de thym, laurier et persil, mais également de romarin, fenouil, céleri, etc. selon le plat ou la région.

BRAISER: cuire à la cocotte, à feu doux et à l'étouffée, une pièce de viande, de poisson ou de volaille (sur le gaz ou dans un four).

BRIDER: faire passer une ficelle dans les membres d'une volaille en les traversant à l'aide d'une aiguille à brider, afin de les empêcher de s'écarter.

BRUNOISE: façon de tailler un mélange de légumes (carottes, navets, céleri, etc.) en petits dés d'1 à 2 cm de côté.

CARPACCIO: fines tranches de viande, en général du bœuf, arrosées d'huile et de jus de citron ou de vinaigrette à base d'huile d'olive. Le carpaccio est souvent servi en hors-d'œuvre.

CHANTILLY: crème fouettée sucrée.

CHARTREUSE: gratin à base de viande coupée en petits morceaux, de légumes et de lard, cuits au bain-marie et servis chaud.

CISELER: pratiquer des incisions plus ou moins profondes sur un poisson pour en faciliter la cuisson. Couper finement herbes et salades.

CLARIFIER: rendre limpide une gelée ou un consommé avec du blanc d'œuf. Faire fondre du beurre, puis le filtrer dans une mousseline avant utilisation.

COLORER (FAIRE): saisir un mets dans un corps gras pour lui donner une couleur dorée. Ajouter une substance fortement colorée pour modifier l'aspect d'une préparation (caramel, épinards hachés, etc.).

COMPOTER: faire cuire à feu doux des fruits ou des légumes jusqu'à semi-décomposition.

CONCASSER: couper grossièrement des ingrédients en morceaux suivant leur utilisation.

CONSOMMÉ: bouillon de viande ou de volaille cuit très longuement, puis clarifié. Il se sert chaud ou froid.

CORAIL: substance rouge orangée des coquillages et crustacés particulièrement appréciée des connaisseurs.

CORRIGER: améliorer le goût d'une sauce en l'additionnant d'éléments neutralisants: sucre, crème ou pommes de terre.

CORSER: renforcer la saveur d'un mets par l'addition d'épices ou de substances plus fortes (concentrés, condiments, etc.).

COULER: introduire de la gelée chaude (et liquide) dans un pâté en croûte pour qu'elle comble en refroidissant les cavités qui se creusent entre le pâté et la croûte.

COURT-BOUILLON: mélange d'oignon, de céleri, de carotte, de bouquet garni, de citron et d'ail utilisé pour la cuisson de la viande ou du poisson.

CRÉMER: ajouter de la crème fraîche dans un potage ou une sauce pour lui donner plus d'onctuosité.

CROÛTONS: morceaux de pain grillé servis avec de la soupe, des plats mijotés ou de la salade.

CRUDITÉS: légumes crus, souvent coupés en lamelles ou râpés, servis en hors-d'œuvre et assaisonnés de sauces variées

CUISSON À DÉCOUVERT: cuisson sans couvercle.

CUISSON À L'ÉTUVÉE: cuisson au-dessus de la vapeur d'eau dans une casserole équipée d'une passoire, ou une casserole spécifique à lamelles multiples ou en bambou.

DÉCOUENNER: retirer la peau épaisse d'une viande de porc.

DÉGLACER: mouiller légèrement le dépôt restant au fond d'un plat de cuisson avec de l'eau, du vin, de l'alcool ou tout autre liquide.

DÉGORGER (FAIRE): faire tremper certains abats pour en enlever le sang et certains légumes pour leur faire perdre leur âcreté.

DÉGRAISSER: retirer la partie grasse d'un aliment avant ou après cuisson.

DÉPOUILLER: retirer la peau d'un animal (lapin, poisson ou volaille). Écumer à la surface d'une sauce ou d'un bouillon les impuretés qui remontent du fond.

DÉTAILLER: couper une viande ou un légume en tranches, en petits dés, en cubes ou en bâtonnets.

DIJONNAISE: expression typiquement française employée pour qualifier des plats préparés à base de moutarde de Dijon. Cette moutarde particulièrement crémeuse est confectionnée à partir de graines de moutarde trempées dans le jus acide de raisins non matures. La dijonnaise est aussi une mayonnaise au fort goût de moutarde servie avec de la viande froide.

DORER (FAIRE): faire cuire une viande ou d'autres ingrédients dans un peu de graisse chaude pour leur donner une légère couleur dorée.

DORURE: résultat de l'opération consistant à enduire une pâte d'œuf entier battu, additionné d'un peu d'eau ou de lait.

DRESSER: disposer une préparation terminée sur le plat de service.

ÉBARBER: préparer un poisson à la cuisson en enlevant les nageoires et les arêtes extérieures à l'aide de ciseaux.

ÉCUMER: retirer à l'aide d'une écumoire les impuretés se formant à la surface d'un bouillon de cuisson.

ÉMINCER: couper une viande ou un légume en lamelles très fines et d'égale épaisseur au robot-coupe ou à la mandoline.

ÉMULSIONNER: mélanger un liquide gras dans un autre en le fouettant énergiquement.

ESCALOPER: couper une viande, un poisson ou un crustacé en tranches fines.

ÉVIDER: ôter la pulpe d'un légume ou d'un fruit, afin de pouvoir le farcir.

FARCE: mélange composé de viande ou de poisson finement hachés utilisé pour farcir un aliment. On peut aussi mélanger à de la viande des champignons, des légumes, du riz, de la mie de pain ou de l'œuf.

FLAQUER: ôter l'arête centrale d'un poisson en l'ouvrant délicatement tout au long du dos.

FONCER: en cuisine, graisser et garnir le fond d'une cocotte de tous les éléments indiqués dans la recette.

FOND: jus résultant de la cuisson d'une viande ou d'un poisson et servant de base à des sauces. Également disponible en produit fini.

GALANTINE: charcuterie servie froide dans de la gelée.

GARNITURE: encadrement d'une préparation (légumes ou épices).

GASPACHO: soupe de légumes froide d'origine espagnole préparée avec des tomates mûres, des poivrons rouges, des concombres, de l'huile d'olive, des croûtons de pain et de l'ail.

GELÉE: bouillon de viande qui se solidifie en refroidissant.

GLACER: Napper des mets avec leur propre jus, de la gelée ou du sucre.

GRAISSER: enduire d'un corps gras une plaque ou un moule à pâtisserie.

GRATINER (FAIRE): saupoudrer un plat cuisiné avec de la chapelure, du fromage, des flocons de beurre et mettre au four avec une source de chaleur provenant du haut. Il se forme alors une belle croûte dorée.

GRILLER (FAIRE): faire cuire un plat très rapidement au-dessus d'une source de chaleur ou sous le gril chaud.

HABILLER: préparer un animal pour la cuisson: écailler, vider et/ou dépouiller un poisson; plumer, flamber et/ou barder une volaille.

INFUSER (FAIRE): verser un liquide bouillant sur une substance aromatique et couvrir afin qu'il s'imprègne des arômes de celle-ci.

JULIENNE: bâtonnets minces et réguliers de légumes, de fruits, de viande ou de truffes.

LEVER: détacher la chair d'un poisson de l'arête centrale.

LIER: donner de la consistance à un liquide avec de la farine, du jaune d'œuf, de la crème, du lait ou du beurre.

LIMONER: ôter après un long séjour dans de l'eau froide la fine membrane qui enrobe la cervelle, certains abats et divers filets de poissons.

LUSTRER: recouvrir d'une couche brillante au pinceau: beurre ou gelée tiède pour les préparations salées, sirop de sucre ou nappage pour les tartes et gâteaux.

MARINER (FAIRE): placer plus ou moins longtemps une viande, un poisson ou une volaille dans un mélange d'huile, de vinaigre ou de jus de citron, d'épices et d'herbes. On raccourcit ainsi le temps de cuisson et les morceaux prennent le goût de la marinade.

MASQUER: couvrir un mets d'une sauce épaisse, d'une gelée ou d'une purée disposées en couche homogène.

MIJOTER (FAIRE): faire cuire à feu doux des mets, généralement en sauce.

MIREPOIX: mélange utilisé dans la préparation de certains plats associant des carottes, des oignons et du céleri taillés en gros dés.

MIXER: broyer et mélanger des aliments dans un mixeur.

MOUILLER: incorporer un liquide dans une préparation pendant sa cuisson.

MOULER: verser une préparation fluide ou liquide dans un moule pour lui donner une forme en cours de cuisson.

PANADE: préparation à base de pain, d'eau et de beurre, agrémentée parfois d'un jaune d'œuf et de lait.

PANER: enrober une viande ou un poisson d'un mélange de farine, d'œuf et de chapelure avant de les passer à la poêle ou de les faire frire.

PARER: débarrasser les pièces d'une viande ou d'un poisson de leurs éléments inutiles (gras, nerfs). Permet de donner une forme et de soigner la présentation.

PARFAIT: plat froid préparé à base d'une farce fine liée avec de la gélatine ou du blanc d'œuf. On verse la préparation dans des moules et on démoule après refroidissement.

PASSER: filtrer une soupe, une sauce ou un autre liquide à travers une passoire ou un linge.

PÂTE FILO (FEUILLE DE BRICK): pâte confectionnée à partir de farine, d'eau et d'huile. Elle est déroulée très finement comme du papier, puis coupée et superposée en couches successives préalablement graissées à l'aide d'un pinceau. Souvent employée dans la cuisine du proche-Orient et d'Asie.

PERSILLADE: assaisonnement à base de persil finement haché et d'ail.

POCHER: plonger dans un liquide bouillant des œufs sans leur coquille, des fruits, etc.

RAFRAÎCHIR: faire couler de l'eau froide sur un mets pour le refroidir rapidement et stopper la cuisson.

RAIDIR (FAIRE): saisir à la poêle une viande ou une volaille pour en affermir la chair avant de débuter une cuisson plus longue.

RÉDUIRE (FAIRE): diminuer le volume d'un liquide par évaporation en le maintenant à ébullition, ce qui augmente sa saveur.

RÉMOULADE: sauce piquante à base de mayonnaise, d'herbes (estragon, persil, etc.), de cornichons et de câpres. Également disponible en produit fini.

RÉSERVER: mettre de côté au frais ou au chaud une préparation destinée à être utilisée ultérieurement.

REVENIR (FAIRE): faire rissoler ou colorer une viande ou une volaille dans une poêle avec un morceau de lard ou du beurre pour obtenir une belle couleur dorée.

RISSOLER (FAIRE): faire colorer un légume.

ROUELLE: façon de tailler en oblique certains légumes (carottes, oignons) ou de la viande.

ROUSSIR (FAIRE): faire colorer dans de la graisse chaude une viande, une volaille et certains légumes.

ROUX: mélange de beurre et de farine cuit plus ou moins longtemps selon la coloration désirée: blanc, blond ou brun.

SABAYON: crème à base de vin, d'œufs, de sucre et d'aromates.

SAFRAN: épice à base de stigmates floraux du crocus servant de colorant ou de condiment.

SAISIR: faire cuire un aliment à feu très vif.

SALPICON: mélange d'aliments détaillés en dés réguliers.

SAUTER (FAIRE): faire cuire à feu vif dans de la graisse des apprêts de viande, de volaille, de poisson ou d'autres ingrédients.

SERRER: donner une consistance épaisse et très homogène à une sauce onctueuse ou à des œufs en neige.

SOUFFLÉ: mets à base d'œufs, sucré ou salé, servi chaud ou froid. La structure aérée du soufflé est obtenue à l'aide de blancs d'œufs montés en neige et incorporés à une sauce ou à une purée.

SUER (FAIRE): cuire dans de la graisse à feu doux, à couvert pour conserver une certaine humidité (viande ou légumes) ou à découvert (duxelles de champignons).

TARTARE: viande de bœuf crue servie avec des oignons hachés, des câpres ou du persil et assaisonnée de poivre et de sel.

TERRINE: préparation à base de viande, de volaille, de gibier, de poisson ou de légumes hachés cuite dans un moule en forme de terrine et servie froide.

TOMBER: cuire des légumes à feu doux pour faire évaporer partiellement l'eau qu'ils contiennent et réduire sensiblement leur consistance.

TOURNER: donner une forme de poire aux légumes utilisés pour une garniture.

TRAVAILLER: mélanger divers ingrédients, soit à la main, soit avec un fouet ou une spatule.

TRUFFE: champignon sauvage en forme de boule. On le trouve en automne à la base des chênes et des marronniers.

VANNER: fouetter une sauce ou une crème en cours de refroidissement pour conserver son homogénéité et proscrire l'apparition d'une peau en surface.

VELOUTÉ: potage onctueux cuisiné avec du beurre, de la farine, du fond, et assaisonné de sel et de poivre. Existe également en produit fini.

Index